# LA GRANJA

# TOM ROB SMITH

# LA GRANJA

Traducción del inglés de
Javier Guerrero

black
salamandra

# LA GRANJA

Hasta que sonó el teléfono, había sido un día normal. Volvía a casa cargado con la bolsa de la compra por Bermondsey, un barrio de Londres, justo al sur del río. Era una tarde de agosto sofocante y cuando sonó el móvil pensé en no contestar; me moría de ganas de llegar a casa y ducharme. Vencido por la curiosidad, reduje el paso, saqué el teléfono del bolsillo y me lo llevé a la oreja; el sudor humedeció la pantalla. Era mi padre. Se había trasladado a Suecia recientemente y no solía llamar; apenas usaba el móvil, y llamar a Londres le salía muy caro. Mi padre estaba llorando. Me paré en seco y solté la bolsa de la compra. Nunca lo había oído llorar. Mis padres siempre habían tenido la precaución de no discutir ni perder los nervios en mi presencia. En casa no había discusiones furibundas ni broncas al borde de las lágrimas.

—¿Papá? —dije.

—Tu madre... no está bien.

—¿Está enferma?

—Es muy triste.

—¿Triste? ¿Está enferma? ¿Qué le pasa? ¿Qué le pasa a mamá?

Mi padre seguía llorando. Lo único que pude hacer fue esperar en silencio hasta que dijo:

—Imagina cosas; cosas terribles, muy terribles.

Esa referencia a la imaginación de mi madre, y no a una dolencia física, fue tan extraña y sorprendente que tuve que agacharme y apoyar una mano en el suelo de hormigón caliente y agrietado para no caerme. Observé una mancha de salsa roja que se filtraba por la base de la bolsa de la compra.

—¿Desde cuándo? —pregunté por fin.

—Lleva así todo el verano.

Meses, y yo sin saberlo. Había estado en Londres, sin enterarme, mientras mi padre me ocultaba los problemas, como tenía por costumbre.

—Estaba convencido de que podía ayudarla —añadió, leyéndome el pensamiento—. Es posible que haya esperado demasiado, pero los síntomas empezaron poco a poco: ansiedad y comentarios extraños, eso puede pasarnos a todos. Luego vinieron las acusaciones. Tu madre asegura que tiene pruebas, habla de indicios y de sospechosos, pero no son más que disparates y mentiras.

Estaba empezando a hablar más alto, desafiante, categórico, y ya no lloraba. Había recuperado la soltura. Su voz transmitía algo más que tristeza.

—Tenía la esperanza de que se le pasara, creía que sólo necesitaba tiempo para adaptarse a la vida en Suecia, en el campo. Pero fue de mal en peor. Y ahora...

Mis padres pertenecían a una generación que sólo iba al médico si sufría una herida que pudieras ver con tus propios ojos o palpar con los dedos. Eso de atosigar a un desconocido con los detalles íntimos de su vida les parecía inimaginable.

—Papá, dime que ha ido al médico.

—El doctor dice que sufre un episodio psicótico. Daniel...

Mi madre y mi padre eran las únicas personas del mundo que no abreviaban mi nombre para llamarme Dan.

—Tu madre está en el hospital. La han internado.

Al oír esta última noticia abrí la boca para hablar sin tener ni idea de qué decir, quizá sólo para exclamar, pero al final no dije nada.

—¿Daniel?

—Sí.

—¿Me has oído?

—Te he oído.

Pasó un coche abollado. Frenó para mirarme, pero no se detuvo. Eché un vistazo al reloj. Eran las ocho de la tarde y había pocas posibilidades de encontrar un vuelo para esa misma noche. Viajaría por la mañana temprano. En lugar de rendirme a las emociones, me impuse la obligación de ser eficiente. Hablamos un poco más. Los dos estábamos recuperando la normalidad, controlados y contenidos después de la agitación de los primeros minutos.

—Buscaré un vuelo para mañana por la mañana —dije—. Te llamaré cuando tenga la reserva. ¿Estás en casa? ¿O en el hospital?

Estaba en casa.

Después de colgar, rebusqué en la bolsa de la compra. Empecé a sacar los productos y a dejarlo todo en el suelo, hasta que encontré el frasco agrietado de salsa de tomate. Lo levanté con cuidado, porque lo único que sujetaba los vidrios rotos era la etiqueta. Fui a tirarlo a una papelera cercana antes de volver a mi compra esparcida y quitar la salsa con pañuelos de papel. Puede que esto parezca innecesario —al infierno la bolsa, mi madre está enferma—, pero el frasco resquebrajado podría haber terminado de romperse y entonces la salsa de tomate lo habría pringado todo, y, además, la sencillez monótona de la tarea me resultaba reconfortante. Recogí la bolsa y, a un paso más rápido, llegué a mi casa, en el último piso de una antigua fábrica convertida en edificio de apartamentos. Me metí bajo el agua fría de la ducha y pensé en llorar; ¿no debería llorar? Me lo pregunté como si fuera lo mismo que decidir si me fumaba un cigarrillo. ¿Acaso no era mi deber de hijo? El llanto debería ser instintivo. Sin embargo, yo siempre me detengo antes de mostrar mis emociones. Soy cauto ante las miradas de los desconocidos. En este caso no era una cuestión de prudencia, sino de incredulidad. No podía dar una respuesta emocional a una situación que no comprendía. No iba a llorar. Había demasiadas preguntas sin responder para ponerse a llorar.

Después de la ducha, me senté delante del ordenador a repasar los correos electrónicos que mi madre me había enviado en los últimos cinco meses, preguntándome si habría pasado por alto alguna pista. No había visto a mis padres desde su traslado a Suecia, en el mes de abril. En su fiesta de despedida de Inglaterra brindamos por una apacible jubilación y todos los invitados se quedaron delante de su antigua casa para despedirse con cariño. No tengo hermanos ni hermanas, no hay tíos ni tías, cuando hablo de la familia me refiero a nosotros tres, mi madre, mi padre y yo: un triángulo como un fragmento de una constelación, tres estrellas brillantes muy juntas, con un montón de espacio alrededor. Nunca habíamos hablado con detalle de esa falta de parientes. Había algunas pistas: mis padres vivieron infancias difíciles, separados de sus propios padres, y yo estaba seguro de que su promesa de no discutir nunca delante de mí se originaba en un deseo poderoso de proporcionarme una educación muy distinta de la que ellos habían vivido. La motivación no respondía a la tradicional reserva británica. No escatimaban amor o felicidad, esos sentimientos se expresaban a la menor oportunidad. Si los tiempos eran buenos, lo celebraban; si no lo eran tanto, lo vivían con optimismo. Por eso alguna gente consideraba que me protegían demasiado: sólo había visto buenos tiempos. Los malos quedaban ocultos. Yo era cómplice de ese pacto. No hacía preguntas. La fiesta de despedida había sido uno de esos buenos momentos. Todos los asistentes vitorearon cuando mis padres partieron para embarcarse en una gran aventura que iba a llevar a mi madre de regreso al país del que se había marchado cuando sólo tenía dieciséis años.

Poco después de su llegada a una antigua granja remota, situada en el extremo sur de Suecia, mi madre había escrito con regularidad. Los mensajes de correo describían lo maravillosa que era su vida allí, la belleza del campo, la calidez de la gente del lugar. Si había algún atisbo de problemas era sutil, y yo no había sabido interpretarlo. La longitud de sus mensajes se fue reduciendo con el transcurso de las semanas y las frases que expresaban su fascinación se hicieron más escasas. Yo lo había interpretado como algo positivo. Mi madre estaba instalándose y no tenía tiempo libre. Apareció su último mensaje de correo:

¡Daniel!

Nada más, sólo mi nombre entre signos de exclamación. Mi reacción había consistido en responder de inmediato para decirle que se había producido un fallo técnico, que su mensaje no había llegado y que por favor lo reenviara. No presté suficiente atención a esa única palabra, convencido de que se trataba de un error, y ni siquiera se me ocurrió la posibilidad de que ese mensaje se hubiera enviado en medio de la angustia.

Repasé toda la cadena de correspondencia, preocupado por la noción de mi propia ceguera e inquieto por la pregunta de qué más podría haber pasado por alto. Sin embargo, no encontré signos reveladores, ningún exceso de fantasía desconcertante; mi madre escribía con su estilo habitual, en inglés, porque, lamentablemente, yo había olvidado buena parte del sueco que me había enseñado

13

de niño. Un mensaje de correo contenía dos archivos adjuntos que pesaban mucho: fotografías. Estaba seguro de que las había mirado antes, pero en ese momento tenía la mente en blanco. La primera apareció en pantalla: un granero inhóspito con un tejado de acero oxidado, un cielo gris, un tractor aparcado fuera. Al ampliar la parte del cristal de la cabaña vi un reflejo parcial del fotógrafo (mi madre), pero el flash le daba en la cara, de forma que parecía que la cabeza hubiera explotado en rayos brillantes de luz blanca. En la segunda, se veía a mi padre de pie en el exterior de la casa, conversando con un desconocido alto. Daba la impresión de que la foto se había tomado sin el conocimiento de mi padre, desde cierta distancia. Tenía más pinta de fotografía de vigilancia que de retrato familiar. Ninguna de las imágenes mostraba una belleza especial, aunque, por supuesto, no había preguntado sobre esa anomalía. Me había limitado a responder que estaba impaciente por conocer la casa. Era mentira. No tenía ningunas ganas y ya había pospuesto la visita varias veces, retrasándola de principios a finales del verano, a la llegada del otoño, sin más explicación que algunas vagas verdades a medias.

La auténtica razón del retraso era que estaba asustado. No había contado a mis padres que vivía con mi compañero y que nos conocíamos desde hacía tres años. El engaño venía de tan lejos que estaba convencido de que no podría desenredarlo sin hacer daño a mi familia. Había salido con chicas en la universidad. Mis padres preparaban la cena para esas novias y se mostraban encantados con mis elecciones: las chicas eran guapas, divertidas y listas. Pero yo no sentía que se me acelerara el corazón cuando se desnudaban, y durante el sexo exhibía una concentración profesional en mi cometido, convencido de que mi capacidad de proporcionarles placer significaba que no era gay. No acepté la verdad hasta que me fui de casa.

Se lo conté a mis amigos, pero excluí a mis padres, no por vergüenza, sino por cobardía bien intencionada. Me aterrorizaba dañar el recuerdo de mi infancia. Mis padres se habían desvivido por crear un hogar feliz, se habían sacrificado, habían hecho un voto solemne de tranquilidad, conjurados para construir un refugio en el que no cupieran los traumas; no habían fallado ni una vez, y los amaba por ello. Al oír la verdad, sin duda concluirían que habían fracasado. Pensarían en todas las mentiras que me habría visto obligado a contar. Me imaginarían solitario y torturado, intimidado y ridiculizado, cuando nada de eso era cierto. Mi adolescencia había sido fácil. Había pasado de la infancia a la edad adulta saltándome una etapa —el pelo rubio brillante se me había oscurecido apenas un poco, los ojos azules, nada en absoluto—, y el atractivo físico me valió una inmerecida popularidad. Pasé esos años como en una nube. Ni siquiera mi secreto me había pesado demasiado. No me entristecía. Simplemente no le daba muchas vueltas. Al final, se reducía a esto: no podía soportar la idea de que mis padres se preguntaran si había dudado de su amor. Me parecía injusto para ellos. Podía oírme diciendo, con voz desesperada, sin creer mis propias palabras:

—¡No cambia nada!

Estaba seguro de que aceptarían a mi compañero y celebrarían nuestra relación como lo celebraban todo, pero quedaría un rastro triste. El recuerdo de una infancia perfecta moriría, y lo lloraríamos con la misma seguridad que el fallecimiento de una persona amada. Así pues, la verdadera razón de que hubiera pospuesto mi visita a Suecia era que había prometido a mi compañero que ésa sería la oportunidad de contar la verdad a mis padres, la oportunidad, por fin, después de todos esos años, de que lo conocieran.

* * *

Mark llegó a casa esa noche y me encontró delante del ordenador, buscando vuelos a Suecia. Sonrió antes de que yo pudiera decir ni una palabra, suponiendo que se iban a acabar las mentiras. No fui capaz de adelantarme a su error, y por eso me vi forzado a corregirle con el mismo eufemismo que había usado mi padre.

—Mi madre está enferma.

Fue doloroso ver a Mark adaptarse, ocultar su decepción. Era once años mayor que yo, acababa de cumplir cuarenta, y aquel piso era suyo, fruto de sus éxitos como abogado especializado en derecho corporativo. Yo hacía lo posible por desempeñar un papel equitativo en la relación e insistía en pagar el máximo alquiler que podía permitirme. Claro que, en realidad, no podía permitirme mucho. Trabajaba de paisajista autónomo para una empresa que convertía azoteas en jardines y sólo cobraba cuando había un encargo. Había que luchar con la recesión y no teníamos trabajos en perspectiva. ¿Qué veía Mark en mí? Sospechaba que él ansiaba la clase de vida hogareña y calmada en la que yo era experto. No discutía. No me peleaba. Siguiendo los pasos de mis padres, me esforzaba por convertir mi hogar en un refugio frente al mundo. Mark había estado casado diez años con una mujer, y la relación había terminado en un divorcio complicado. Su ex declaró que él le había robado los mejores años de su vida, explicó que había desperdiciado su amor con Mark y que, de pronto, a los treinta y tantos, no podría encontrar un compañero de verdad. Mark aceptó la idea y cargó con el peso de la culpa. Yo no tenía claro que alguna vez pudiera quitarse ese peso de encima. Había visto fotos de él a sus veintitantos, desbordante de seguridad y optimismo, con trajes caros y aspecto elegante, con hombros anchos y brazos gruesos como consecuencia de muchas horas en el gimnasio. Iba a clubes de estriptis y organizaba despedidas de soltero chabacanas para sus colegas. Se reía a carcajadas de los chistes y daba palmadas en la espalda a la gente. Había dejado de reírse así. Durante el divorcio, los padres de Mark se pusieron del lado de su ex mujer. Sobre todo su padre estaba indignado con él. Ya no se hablaban. Su madre nos enviaba felicitaciones navideñas como si quisiera decir más y no supiera cómo. Su padre jamás las firmaba. En el fondo, me preguntaba si Mark veía a mis padres como una segunda oportunidad. De más está decirlo, tenía todo el derecho a pedir que formaran parte de su vida. La única razón de que aceptara el retraso era que se sentía incapaz de exigir nada cuando él había tardado tanto en salir del armario. Es posible que yo explotara ese hecho en cierta medida. Eso me quitaba presión. Me permitía aplazar la hora de la verdad una y otra vez.

Como no tenía ningún trabajo en perspectiva, nada me impedía volar a Suecia de improviso. El único problema era el coste del billete. Ni hablar de que me lo pagara Mark cuando mis padres ni siquiera sabían su nombre. Vacié los ahorros que me quedaban, apurando el descubierto de mi cuenta, y, con el billete reservado, llamé a mi padre para darle los detalles. El primer vuelo disponible despegaba de Heathrow a las nueve y media de la mañana siguiente y aterrizaba en Göteborg, en el sur de Suecia, a mediodía. Mi padre no dijo más que unas pocas palabras; me sonó derrotado, moribundo. Le pregunté qué estaba haciendo, preocupado por saber si se las arreglaba bien solo en la granja aislada.

—Estoy ordenando —contestó—. Tu madre vació todos los cajones y armarios.

—¿Qué estaba buscando?

—No lo sé. No tiene lógica. Daniel, escribía en las paredes.

Pregunté qué escribía.

—No importa —dijo.

\* \* \*

17

No hubo forma de dormir esa noche. Recuerdos de mi madre me daban vueltas y más vueltas en la cabeza. Se centraban en las vacaciones que habíamos pasado juntos en Suecia, veinte años antes, solos en una pequeña isla turística del archipiélago que hay al norte de Göteborg, sentados uno junto al otro en una roca, con los pies en el agua. En la distancia, un buque de carga que se dirigía a mar abierto partía las aguas profundas, y nos quedamos mirando cómo avanzaba hacia nosotros la ola creada por la proa, como un pliegue en el mar en calma. Ni ella ni yo nos movimos, tomados de la mano, esperando el impacto inevitable, viendo crecer la ola al pasar sobre agua poco profunda hasta que rompió contra la base de la roca y nos caló hasta los huesos. Había elegido ese recuerdo porque correspondía al momento de mayor unión con mi madre, cuando no podía imaginar tomar una decisión importante sin consultarle.

A la mañana siguiente, Mark insistió en llevarme a Heathrow, pese a que los dos sabíamos que sería más rápido utilizar el transporte público. Nos encontramos con un tráfico congestionado, pero no me quejé ni miré el reloj, consciente de lo mucho que Mark deseaba venir conmigo y de que yo le había impedido participar más allá de ese trayecto en coche. Me abrazó en la zona de parada de vehículos. Para mi sorpresa, estaba al borde de las lágrimas: noté las vibraciones sofocadas a través de su pecho. Le aseguré que no tenía sentido que me acompañara hasta la puerta de embarque, y nos dijimos adiós fuera.

Estaba a punto de facturar, ya con el billete y el pasaporte listos, cuando sonó mi teléfono.

—¡Daniel, no está aquí!

—¿Dónde no está, papá?

—¡En el hospital! Le han dado el alta. Ayer la traje. No habría podido venir sola. Pero, como no protestó, fue un ingreso voluntario. Luego, cuando me fui, convenció a los doctores de que le dieran el alta.

—¿Que mamá los convenció? Dijiste que los doctores le habían diagnosticado un episodio psicótico.

Mi padre no contestó. Yo insistí.

—¿El equipo médico no habló contigo antes de darle el alta?

—Debió de pedirles que no hablaran conmigo —dijo en voz más baja.

—¿Por qué iba a hacer eso?

—Soy una de las personas contra las que está haciendo acusaciones. —Y añadió apresuradamente—: Nada de lo que dice es real.

Fue mi turno de guardar silencio. Quería preguntar sobre esas acusaciones, pero no acababa de decidirme. Me senté en mi equipaje, con la frente apoyada en las manos, indicando con señas a los que hacían cola que me adelantaran.

—¿Tiene teléfono?

—Lo destrozó hace unas semanas. No se fía de los teléfonos.

Dudé ante la imagen de mi madre, tan mesurada, destrozando irracionalmente un teléfono. Mi padre estaba describiendo las acciones de una persona que yo no reconocía.

—¿Dinero?

—Puede que un poco; lleva una cartera de cuero. Nunca la pierde de vista.

—¿Qué hay dentro?

—Toda clase de cachivaches que considera importantes. Dice que son pruebas.

—¿Cómo se marchó del hospital?

—No lo quieren decírmelo. ¡Podría estar en cualquier sitio!

—Tú y mamá tenéis cuentas conjuntas —dije, sintiendo pánico por primera vez—. Puedes telefonear al banco y preguntar por las transacciones recientes. Localízala por la tarjeta.

Me di cuenta, por su silencio, de que mi padre nunca había telefoneado al banco: siempre había dejado las cuestiones económicas a mi madre. En su negocio, ella había llevado las cuentas, pagado las facturas y presentado las declaraciones de impuestos anuales; tenía un don para los números y poseía la capacidad de concentración necesaria para pasar horas reconstruyendo recibos y gastos. Recordé su libro de contabilidad anticuado, antes de que existieran las hojas de cálculo. Presionaba tanto con el boli que los números parecían escritos en braille.

—Papá, contacta con el banco y llámame enseguida.

Mientras esperaba, me aparté de la cola y salí del edificio de la terminal. Caminé entre la congregación de fumadores mientras trataba de asimilar que mi madre estaba perdida en Suecia. Mi teléfono sonó otra vez. Me sorprendió que mi padre hubiera cumplido el encargo con tanta rapidez, pero no era mi padre.

—Daniel, escúchame con atención...

Era mi madre.

—Te llamo desde un teléfono público y no tengo mucho crédito. Estoy segura de que tu padre ha hablado contigo. Todo lo que te haya dicho ese hombre es mentira. No estoy loca. No necesito ningún médico. Necesito a la policía. Estoy a punto de tomar un avión a Londres. Ven a buscarme a Heathrow, Terminal... —Hizo una pausa por primera vez para comprobar la información en su billete.

Aprovechando la oportunidad, lo único que logré decir fue un penoso:

—¡Mamá!

—Daniel, no hables, tengo muy poco tiempo. El avión llega a la Terminal Uno. Aterrizaré dentro de dos horas. Si llama tu padre, recuerda...

Se cortó la comunicación.

Llamé al teléfono público con la esperanza de que mi madre contestara, pero no descolgó nadie. Estaba a punto de intentarlo otra vez cuando llamó mi padre. Empezó a hablar sin ningún preámbulo. Me dio la impresión de que estaba leyendo notas.

—A las siete y veinte de esta mañana ha gastado cuatrocientas libras en el aeropuerto de Göteborg. El cargo es de Scandinavian Airlines. Llega a tiempo para el primer vuelo a Heathrow. ¡Va a verte! ¿Daniel?

—Sí.

¿Por qué no le dije que mi madre acababa de llamarme y que ya sabía que estaba en camino? ¿La creía? Había sonado dominante y autoritaria. Yo había contado con que desvariara y no esperaba escuchar hechos claros y frases concisas. Estaba confundido. Me daba la impresión de que sería agresivo y beligerante repetir lo que ella me había dicho: que mi padre era un mentiroso. Tartamudeé una respuesta:

—La esperaré aquí. ¿Cuándo vas a venir tú?

—No voy a ir.

—¿Te quedas en Suecia?

—Si piensa que estoy en Suecia, se relajará. Se le ha metido en la cabeza que estoy persiguiéndola. Quedándome aquí, te daré algo de tiempo. Has de convencerla de que busque ayuda. Yo no puedo ayudarla. No me dejará. Llévala al médico. Te será más fácil si no se preocupa por mí.

No lograba seguir su razonamiento.

—Te llamaré cuando llegue. Ya decidiremos entonces.

Al colgar, me vi perdido entre interpretaciones. Si mi madre estaba sufriendo un episodio psicótico, ¿por qué le habían dado el alta los médicos? Aunque no pudieran retenerla por algún tecnicismo legal, deberían habérselo notificado a mi padre, y en cambio se habían negado, tratándolo como una fuerza enemiga, ayudando a mi madre a escapar no ya del hospital, sino de él. Al parecer, ella estaba bien a juicio de otra gente. La compañía aérea le había vendido un billete, el personal de seguridad le había permitido pasar el filtro del aeropuerto, nadie la había detenido. Empecé a preguntarme qué había escrito mi madre en las paredes, incapaz de quitarme de la cabeza la imagen que me había enviado por correo en la que se veía a papá charlando con un desconocido.

¡Daniel!

En mi cabeza empezó a sonar como una petición de socorro.

Se actualizó la información en la pantalla; el vuelo de mi madre había aterrizado. Se abrieron las puertas automáticas y me apresuré a colocarme en la primera fila detrás de la barrera para leer las etiquetas de los equipajes. Enseguida empezaron a llegar con cuentagotas los pasajeros procedentes de Göteborg. Primero iban los ejecutivos que buscaban el cartel de plástico con sus nombres, seguidos por parejas, luego familias con pilas de equipajes voluminosos. No había rastro de mi madre, pese a que caminaba deprisa, y no me cabía en la cabeza que hubiera facturado el equipaje. Un anciano pasó muy despacio a mi lado, a buen seguro uno de los últimos pasajeros de Göteborg. Pensé seriamente en llamar a mi padre y explicarle que había algún problema, pero entonces las puertas gigantes se abrieron con un siseo y salió mi madre.

Iba con la mirada baja, como si siguiera un rastro de migas. Llevaba una cartera de cuero al hombro, tan llena que se tensaba la correa. Nunca le había visto aquella cartera; no era la clase de objeto que mi madre acostumbraba comprar. La ropa, igual que la cartera, mostraba signos de envejecimiento. Había arañazos en sus zapatos. Se le arrugaban los pantalones en torno a las rodillas. Le faltaba un botón de la blusa. Mi madre tenía tendencia a arreglarse demasiado: elegante en los restaurantes, elegante en el teatro, elegante en el trabajo aunque no hubiera necesidad. Ella y mi padre habían montado un centro de jardinería en el norte de Londres, en una parcela en forma de T, entre grandes casas blancas de estuco, comprada a principios de la década de 1970, cuando el terreno era barato en la capital. Mi padre siempre iba con pantalones rotos, botas pesadas y jerséis holgados, y fumaba cigarrillos liados. En cambio, mi madre elegía blusas blancas almidonadas, pantalones de lana en invierno y de algodón en verano. Los clientes hacían comentarios sobre su indumentaria de oficina inmaculada y querían saber cómo se las arreglaba para mantenerse impecable, pese a realizar tanto trabajo físico como mi padre. Ella se reía cuando le preguntaban y se encogía de hombros inocentemente, como diciendo: «No tengo ni idea.» Pero estaba calculado. Siempre había mudas de ropa de recambio en la trastienda. Mi madre me decía que, al ser la cara visible del negocio, era importante mantener las apariencias.

Con la curiosidad de averiguar si me vería, dejé que mi madre pasara por delante de mí. Estaba mucho más delgada que cuando nos despedimos de ella en abril, y no parecía una delgadez sana. Los pantalones le quedaban sueltos, sin forma, y me recordaron la ropa de una marioneta de madera. Daba la impresión de no tener curvas naturales, como un boceto de línea apresurada más que una persona real. Llevaba el pelo corto y húmedo, peinado hacia atrás, brillante y suave, pero no alisado con cera o gel sino con agua. Debía de haber entrado en el cuarto de baño después de bajar del avión para intentar arreglarse y asegurarse de que no tenía ni un mechón fuera de lugar. Su rostro, normalmente juvenil, había envejecido en los últimos pocos meses. La piel, como la ropa, delataba dificultades. Tenía puntos oscuros en las mejillas. Las ojeras se habían vuelto más pronunciadas. En contraste, los ojos azules se veían más brillantes que nunca. Cuando rodeé la barrera, el instinto me impidió tocarla, temiendo que pudiera gritar.

—Mamá.

Ella levantó la mirada, asustada, pero al ver que era yo, su hijo, sonrió, triunfal.

—Daniel.

Murmuró mi nombre del mismo modo que cuando la hacía sentirse orgullosa: una felicidad callada, intensa. Al abrazarnos, apoyó la cara en mi pecho. Se apartó, me tomó las manos y yo examiné con disimulo sus dedos con el borde del pulgar. Tenía la piel áspera y las uñas mal cortadas y descuidadas.

—Se acabó —susurró—. Estoy a salvo.

Tardé poco en concluir que tenía la mente clara, porque se fijó de inmediato en mi equipaje:

—¿Para qué es eso?

—Papá me llamó anoche para decirme que estabas en el hospital...

—No lo llames «hospital» —me cortó—. Es un psiquiátrico. Me llevó a un manicomio. Dijo que es ahí donde tengo que estar, en una habitación al lado de enfermos que aúllan como animales. Luego te llamó y te contó lo mismo: tu madre está loca, ¿me equivoco?

Tardé en responder, me resultaba difícil adaptarme a esa rabia, a ese espíritu de confrontación.

—Estaba a punto de coger un avión a Suecia cuando llamaste.

—Entonces, ¿le creíste?

—¿Por qué no iba a hacerlo?

—Él contaba con eso.

—Explícame qué está pasando.

—Aquí no. Con esta gente, no. Hemos de hacerlo bien, desde el principio. Hay que hacerlo bien. Por favor, no hagas preguntas. Todavía no.

Había cierta formalidad en su manera de hablar, una cortesía excesiva, como si articulara demasiado cada sílaba y marcara cada signo de puntuación. Acepté.

—Está bien, no haré preguntas.

Me apretó la mano en señal de agradecimiento y endulzó la voz:

—Llévame a casa.

Mi madre ya no tenía casa en Inglaterra. La había vendido y se había trasladado a una casa rural en Suecia, una antigua granja, con la esperanza de convertirla en el último y más feliz de sus hogares. Sólo podía suponer que se refería a mi piso, el piso de Mark, un hombre cuya existencia desconocía.

Ya había hablado con Mark mientras esperaba a que aterrizara el avión de mi madre. Él estaba alarmado por el giro de los acontecimientos, en particular por el hecho de que ella careciera de supervisión médica. Tendría que arreglármelas solo. Le dije que lo llamaría para mantenerlo al corriente. También había prometido telefonear a mi padre, pero, con mi madre a mi lado, no tuve ocasión de hacer esa llamada. No me atrevía a dejarla sola. Además, temía que, si informaba abiertamente a mi padre, ella tendría la impresión de que tomaba partido, y no podía correr ese riesgo; podría empezar a desconfiar de mí o, peor, podría salir huyendo, una idea que nunca se me habría ocurrido si mi padre no la hubiera mencionado. La perspectiva me aterrorizaba. Metí la mano en el bolsillo y silencié el teléfono.

Mi madre se quedó a mi lado mientras yo compraba billetes de tren al centro de la ciudad. Me di cuenta de que la observaba con frecuencia, sonriendo en un intento de ocultar que estaba sometiéndola a una atenta vigilancia. De vez en cuando, ella me tomaba la mano, algo que no había hecho desde que era niño. Mi estrategia consistía en comportarme de la forma más neutral posible, sin dar nada por sentado, dispuesto a escuchar su historia con imparcialidad. Se daba la circunstancia de que nunca había tenido que ponerme del lado de mi madre o de mi padre, por el simple motivo de que nunca me habían metido en un conflicto donde necesitara elegir bando. En líneas generales, me sentía más unido a mi madre, aunque sólo fuera porque ella había estado más implicada en los detalles cotidianos de mi vida. Mi padre siempre se había mostrado conforme con ceder al criterio de su mujer.

Al subir al tren, mi madre eligió asientos en la parte de atrás del vagón y se acomodó junto a la ventanilla. Su posición, me di cuenta, le proporcionaba una perspectiva privilegiada. Nadie podría sorprenderla. Puso la cartera en su regazo y la sujetó con fuerza, como si fuera un paquete de importancia vital.

—¿No llevas nada más? —le pregunté.

Mi madre tocó la parte superior de la cartera con solemnidad.

—Aquí están las pruebas de que no estoy loca, las pruebas de los crímenes que se están encubriendo.

Estas palabras estaban tan alejadas de la vida ordinaria que sonaron extrañas a mis oídos. No obstante, mi madre las había pronunciado muy en serio.

—¿Puedo mirar? —pregunté.

—Aquí no.

Se llevó un dedo a los labios, señalando que ése no era un tema que quisiera discutir en un lugar público. El gesto en sí era peculiar e innecesario. Aunque habíamos pasado treinta minutos juntos, no podía llegar a ninguna conclusión sobre su estado mental. Había pensado que me daría cuenta al momento. Mi madre estaba diferente, en el aspecto físico y en cuanto a su carácter, pero me resultaba imposible estar seguro de si los cambios eran resultado de una experiencia real o si esa experiencia se había producido únicamente en su mente. Mucho dependía de lo que ella sacara de esa cartera, mucho dependía de sus pruebas.

Al llegar a la estación de Paddington, cuando ya íbamos a bajar, mi madre me agarró del brazo, presa de un miedo exagerado y repentino:

—Promete que escucharás todo lo que te cuente sin prejuzgar. Sólo te pido una mentalidad abierta. Prométeme que lo harás, por eso he acudido a ti. ¡Prométemelo!

Puse mi mano encima de la suya. Mi madre estaba temblando, aterrorizada de que pudiera no estar de su lado.

—Lo prometo.

En la parte de atrás de un taxi, con nuestras manos unidas como amantes a la fuga, capté el olor de su aliento. Era un olor sutil, metálico. Pensé en limaduras de acero, si es que existe ese olor. Vi que sus labios estaban bordeados por una fina línea azul, como afectados por un frío extremo. Como si me leyera el pensamiento, mi madre abrió la boca y sacó la lengua para que se la examinara. Tenía la punta negra, del color de la tinta de pulpo.

—Veneno —dijo.

Antes de que pudiera preguntar por esa declaración sorprendente, mi madre negó con la cabeza y señaló con la mirada al taxista para recordarme su deseo de discreción. Me pregunté qué pruebas le habían hecho los médicos en Suecia, y si habían descubierto algún veneno y en ese caso cuál. Lo más importante, me pregunté quién sospechaba mi madre que estaba envenenándola.

El taxi se detuvo ante mi edificio, a sólo unos centenares de metros del lugar donde había abandonado la compra la tarde anterior. Mi madre nunca me había visitado, cediendo a mi protesta de que me resultaba embarazoso compartir un piso con otras personas y recibir visitas de mis padres. No sé por qué ellos aceptaron una mentira tan lamentable ni cómo había tenido yo la cara de contarla. Por el momento, continuaría con la farsa que yo mismo había creado, porque no quería que mi madre se desviara del tema por mis revelaciones. La guié al interior del piso y comprendí tarde que cualquiera que prestara atención se daría cuenta de que sólo había un dormitorio en uso. El segundo dormitorio estaba habilitado como estudio. Me adelanté en cuanto abrí la puerta de la calle. Mi madre siempre se quitaba los zapatos antes de entrar en una casa, y eso me dio tiempo suficiente para cerrar las puertas del dormitorio y el estudio. Regresé.

—Quería ver si había alguien más. Está bien, estamos solos.

Ella se quedó satisfecha. Aun así, se detuvo delante de las dos puertas cerradas. Quería comprobarlo por sí misma. Pasé un brazo en torno a ella para guiarla al piso de arriba.

—Te lo prometo —dije—, estamos solos tú y yo.

Mi madre se quedó fascinada cuando vio por primera vez la cocina y el salón de planta abierta, que constituían el corazón del piso de Mark. Él, que siempre había descrito su gusto como minimalista, confiaba en que las vistas de la ciudad proporcionaran carácter a la casa. Casi no había muebles cuando yo me mudé. El apartamento, lejos de tener estilo, me dio una sensación de vacío, de tristeza. Allí, Mark había dormido y comido, pero no había hecho vida. Poco a poco planteé sugerencias. Mark no tenía que ocultar sus posesiones. Podía desembalar las cajas. Observé que mi madre trazaba mi línea de influencia con notable precisión. Sacó un libro de los estantes, uno que me había regalado ella.

—Este piso no es mío —solté.

Había mentido durante años, con presteza y facilidad, pero de pronto las mentiras me causaban dolor, como correr con un tobillo lesionado. Mi madre me tomó la mano y dijo:

—Enséñame el jardín.

Mark había contratado a la empresa en la que trabajo para que diseñara y plantara un jardín en la azotea. Me aseguró que ya tenía la intención de hacerlo, pero fue un favor hacia mí, una forma de patrocinio. Mis padres siempre se habían sentido discretamente desconcertados por mi elección profesional. Creían que haría algo diferente a ellos. Los dos dejaron la escuela a los dieciséis años, mientras que yo había ido a la universidad, pero sólo para terminar dedicándome al mismo trabajo que ellos habían hecho toda su vida, más o menos, salvo que con el sello de un título y empezando con veinte mil libras de deuda. Claro que había pasado toda mi infancia entre plantas y flores; había heredado de mis padres el don de la jardinería, y el trabajo, cuando caía a cuentagotas, me hacía feliz. Sentado en el tejado, contemplando Londres entre esas plantas, no costaba mucho olvidar los problemas. Quería quedarme así para siempre, disfrutar del sol, aferrarme al silencio. Sin embargo, me fijé en que mi madre no estaba interesada en el jardín; estaba valorando la disposición del tejado, las salidas de incendios, identificando rutas de escape. Miró su reloj y la invadió una gran impaciencia:

—No tenemos mucho tiempo.

Antes de oír su versión de los hechos, le propuse que comiéramos. Mi madre lo rechazó amablemente, con ganas de avanzar.

—Tengo que contarte muchas cosas.

Insistí. Que había perdido peso era un hecho incontestable. No logré descubrir cuándo había comido por última vez, porque se fue por las ramas cuando se lo pregunté. Me puse a preparar un batido de plátano, fresas y miel. Mi madre se quedó de pie, estudiando el proceso.

—Confías en mí, ¿verdad?

Mi madre había desarrollado un instinto de precaución extrema y sospecha exacerbada; sólo me permitió usar fruta que ella hubiera examinado antes. Probé la bebida antes de pasarle el vaso para demostrar que era inocua. Ella dio el sorbo más pequeño posible, pero al captar mi mirada comprendió que había sido una prueba de su estado mental. Su actitud cambió y empezó a dar tragos largos y apresurados.

—Tengo que ir al baño —dijo al acabarse la bebida.

Me preocupaba que fuera a provocarse el vómito, pero no podía insistir en acompañarla.

—Está abajo.

Salió de la cocina con la cartera, que nunca abandonaba.

Saqué mi teléfono y me encontré treinta o más llamadas perdidas de mi padre. Lo llamé y hablé en susurros:

—Papá, está aquí, está a salvo. No puedo hablar...

Me interrumpió:

—¡Espera! ¡Escúchame!

Era un riesgo hablar con él así, y me preocupaba que mi madre me pillara. Me volví, con la intención de dirigirme a la parte superior de la escalera para poder oírla cuando se dispusiera a volver. Pero ella ya estaba ahí, en el umbral, observándome. No podía haber ido al cuarto de baño tan deprisa. Me había mentido, había preparado su propia prueba para ver en qué usaba yo el tiempo. Si era una prueba, no la había superado. Mi madre estaba mirándome de una manera que yo no había visto nunca. Ya no era su hijo, sino una amenaza, un enemigo.

Estaba atrapado entre los dos.

—Es él, ¿no?

La formalidad había desaparecido, habló en tono acusatorio y agresivo. Mi padre oyó su voz de fondo.

—¿Está ahí?

No podía moverme, paralizado por la indecisión, con el teléfono pegado a la oreja y la mirada clavada en mi madre.

—Daniel —dijo mi padre—, puede ponerse violenta.

Al oír a mi padre decir eso, negué con la cabeza: no, no lo creía. Mi madre no había hecho daño a nadie en su vida. Mi padre estaba equivocado. O mentía. Mi madre dio un paso adelante y señaló al teléfono.

—Si le dices otra palabra, me voy.

Con la voz de mi padre todavía audible, colgué.

Le ofrecí el teléfono a mi madre como quien entrega un arma. Me falló la voz cuando imploré en mi defensa:

—Prometí llamar a papá cuando llegaras. Sólo para que supiera que estás a salvo. Igual que te prometí a ti escucharte. Por favor, mamá, vamos a sentarnos. Querías contarme tu historia. Yo quiero escuchar.

—Los doctores me examinaron. ¿Te lo ha contado? Me examinaron, escucharon mi historia y me dejaron marchar. Los profesionales me creyeron. No le creyeron a él.

Dio un paso hacia mí y me ofreció su bolsa, sus pruebas. Al ver que se me concedía una segunda oportunidad, me acerqué a mi madre, en el centro de la sala, y cogí la cartera de cuero agrietado. Fue necesario un acto de fuerza de voluntad sobrehumano para que ella la soltara. Me sorprendió lo pesada que era. Cuando la dejé en la mesa del comedor, mi padre llamó otra vez y su imagen apareció en la pantalla. Mamá vio su cara.

—Puedes coger el teléfono. O abrir la bolsa.

Sin hacer caso del móvil, puse una mano encima de la cartera. Solté el cierre y el cuero crujió cuando levanté la solapa y miré en el interior.

MI MADRE BUSCÓ en la cartera, sacó un pequeño espejo compacto y me mostró mi reflejo como si fuera el primer elemento probatorio. Yo tenía aspecto cansado, pero ella ofreció una observación diferente.

*

ME TIENES MIEDO, me doy cuenta. Conozco tu cara mejor que la mía, y si eso te suena a exageración tonta y sentimental, piensa en las veces que he secado tus lágrimas o te he observado sonreír. Daniel, en todos estos años nunca me has mirado así...

¡Fíjate!

Pero no debería molestarme. No es culpa tuya. Me han tendido una trampa, no para hacerme pasar por criminal, sino por psicótica. El instinto te lleva a ponerte del lado de tu padre. No tiene sentido negarlo, hemos de ser sinceros el uno con el otro. Te he pillado varias veces mirándome con nerviosismo. Mis enemigos declaran que soy un peligro para mí y para los demás, incluso un peligro para ti, mi hijo. Son tan despiadados que no les importa destrozar la relación más preciosa de mi vida, están dispuestos a hacer cualquier cosa con tal de detenerme.

* * *

Deja que te recuerde en un momento que la acusación de incapacidad mental es un método de silenciar a mujeres más que probado desde hace siglos, un arma para desacreditarnos cuando combatimos abusos y nos enfrentamos a la autoridad. Dicho eso, reconozco que mi aspecto es alarmante. Tengo los brazos chupados, la ropa hecha jirones, las uñas astilladas y mal aliento. Me he pasado la vida esforzándome por estar presentable, y hoy me has mirado de pies a cabeza en el aeropuerto y has pensado: «¡Está enferma!»

Te equivocas. Pienso con más claridad que nunca.

Puede que a veces mi voz te parezca extraña. Es posible que creas que sueno diferente. Pero no puedes esperar que hable con la tranquilidad de todos los días cuando tan graves son las consecuencias si no consigo convencerte. Tampoco puedes esperar que salte a los incidentes más impactantes y te cuente en pocas palabras lo que está pasando. Si te hago un resumen, te quedarás aturdido. Negarás con la cabeza y pondrás los ojos en blanco. Un resumen no servirá. Oirás palabras como «asesinato» y «conspiración» y no las aceptarás. Por eso tengo que exponer los detalles uno por uno. Debes ver cómo encajan las piezas. Sin el cuadro completo, me tomarás por loca. Lo harás. Me acompañarás a algún psiquiátrico de estilo victoriano en algún rincón olvidado de Londres y contarás a los médicos que estoy mal de la cabeza. Como si yo fuera la criminal, como si yo fuera la persona que ha hecho cosas espantosas. Me encerrarán hasta que esté tan desesperada por que me suelten y tan aturdida por sus fármacos como para aceptar que todo lo que estoy a punto de contarte es mentira. Teniendo en cuenta el poder que tienes sobre mí, debería estar asustada. Y mírame, Daniel, ¡mírame! Lo estoy.

MÁS QUE UN DISCURSO normal, era verborrea desatada. Las frases estancadas en la mente de mi madre salían a presión, atropelladas pero nunca incontroladas. Tenía razón: no parecía ella misma. Hablaba en voz alta, y eso era tan extraño como impactante. En ocasiones, sonaba acusatoria; otras veces, íntima. No había hablado de ese modo en el aeropuerto ni durante el trayecto en tren. Jamás la había oído expresarse así, con tanta energía y pasión. Era una representación más que una conversación. ¿En serio mi madre me tenía miedo? Desde luego, las manos le temblaron cuando dejó el espejo en la mesa en lugar de devolverlo a la cartera, señal de que iba a sacar uno por uno los objetos que guardaba en ella. Si yo no había tenido miedo antes, empecé a tenerlo en ese momento. Supongo que en cierto modo había confiado en que podía alcanzarse una resolución simple en esa sala, entre nosotros dos, sin la participación de médicos ni de agentes policiales; un final tranquilo, un aterrizaje suave y un apacible regreso a nuestras vidas como eran antes. Sin embargo, mi madre parecía tan agitada que o bien estaba muy enferma o bien algo verdaderamente terrible había sucedido en Suecia.

*

MUCHO DEPENDE DE que me creas, y sé que es injusto hacerte cargar con ese peso. Reconozco que con lo que hay en juego es tentador explotar nuestra relación y jugar con tus emociones. Aun así, me resistiré a hacerlo, porque mi causa necesita defenderse sola, tiene que apoyarse en hechos y no en tu devoción por mí. Por esa razón, no deberías pensar en mí como tu madre sino como Tilde, la fiscal.

¡No te alteres! Sé objetivo. Es tu único deber hoy.

A lo largo de mi explicación te preguntarás cómo es posible que Chris, un hombre bueno y amable, un padre excelente para ti, sea el objeto de acusaciones tan graves. Ten en cuenta esto. Hay una debilidad en su carácter que otra gente puede manipular. Prefiere ceder a tener un conflicto. Se rinde con facilidad. Es susceptible a opiniones contundentes. Y tiene necesidades como todos los demás. Creo que lo llevaron por mal camino, que fue manipulado, en particular por un hombre, un hombre malvado.

MI PADRE ERA un hombre que conocía el nombre de todas las plantas y flores, un hombre que nunca levantaba la voz, un hombre al que le encantaba pasear por el bosque. Que lo acusaran de un delito costaba de aceptar. Mi madre notó mi vacilación y respondió a ella con una percepción impresionante:

*

¿DESCONFÍAS DE ESA palabra?

«Malvado.»

¿Crees que suena irreal?

Los malvados son reales. Caminan entre nosotros. Puedes encontrarlos en cualquier calle, en cualquier barrio, en cualquier casa... en cualquier granja.

¿Qué es un malvado? Es alguien que no se detendrá ante nada para cumplir sus deseos. No conozco ninguna otra palabra para describir al hombre que tengo en mente.

En esta cartera hay algunas de las pruebas que he recogido durante el verano. Había más, pero esto es todo lo que he podido sacar de Suecia con tanta prisa. Es importante estudiar cada prueba en orden cronológico, empezando con esto...

DEL BOLSILLO DELANTERO de la cartera, mi madre sacó una agenda Filofax negra, de cuero, como las que eran populares hace veinte años. Contenía papeles, fotografías y recortes.

*

EN UN PRINCIPIO la veía como un sitio para anotar mis pensamientos, pero se ha convertido en la compra más importante que he hecho en mi vida. Si la hojeas, te darás cuenta de que con el paso de los meses fui tomando cada vez más notas. Mira las páginas de abril, cuando llegué por primera vez a la granja. Sólo hay alguna que otra anotación. Compara eso con julio, tres meses después, con letra apretada en cada línea. Este diario era una forma de comprender lo que ocurría a mi alrededor. Se convirtió en mi compañía, mi compañero en la investigación. Digan lo que digan los demás, aquí están los hechos anotados en el momento en que ocurrieron o como mucho unas horas después. Si fuera posible analizar la antigüedad de la tinta, la ciencia forense apoyaría mi afirmación.

* * *

De vez en cuando, haré una pausa y consultaré estas notas para evitar errores. No voy a permitirme licencias artísticas. Si soy incapaz de recordar un detalle en concreto y no está anotado, no intentaré llenar las lagunas. Tienes que creer que cada palabra que digo es cierta. Hasta un floreo descriptivo inofensivo es inaceptable. Por ejemplo, no voy a afirmar que había pájaros cantando en las copas de los árboles a menos que esté segura de ello. Si sospechas que estoy embelleciendo los hechos en lugar de presentarlos tal como ocurrieron en realidad, mi credibilidad se resentirá.

Por último, déjame añadir que daría cualquier cosa con tal de que los problemas de estos meses pasados existieran solamente en mi cabeza. Dios mío, esa explicación sería fácil. El horror de un psiquiátrico y la humillación de ser tachada de fantasiosa serían un precio pequeño si eso significara que los crímenes que estoy a punto de describir nunca ocurrieron.

HASTA ENTONCES habíamos estado de pie, con la cartera en la mesa. Mi madre me indicó que me sentara con un gesto, dándome a entender que su relato requeriría cierto tiempo. Obedecí y me situé frente a ella, con la cartera entre nosotros como las apuestas en una partida de póquer. Mi madre estudió su diario, concentrada en encontrar la entrada relevante. Por un momento me sorprendí pensando en las muchas ocasiones en que ella me leía a la hora de acostarme y me entristeció el contraste entre la tranquilidad de esos recuerdos infantiles y la ansiedad que en ese momento estaba sintiendo. Tal vez dé la impresión de que carecía de curiosidad o valor, pero sentí el impulso de implorarle que no leyera.

*

LA ÚLTIMA VEZ que me viste fue el día de nuestra fiesta de despedida, el quince de abril. Nos dimos un abrazo junto a la vieja furgoneta blanca cargada con todas nuestras posesiones mundanas. Era uno de esos días en que todo el mundo estaba de buen humor, riendo mucho: un día feliz, feliz de verdad, entre los más felices de mi vida, sinceramente. Pero incluso esa felicidad es ahora objeto de disputa. Al recordarlo, Chris asegura que yo perseguía una vida perfecta en Suecia y que en mi mente se abrió una brecha entre las expectativas y la realidad, una brecha que se ensanchó con el paso de los meses. Dice que de mi decepción nació el convencimiento de que, en lugar de paraíso, lo que había era un infierno de depravación y deshonra humana. Es un argumento seductor. Y es mentira, una mentira astuta, porque debajo de las risas yo comprendía mejor que nadie las dificultades que teníamos por delante.

Esto es lo que tú no sabes, Daniel. Estamos arruinados. Nuestra familia no tiene dinero. Nada. Sabías que tuvimos algunas dificultades durante la crisis. Fue mucho peor que eso. Nuestro negocio estaba en ruinas. Tuvimos que engañarte, porque Chris y yo estábamos avergonzados y no queríamos que nos ofrecieras dinero. Déjame ser sincera —hoy es un día para la sinceridad y nada más—: estaba avergonzada. Sigo avergonzada.

AL OÍR LA NOTICIA, reaccioné con una mezcla caótica de vergüenza, tristeza, estupor y, por encima de todo, incredulidad. Simplemente no me había enterado. Ni siquiera lo había sospechado. ¿Cómo era posible que pudiera desconocer su situación hasta ese extremo? Estaba a punto de plantear la pregunta a mi madre, pero ella se dio cuenta de que iba a interrumpirla y me tocó la mano para pararme.

*

DÉJAME TERMINAR.
Por favor.
Tú podrás hablar enseguida.
Siempre me he ocupado de las cuentas, y lo he hecho con rigor durante treinta años. Nos fue bien. El *garden* nunca dio mucho dinero. Pero no aspirábamos a ganar una fortuna. Nos manteníamos a flote. Nos encantaba nuestro trabajo. Si no podíamos pasar las vacaciones en el extranjero durante un par de años, hacíamos salidas de un día a la playa. Siempre nos las arreglamos. Teníamos pocas deudas, pocos gastos generales, y éramos buenos en nuestro trabajo. Nuestros clientes eran leales. Sobrevi-

vimos incluso cuando abrieron los *garden center* baratos en las afueras.

Tú ya no vivías en casa cuando recibimos la carta de un agente inmobiliario. Nos explicaba el valor auténtico de nuestro pequeño *garden*. Fue increíble. Nunca podía haber soñado con tanta riqueza. Nos habíamos pasado la vida trabajando muchas horas, cultivando plantas y ganando unos márgenes diminutos, mientras debajo de nuestros pies el terreno, que no nos costaba ningún esfuerzo, aumentaba su precio de tal manera que valía más de lo que habíamos ganado con toda una vida de trabajo. Por primera vez en nuestras vidas, Chris y yo nos emborrachamos con la idea del dinero. Te invitábamos a cenar en restaurantes elegantes. Disfrutábamos como tontos. En lugar de limitarnos a vender, yo tomé la decisión de pedir un crédito de cientos de miles con la garantía del valor de nuestra tierra. Todo el mundo decía que era sensato. ¿Por qué aferrarse al dinero? La propiedad era casi mágica: podía producir riqueza sin trabajar. Descuidamos el *garden*, contratamos empleados para que hicieran con poco entusiasmo lo que nosotros siempre habíamos hecho con pasión, y compramos pisos para invertir. En teoría, Chris y yo tomábamos las decisiones conjuntamente, pero ya lo conoces, no está interesado en los números. Me dejó hacer. Yo encontré los pisos y yo los elegí. En seis meses éramos propietarios de cinco y pensábamos en tener diez, una cifra que se me había ocurrido porque sí, porque sonaba mejor que nueve. Empezamos usando frases como «nuestra cartera de propiedades». Me ruborizo al pensarlo. Hablábamos de esos pisos como si los hubiéramos construido con nuestras propias manos. Nos maravillamos de que su valor se incrementara en un siete, ocho, nueve por ciento en un solo año. En mi defensa puedo decir que no era avaricia descarada. Estaba planeando nuestra jubilación. Llevar un *garden* es un trabajo agotador. No podíamos hacerlo para siempre. Ni siquiera estábamos seguros de que pudiéramos continuar otro año. No habíamos ahorrado nada. No teníamos ninguna pensión. Ésa era nuestra escapatoria.

Ahora me llaman loca, pero hace cinco años sí que estaba loca, o afectada por alguna clase de locura. No se me ocurre otra forma de explicarlo. Perdí el juicio. Me aventuré en un negocio del que no sabía nada y abandoné una forma de vida que llevábamos en la sangre. Cuando llegó la recesión, nuestro banco quedó al borde de la quiebra. La misma institución que nos había convencido de que pidiéramos préstamos para invertir ahora nos miraba como si fuéramos una abominación. ¡Nos crearon ellos! Nos dieron el dinero tan contentos y enseguida, pero querían recuperarlo aún más deprisa. Nos vimos forzados a venderlo todo, los cinco pisos, eso lo sabías, pero no entendiste las pérdidas que tuvimos con cada uno. Habíamos invertido el depósito en construcciones nuevas. Y, como no pudimos completar la compra, el dinero se perdió. ¡Todo perdido! Estábamos acorralados. Vendimos nuestra casa y el *garden*. Simulábamos ante todos, no sólo contigo, que formaba parte de un gran plan. Adelantamos nuestra jubilación con la excusa de que estábamos hartos y cansados del negocio. Era mentira. No había elección.

Compramos la casa de campo en Suecia con el poco dinero que quedaba. Por eso encontramos algo remoto y derruido. A ti te lo presentamos como una búsqueda de lo idílico. Es verdad, pero también lo compramos barato, por menos de lo que costaba un garaje en Londres. Por barato que fuera, una vez descontados los costes del traslado, nos quedamos con nueve mil libras. Cita la cifra a cualquier asesor financiero y te dirá categóricamente que no hay salida. Somos dos, cuatro mil quinientas libras cada uno, tenemos sesenta y pico años, podríamos vivir otras tres décadas. No contábamos con ningún respaldo. Estábamos apostando nuestro futuro a una antigua granja remota en medio de ninguna parte, en un país desconocido para mí durante cincuenta años.

No tener dinero en Londres te incapacita. Subes a un autobús y te cuesta dos libras. Un pan puede costarte cuatro libras. En nuestra granja íbamos a reescribir las reglas de la vida moderna: felicidad sin necesidad de tarjetas de crédito ni efectivo. Iríamos en bicicleta a todas partes. La gasolina la guardaríamos sólo para emergencias. No habría necesidad de vacaciones. ¿Para qué hacer vacaciones cuando vives en uno de los sitios más hermosos del mundo? En verano tendríamos el río para nadar, en invierno, nieve para esquiar: actividades que no costaban nada. Reconectaríamos nuestras vidas con la naturaleza, cultivaríamos nuestra propia comida. Teníamos planes para preparar un inmenso huerto de hortalizas y lo complementaríamos con frutas del bosque, cestas de bayas y rebozuelos; todo eso te costaría miles de libras si tuvieras que comprarlo en cualquier *delicatessen*. Tu padre y yo volveríamos a hacer lo que siempre habíamos hecho, lo que hacíamos mejor: plantar y cultivar; nos pusieron en esta tierra para hacer eso.

Aunque pueda parecértelo, hacer estos planes no era una tarea horrible. No me deprimía. Estábamos podando nuestra existencia para dejarla en lo esencial. No lo hacíamos por devoción filosófica, por una creencia de que la austeridad es buena para el alma. Vivir de acuerdo con nuestros medios era la única forma de ser verdaderamente independientes. Éramos peregrinos en busca de una nueva vida, escapando de la opresión de la deuda. En el barco a Suecia, Chris y yo pasamos la noche sentados en cubierta mirando las estrellas con una manta sobre las rodillas y un termo de té, pensando estrategias de economía doméstica como quien planea una operación militar, porque juramos no volver a pedir ningún préstamo, no habría más cartas de un banco amenazándonos, no volveríamos a sentir la impotencia asfixiante ante una pila de facturas, nunca, ¡nunca más!

ME LEVANTÉ PARA imponer una pausa. Me acerqué a la ventana y apoyé la cabeza contra el cristal. Yo había vivido con la convicción de que mis padres podrían mantenerse desahogadamente durante su jubilación. Habían vendido cinco pisos, la casa familiar y el centro de jardinería. La recesión económica había afectado al valor de sus propiedades, eso era cierto, pero sus decisiones nunca me habían parecido forzadas. Siempre estaban sonriendo y haciendo bromas. Había sido una actuación que yo me había tragado. Habían presentado su decisión como parte de un plan maestro. Trasladarse a Suecia era un cambio de estilo de vida, no una manera de sobrevivir. En mi imaginación, su vida en el campo era una vida de ocio, una vida en la que cultivaban su propia comida por preferencia y no desesperados por la necesidad. Lo más humillante de todo: había barajado la idea de pedirles un préstamo, convencido de que una suma de dos mil libras sería insignificante para ellos. Me estremecí al pensar en que podría haberles pedido dinero sin tener ni idea de la angustia que eso habría causado. De haber sido rico, le habría ofrecido todo mi dinero a mi madre, hasta el último penique, y le habría suplicado que me perdonara. Pero no tenía nada que ofrecer. Me pregunté si me había permitido ser despreocupado con respecto a mis penurias económicas porque estaba convencido de que todos los que me rodeaban —mis padres y Mark— gozaban de una buena situación. Mi madre vino a colocarse a mi lado junto a la ventana, interpretando mal mi reacción.

—Ahora mismo, el dinero es la menor de nuestras preocupaciones.

Eso era verdad sólo en parte. Mi familia estaba en crisis económica, pero ésa no era la crisis de la que mi madre quería hablar, no era la crisis que la había hecho subirse a un avión esa mañana. Se me ocurrió que si no estaba al corriente de su situación económica podría haber otras cosas que no sabía. Sólo unos minutos antes había desestimado la descripción que mi madre había hecho de mi padre. Hacía mal en mostrarme tan seguro. Aún no tenía pruebas sólidas de la fiabilidad del relato de mi madre, pero sí pruebas concretas de que mis suposiciones no eran dignas de confianza. La única conclusión lógica, en ese punto, era que no estaba preparado para cumplir con lo que se me pedía, y pensé en buscar ayuda. Aun así, me mordí la lengua, decidido a demostrar que mi madre no se había equivocado al recurrir a mí en su momento de necesidad. Como no tenía ningún derecho a estar enfadado —al fin y al cabo, les había mentido durante muchos años—, traté de suavizar la voz al plantear la pregunta:

—¿Cuándo pensabais contármelo?

\*

HABÍAMOS PLANEADO DECÍRTELO todo cuando visitaras la casa. Nos preocupaba discutir la idea de la autosuficiencia cuando todavía estábamos en Londres, porque habrías pensado que nuestros planes eran descabellados e inalcanzables. En cambio, en Suecia verías el huerto, comerías comida que no nos habría costado nada. Pasearíamos entre árboles frutales. Llenarías cestas con setas y bayas silvestres. Verías una despensa llena de mermeladas y encurtidos caseros. Tu padre pescaría un salmón del río y nos daríamos un festín de reyes. Nos llenaríamos el estómago con la comida más deliciosa del mundo, y toda gratis. Nuestra falta de dinero en efectivo te parecería irrelevante. Seríamos ricos de otras maneras. La falta de dinero no era una amenaza a nuestro bienestar. Es más fácil demostrarlo que explicarlo. Y ésa es la razón de que nos sintiéramos secretamente complacidos cuando retrasaste tu visita; eso nos daba tiempo para hacer cambios, para preparar mejor la granja y poder argumentar de manera convincente que estábamos bien y no tenías nada de lo que preocuparte.

MI PRIMERA VISITA a la granja habría sido un festín de productos y engaño caseros: por su parte y por la mía. Con razón mis padres no habían insistido más ante mis vagas razones para retrasar mi visita. También les venía bien a ellos. Nos daba tiempo a todos, los tres podríamos prepararnos mejor para poner nuestras mentiras al descubierto. La insistencia de mi madre en ahorrarme preocupaciones era un recordatorio más de lo incompetente que me consideraban. Sin embargo, su actitud había cambiado. Ya no me estaba protegiendo. Estuviera listo o no, en esta ocasión no iba a ahorrarme ningún detalle terrible. Me dio la mano para acompañarme otra vez a mi silla; su impaciencia daba a entender que esta revelación era una cuestión menor en comparación con los crímenes que quería explicar. Sacó de la cartera un mapa arrugado de Suecia y lo desplegó en la mesa.

*

¿CÓMO LLEGAMOS A vivir en esta región de Suecia en particular, una región desconocida para mí, una zona donde no tenía familiares ni amigos, donde nunca había estado?

49

La granja está aquí...

Chris y yo pensamos en infinidad de sitios, sobre todo muy al norte, más allá de Estocolmo, donde los precios eran más asequibles. Durante nuestra búsqueda, Cecilia, la mujer mayor que era propietaria de la antigua granja, nos eligió como compradores. Y te digo que fue un golpe de suerte considerable. Recibimos una llamada de un agente inmobiliario preguntándonos si queríamos ver la finca. Algo más raro todavía, la vendedora quería conocernos personalmente. Habíamos dado nuestros datos a las inmobiliarias locales, pero la provincia de Halland es popular (mucha gente tiene segundas residencias allí) y es cara. Después de confesar nuestro presupuesto limitado no habíamos recibido detalles de ninguna finca hasta esa llamada. Examinamos la información. Parecía perfecta. Seguro que habría alguna pega.

Cuando la visitamos, nuestros temores desaparecieron. ¡Era perfecta! ¿Recuerdas lo entusiasmados que estábamos? La casa estaba cerca del mar, a menos de media hora en bicicleta, en una región con playas de arena blanca, heladerías antiguas y hoteles de veraneo. El terreno contaba con un pequeño huerto de árboles frutales, un puente flotante sobre el río Ätran, famoso por su salmón. Y aun así, el precio era incomprensiblemente barato. La propietaria, Cecilia, era una viuda sin hijos. Tenía la necesidad apremiante de trasladarse a una residencia por su estado de salud y por lo tanto quería una venta rápida. Durante nuestra entrevista no indagamos más. Estaba tan encantada con la casa que lo interpreté como una señal de que mi regreso a Suecia estaba bendecido, como una señal de que nuestra fortuna había cambiado por fin.

Te habrás preguntado por qué nunca me puse en contacto con mi padre durante este proceso. En parte comprendo por qué no me planteaste la pregunta. He transmitido la impresión de que mi infancia no era un tema del que hablar. Y tú siempre has disfrutado de que estuviéramos sólo los tres en nuestra familia. Puede que imaginaras que tres vínculos eran más fuertes que cuatro o cinco. De todos modos, lamento que tu abuelo sea un desconocido para ti y que nunca haya formado parte de nuestra vida familiar. Todavía vive en la misma granja en la que yo crecí. Esa granja no está en Halland, donde compramos nuestra casa, sino en la provincia de Värmland, al norte, en la punta del gran lago Vänern, entre Göteborg y Estocolmo.

Aquí.

A seis horas en coche.

La distancia habla por sí sola. La triste realidad era que no quería intentar reunirme con él. Había pasado demasiado tiempo. Volví a Suecia, pero no por él. Ahora tiene ochenta y tantos. La voluntad de estar lejos puede parecer cruel, pero no hay ningún misterio en nuestro distanciamiento. Cuando tenía dieciséis años le pedí ayuda. Él me la negó. Y se me hizo imposible quedarme.

No te fijes de momento en mis anotaciones. Ya llegaremos a eso después. Pensándolo bien, como las has visto ahora, vale la pena señalar la escala de estos crímenes. La conspiración se extiende por toda la región y afecta a muchas vidas, incluso a instituciones locales, autoridades, políticos y agentes de policía. Tengo mucho que contarte y muy poco tiempo. Mientras hablamos, Chris estará reservando un vuelo a Londres. Muy pronto llegará a tu casa, aporreará la puerta, desafiante...

LA INTERRUMPÍ, LEVANTANDO la mano como si estuviera en clase:

—Papá no va a venir. Se queda en Suecia.

*

¿ESO TE HA dicho? Quiere que pienses que no necesita estar aquí y que no tiene que defender su causa, porque no le cabe duda de que vas a rechazar todo lo que yo diga. Está más que convencido de que llegarás a la única conclusión posible, que estoy loca. Bueno, por mucho que haya dicho que piensa quedarse en Suecia, ese hombre estará manteniendo un debate frenético con sus compañeros de conspiración. Entre todos le ordenarán que venga a Londres a la primera oportunidad para asegurarse de que me meten en una institución. En cualquier momento llamará para decir que ha cambiado de opinión, que ha comprado un billete y está en el aeropuerto, a punto de despegar. Camuflará este cambio radical con alguna excusa que suene noble, simulando que está preocupado por cómo te va. ¡Espera y verás! Así se demostrará que tengo razón y su mentira habrá sido un error de cálculo. Estoy segura de que estará lamentándose porque pronto vas a tener pruebas incontestables de su engaño...

SIN TERMINAR LA frase, mi madre se levantó de la silla y se dirigió a la escalera. Yo la seguí a la planta baja, temiendo haber cometido algún error y que estuviera a punto de marcharse.

—¡Espera!

No se marchó, sino que pasó la cadena en la puerta y se volvió para mirarme. Estaba decidida a garantizar la seguridad del piso. Yo me sentí tan aliviado de que no hubiera huido que me tomé un momento para calmar la voz.

—Mamá, aquí estás a salvo. Por favor, quita la cadena.

—¿Por qué no dejarla puesta?

No se me ocurrió ninguna razón para discrepar, salvo el hecho de que la cadena me hacía sentir incómodo. Era una aceptación tácita de que mi padre representaba una amenaza, y eso aún no se había demostrado. Cedí para poner fin al *impasse*.

—Déjala si quieres.

Mamá me lanzó una mirada llena de astucia. Podía apuntarse una victoria menor, pero contaría en su contra. Descorrió la cadena y la dejó caer. Irritada, me empujó para que empezara a subir y se quedó atrás.

*

ESTÁS COMETIENDO LOS mismos errores que cometí yo. Subestimé a Chris. Le concedí el beneficio de la duda, igual que haces tú, una y otra vez, hasta que fue demasiado tarde. Probablemente ya estará en un avión. Había uno que salía sólo unas horas después del mío. Podría venir sin avisarnos.

DE NUEVO EN la mesa, con su insatisfacción conmigo todavía presente, mi madre dobló el mapa, sacó otra vez el diario y se reorientó después de la interrupción. Yo elegí otra silla y me senté más cerca de ella, para que la mole de la mesa no se interpusiera entre nosotros. Mi madre me mostró la entrada del 16 de abril, la fecha en que llegaron a la granja. Lo único que había escrito en la página era la nota: «Qué cielo extraño, se mueve deprisa.»

*

EN EL VIAJE a Suecia, en nuestra furgoneta blanca, estaba emocionada, pero también asustada, asustada de haberme impuesto un reto imposible al tratar de reivindicar que esa tierra era mi hogar después de tantos años. La responsabilidad recaía sobre mis espaldas. Chris no hablaba ni una palabra en sueco. Apenas conocía por encima las tradiciones del país. Yo sería el puente entre nuestras culturas. Estas cosas no le importaban: era extranjero, su identidad estaba clara. En cambio, ¿qué era yo? ¿Era extranjera o nacional? Ni inglesa ni sueca, una extraña en mi propio país, ¿qué nombre había para mí? *Utlänning!*

¡Así me llamaban! Es una palabra sueca cruel, una de las palabras más crueles para referirse a una persona que no es del país. Aunque había nacido y crecido en Suecia, la comunidad me consideraba extranjera, extranjera en mi propio hogar. Sería una *utlänning* allí como lo había sido en Londres.

¡*Utlänning* aquí!
¡*Utlänning* allí!
¡*Utlänning* en todas partes!

Al mirar por la ventanilla, recordé lo solitario que era el paisaje. En Suecia, fuera de las ciudades, la naturaleza es dueña y señora. Las personas caminan de puntillas tímidamente como por el borde, como sin atreverse a entrar, rodeadas por abetos altísimos y lagos más grandes que países enteros. Recuerda que es el paisaje que inspiró la mitología de los troles, aquellas historias que te leía de gigantes torpes que comían carne humana, criaturas con verrugas como hongos en las narices torcidas y vientres como rocas. Podían partir a una persona en dos con sus brazos musculosos, romper huesos humanos y usar las astillas para limpiarse la roña de sus dientes acerados. Sólo en bosques tan inmensos como aquellos podían ocultarse esos monstruos, al acecho con sus ojos amarillos.

En el último tramo de carretera desierta antes de la granja, los campos se veían marrones, inhóspitos; la nieve se había fundido, pero la capa superior del suelo estaba dura y había trozos de hielo cortantes. No había señales de vida, ni cultivos, ni tractores, ni agricultores: calma, pero, por encima, las nubes se movían a una velocidad increíble, como si alguien hubiera arrancado del horizonte un sol que hacía de tapón del sumidero que las absorbía, junto con los últimos restos de luz. No podía apartar la mirada de ese cielo que avanzaba tan deprisa. Al cabo de un rato comencé a sentirme mareada, empezó a darme vueltas la cabeza. Le pedí a Chris que parara la furgoneta porque sentía náuseas. Él siguió conduciendo. Me dijo que casi habíamos llegado y que no tenía sentido parar. Volví a pedírselo, menos educadamente esta vez. Le dije que parara la furgoneta, pero él sólo repitió lo cerca que estábamos, hasta que al final golpeé el salpicadero con los puños y exigí que parara la furgoneta de una vez.

Me miró como me estás mirando tú ahora. Pero obedeció. Yo bajé de un salto y vomité en la hierba del arcén. Estaba enfadada conmigo misma, me preocupaba haber arruinado lo que debería haber sido una ocasión feliz. Estaba demasiado mareada para volver a subir a la furgoneta y le dije a Chris que siguiera conduciendo, con la intención de caminar el último trecho. Él se negó, porque quería que llegáramos juntos. Declaró que el momento tenía una importancia simbólica. Así que decidimos que él conduciría a paso de tortuga y yo caminaría delante. Como si encabezara un cortejo fúnebre, enfilé el corto camino a nuestro nuevo hogar, nuestra casa de campo, con la furgoneta detrás. Reconozco que era un espectáculo ridículo, pero ¿de qué otra manera podíamos reconciliar mi necesidad de caminar, su necesidad de conducir la furgoneta y el deseo compartido de llegar al mismo tiempo?

Derramando lágrimas de cocodrilo delante de los doctores en el manicomio sueco, Chris presentó este episodio como prueba de una mente irracional. Si te contara él la historia, casi seguro que habría empezado su versión de los hechos aquí, sin ninguna mención del cielo extraño que se movía deprisa. En cambio, él me habría descrito como desconcertante y frágil, inestable desde el primer momento. Eso es lo que cuenta con una voz tensa de falsa tristeza. ¿Quién habría pensado que iba a ser tan buen actor? Diga ahora lo que diga, en ese momento Chris comprendía las emociones desencadenadas por mi regreso, una sensación extraordinaria después de cincuenta años, tan extraordinaria como el cielo que me dio la bienvenida a casa.

Una vez que llegamos a la antigua granja, Chris bajó de la furgoneta y la dejó aparcada en medio de la carretera. Me dio la mano. Cuando cruzamos el umbral de nuestra casa lo hicimos juntos, como compañeros, como una pareja enamorada que empieza un capítulo de su vida nuevo y emocionante.

RECORDABA ESAS FRASES —«dientes acerados» y «vientres como rocas»—, sacadas de una recopilación de cuentos suecos de troles que nos encantaba a los dos. La cubierta del libro había desaparecido y sólo había una ilustración de un trol en las primeras páginas, un par de ojos amarillos sucios y peligrosos al acecho en las profundidades de un bosque. Había libros sobre troles con más ilustraciones, cuentos expurgados para el público infantil, pero esa vieja antología barata, agotada desde hacía mucho tiempo, encontrada en una librería de segunda mano, estaba llena de historias truculentas. De lejos era el libro favorito de mi madre para leer a la hora de acostarse, y yo había oído todos los cuentos muchas veces. Mi madre había guardado el libro en su colección, quizá porque estaba en un estado tan frágil que temía que se desmontara en mis manos. No dejaba de ser una contradicción que siempre me protegiera de situaciones traumáticas, y en cambio, cuando se trataba de cuentos infantiles, buscara voluntariamente las historias más inquietantes, como si intentara compensar dándome en la ficción aquello que había intentado con tanta fuerza eliminar de la vida real.

Mi madre sacó tres fotografías que llevaba sujetas con un clip en el diario y las dejó una al lado de otra en la mesa, delante de mí. Sumadas, formaban una única visión panorámica de la granja.

*

ES UNA PENA que no tuvieras la oportunidad de visitarnos. Hoy me costaría menos trabajo si hubieras visto la granja con tus propios ojos. Puede que pienses que con estas fotos es innecesario describir el paisaje. Eso es exactamente lo que mis enemigos esperan que pienses, porque retratan el campo como el estereotipo de folleto turístico de la Suecia rural. Quieren que llegues a la conclusión de que cualquier cosa que no sea una reacción entusiasta es algo tan descabellado que sólo podría ser producto de la enfermedad y la paranoia. Te lo advierto: tienen un interés particular en presentarlo como pintoresco porque la belleza se confunde fácilmente con la inocencia.

Si te sitúas en el punto en el que se tomaron estas fotografías, te invade una calma increíble. Es como estar en el fondo del mar, salvo que en lugar de un barco naufragado lleno de óxido hay una vieja granja. Hasta las ideas resonaban en mi cabeza, y a veces notaba que el corazón me latía con fuerza sin más razón que reaccionar al silencio.

No puedes apreciarlo en las fotografías, pero el techo de paja estaba vivo, era una entidad viva salpicada de musgo y florecitas, un hogar para insectos y aves, un tejado de cuento de hadas en un entorno de cuento de hadas. Uso la expresión escrupulosamente, porque los cuentos de hadas también están llenos de peligros y de oscuridad, no sólo de maravilla y luz.

El exterior de esa antigua casa continuaba inalterado desde que se construyó, doscientos años atrás. El único indicio del mundo moderno era una serie de puntos rojos en la distancia, como ojos redondos de rata encima de esas turbinas eólicas que revolvían un cielo macabro de abril y apenas se distinguían en la penumbra.

Éste es el punto crucial. Cuando la realidad del aislamiento cala en nuestra conciencia cambiamos, no al principio, pero sí poco a poco, gradualmente, hasta que lo aceptamos como norma. Se vive día a día sin la presencia de autoridad, sin que el mundo exterior nos roce el costado para recordarnos nuestros deberes con los demás, sin extraños que pasen ni vecinos que vivan cerca, sin nadie que mire por encima de nuestro hombro, en un estado permanente de privación de la observación ajena. Eso altera nuestras nociones de cómo deberíamos comportarnos, de lo que es aceptable y, lo más importante de todo, de lo que podemos hacer impunemente.

LA MELANCOLÍA DE la descripción de mi madre no me sorprendió. Por fuerza su retorno a Suecia tenía que conllevar algo más que pura felicidad. Se había fugado de casa a los dieciséis años y había continuado huyendo, a través de Alemania, Suiza y Holanda, trabajando de niñera y de camarera, durmiendo en el suelo, hasta que llegó a Inglaterra y conoció a mi padre. Por supuesto, no era la primera vez que regresaba, a menudo habíamos pasado las vacaciones en Suecia, alquilando cabañas remotas en islas o cerca de algún lago, sin pasar nunca más de un día en las ciudades, en parte debido al gasto, pero sobre todo porque mi madre quería estar entre bosques y naturaleza. Al cabo de unos días de nuestra llegada, los tarros de mermelada vacíos se llenaban de flores silvestres y los cuencos quedaban repletos de bayas. Sin embargo, nunca intentamos visitar a nuestros familiares. Aunque me gustaba estar solo con mis padres, en ocasiones —ingenuo como era—, percibía cierta tristeza en la ausencia de otras personas.

Mi madre volvió al diario y rebuscó entre sus páginas con cara de frustración.

*

NO PUEDO ESTAR segura del día exacto. Fue más o menos una semana después de que llegáramos. Entonces no tenía la costumbre de tomar muchas notas. No se me había ocurrido que se dudaría de mi palabra como si fuera una niña caprichosa que se inventa historias para llamar la atención. De las muchas humillaciones que he experimentado en estos últimos meses, incluida la de tener las manos atadas, de lejos lo peor fue la incredulidad en los ojos de la gente cuando explicaba algo. Hablar, que te oigan y no te crean.

Durante nuestra primera semana en la granja, lo que causaba preocupación era el estado de ánimo de Chris, no el mío. Él nunca había vivido fuera de una ciudad y le costaba adaptarse. Abril fue mucho más frío de lo que esperábamos. Los agricultores hablan de «noches de hierro» cuando el invierno se resiste a marcharse y la primavera no llega a abrirse paso. El suelo se hiela. Los días son inclementes y cortos. Las noches son implacables y largas. Chris estaba deprimido. Y yo sentía su depresión como una acusación, como si me hiciera responsable de haberlo llevado a una casa sin ninguna de las comodidades modernas, lejos de todo lo que él conocía, porque era sueca y la casa estaba en Suecia. En realidad, habíamos tomado la decisión juntos como una solución desesperada a nuestras circunstancias. No había elección. Era o allí o en ninguna parte. Si vendíamos la casa, tendríamos dinero para alquilar algo dos o tres años en Inglaterra y luego nada.

Una tarde, me harté de su sufrimiento. La casa no es grande: los techos son bajos, las paredes son gruesas, las habitaciones son pequeñas. Y el clima hostil nos tenía encerrados y no nos dejaba separarnos ni un segundo. No había calefacción central. Teníamos una cocina económica de hierro forjado donde podíamos hacer pan, cocinar y hervir agua; era el corazón de la casa.

Cuando Chris no dormía, se sentaba delante del fuego con las manos extendidas, como en una pantomima de hastío rural. Perdí los nervios. Le grité que parara de hacerse el desgraciado y salí corriendo y dando un portazo...

SUPONGO QUE REACCIONÉ al imaginar a mi madre gritando a mi padre.

*

DANIEL, NO PONGAS cara de sorprendido. Tu padre y yo discutíamos, no muchas veces ni con regularidad, pero perdíamos los papeles como cualquier otra pareja del mundo. Simplemente nos asegurábamos de que tú nunca nos oyeras. Eras muy sensible de niño. Si levantábamos la voz te pasabas horas enfadado. No dormías. No comías. Una vez, en el desayuno, di un puñetazo en la mesa. ¡Me imitaste! Empezaste a golpearte la cabeza con los puños. Tuvimos que sujetarte los brazos para que pararas. Enseguida aprendimos a controlar nuestro mal humor. Las discusiones se contenían, se apilaban, y las resolvíamos cuando tú no estabas.

A MI MADRE le había bastado un breve paréntesis para cargarse toda mi idea de nuestra vida familiar. No me recordaba comportándome de ese modo, golpeándome la cabeza, negándome a comer, incapaz de dormir, trastornado por la rabia. Creía que mis padres habían hecho voluntariamente un voto de serenidad. La realidad era que se habían visto obligados a protegerme no porque creyeran que era lo mejor, sino porque yo exigía calma como un requisito de mi existencia, igual que la comida o el calor. El santuario de nuestra casa estaba tan definido por mi debilidad como por la fortaleza de mis padres. Mi madre me tomó la mano.

—Puede que haya cometido un error al acudir a ti.

Incluso en ese momento le preocupaba que no pudiera afrontarlo. Y tenía razón en dudar de mí. Sólo unos minutos antes había sentido el impulso de pedirle que no hablara, que se quedara en silencio.

—Mamá, quiero escuchar. Estoy preparado.

En un esfuerzo por ocultar mi ansiedad, traté de animarla:

—Le gritaste a papá. Saliste. Cerraste de un portazo. ¿Qué pasó después?

Fue inteligente hacer que mi madre volviera a centrarse en los hechos. Su deseo de discutir las acusaciones era tan poderoso que vi que las dudas respecto a mí desaparecían y se veía arrastrada de nuevo al hilo de su relato. Nuestras rodillas se tocaron; ella bajó la voz como si divulgara una conspiración.

*

ME ENCAMINÉ AL río. Era una de las partes más importantes de nuestra propiedad. Todavía necesitábamos algo de dinero en efectivo para sobrevivir. No producíamos nuestra propia electricidad y había que pagar impuestos anuales por la tierra. Nuestra respuesta era el salmón. Podíamos comer salmón en verano, ahumarlo y conservarlo para el invierno. Podíamos vender a las pescaderías, pero yo veía potencial para más. Arreglaríamos los edificios anexos de la granja: habían albergado ganado, pero podían convertirse fácilmente en alojamientos de turismo rural. Pagaríamos muy poco en mano de obra, porque tanto a Chris como a mí se nos daban bien las herramientas. Cuando todo estuviera listo, abriríamos la antigua granja como destino de vacaciones y atraeríamos huéspedes a nuestro rincón remoto con la promesa de comida recién cultivada, un paisaje pintoresco y la perspectiva de pescar algunos de los salmones más hermosos del mundo a un precio de ganga en comparación con lo que cuesta en Escocia o Canadá. Pese a la importancia que tenía, en esos primeros días Chris no pasaba ni un rato junto al río. Decía que era demasiado inhóspito. Veía imposibles nuestros planes. Nadie iba a pagar para venir a nuestra granja. Eso era lo que aseguraba. Reconozco que no tenía una belleza de postal cuando llegamos. La orilla del río estaba llena de maleza. La hierba llegaba a las rodillas, y en mi vida había visto gusanos tan grandes, gordos como mi dedo pulgar. Pero el potencial estaba ahí. Sólo necesitaba amor.

*  *  *

En el río había un pequeño embarcadero de madera. En abril estaba lleno de juncos enmarañados. Esa tarde, con un borrón de luz en el cielo, me sentí cansada y sola. Al cabo de unos minutos me recompuse y decidí que era el momento de nadar y declarar el río oficialmente inaugurado para los negocios. Me desnudé, dejé la ropa amontonada y me tiré al agua. La temperatura me causó impresión. Cuando salí a la superficie cogí aire y empecé a nadar a la desesperada para entrar en calor, hasta que de repente me detuve: en la otra orilla se estaban moviendo las ramas bajas de un árbol. No podía ser el viento, porque las copas de los árboles estaban quietas. Era otra cosa, una persona que me observaba, sujetando las ramas. Me sentí vulnerable allí sola, desnuda en el agua. Desde esa distancia, Chris no podría oírme aunque gritara. Entonces las ramas de la orilla empezaron a moverse otra vez, viniendo hacia mí, a punto de partirse. Tendría que haberme puesto a nadar para alejarme lo más deprisa posible, pero el cuerpo no me obedecía. Me quedé donde estaba, pataleando en el agua mientras las ramas se acercaban. Sólo que ¡no eran ramas! Eran los cuernos de un alce gigante.

Nunca en mis años de infancia en Suecia había tenido un alce tan cerca. Tuve cuidado de no salpicar ni hacer ruido cuando el alce pasó tan cerca que podría haber echado los brazos en torno a ese cuello ancho, montarme en su lomo, como en esas historias que te leía donde una princesa del bosque cabalga un alce desnuda, con su larga melena plateada captando la luz de la luna. Debí de soltar un grito de asombro, porque el alce se dio la vuelta y me miró con aquellos ojos negros, echándome el aliento cálido en la cara. En torno a los muslos, noté el agua

68

revuelta por aquellas patas poderosas. Entonces el alce resopló y nadó hacia nuestro lado del río. Salió junto al embarcadero, revelando sus poderosas proporciones, un auténtico rey de esa tierra. Se sacudió el agua y vi cómo se levantaba vapor de su pelaje antes de que se encaminara lentamente hacia el bosque.

Me quedé varios minutos en medio del río, nadando como un perrito. El agua ya no estaba fría y me sentí bendecida con la absoluta certeza de que habíamos tomado la decisión correcta al mudarnos allí. Había una razón para que estuviéramos en esa granja. Era nuestro hogar. Cerré los ojos e imaginé miles de salmones de color brillante nadando a mi alrededor.

MI MADRE BUSCÓ en la cartera y sacó un cuchillo. Retrocedí, de manera instintiva. Mi reacción la preocupó.

—¿Te he asustado?

Era una acusación. Aquella manera tan abrupta de blandir el cuchillo, sin avisar, me hizo preguntarme si estaba poniéndome a prueba de forma deliberada, igual que antes, cuando me había dejado solo. Tomé nota de mantenerme en guardia ante cualquier futuro intento de provocación. Ella le dio la vuelta al cuchillo y me ofreció el mango.

—Cógelo.

Todo el cuchillo estaba tallado en madera, incluido el filo, pintado de color plata para que pareciera metálico. Era bastante romo e inofensivo. En el mango había unos grabados complejos. En un lado había una mujer desnuda bañándose junto a las rocas de un lago, con pechos grandes y cabello largo suelto, con la vagina marcada por una sola hendidura. En el otro lado se veía la cara de un trol, con la lengua fuera como un perro que jadea y la nariz malévolamente formada como un falo grotesco.

*

ES UN TIPO de humor que probablemente reconocerás, popular en la Suecia rural. La gente de campo talla figuras groseras como un hombre aliviándose, con una curva fina para representar el arco de orina.

Gira el cuchillo en la palma, atrás y adelante...

Gíralo así...

¡Más deprisa! Así ves las dos figuras al mismo tiempo: el trol codicia a la mujer y ella no se da cuenta de que están observándola. Las dos figuras se superponen. La implicación es clara. El hecho de que la mujer sea ciega a su peligro aumenta el placer sexual del trol.

El cuchillo fue un regalo, un regalo extraño, estoy segura de que estarás de acuerdo. Me lo dio mi vecino el día que lo conocí. A pesar de que estaba a sólo diez minutos a pie de nuestra casa, no lo conocí hasta que llevábamos dos semanas allí; dos semanas, y en todo ese tiempo, ni uno solo de los granjeros vecinos había venido a presentarse. No nos hacían ni caso. Alguien había dado instrucciones de que no se acercaran a nosotros. En Londres hay infinidad de vecinos que nunca se hablan. Pero en la Suecia rural no existe el anonimato. No es posible vivir de ese modo. Necesitábamos el consentimiento de la comunidad para asentarnos en esa región, no podíamos quedarnos enfurruñados en nuestro rincón del campo. Y había que abordar algunas cuestiones prácticas. La anterior propietaria —la valiente Cecilia— me había informado de que podíamos alquilar la tierra que no utilizáramos a agricultores locales. Lo típico era que pagaran una suma mínima, pero yo era de la opinión de que podríamos convencerlos de que nos abastecieran de los alimentos que no podíamos producir.

Una mañana me desperté y, decidiendo que dos semanas era tiempo suficiente, le dije a Chris que, si ellos no venían a llamar a nuestra puerta, iríamos nosotros a la suya. Ese día cuidé mucho mi aspecto. Elegí unos pantalones de algodón, porque un vestido podía dar a entender cierta incapacidad para el trabajo manual. No quería jugar la baza de la pobreza. No podíamos reconocer el alcance de nuestros problemas económicos. La verdad podría hacernos parecer patéticos, y, además, interpretarían la información como un insulto: deducirían que nos habíamos trasladado a esa región sólo porque no podíamos permitirnos estar en ningún otro sitio. Al mismo tiempo, tampoco podíamos dar la impresión de que creíamos que la comunidad iba a aceptarnos por dinero. En un impulso de última hora, descolgué la pequeña bandera sueca que colgaba del lateral de nuestra casa y la convertí en un pañuelo para recogerme el pelo.

Chris se negó a acompañarme. No hablaba sueco y era demasiado orgulloso para quedarse detrás de mí esperando una traducción. A decir verdad, yo estaba contenta. Las primeras impresiones eran vitales y tenía mis dudas de que reaccionaran afectuosamente a un inglés que apenas hablaba una palabra en su idioma. Quería demostrar a esos granjeros que no éramos unos extranjeros de ciudad desgraciados que no daban ningún valor a la tradición. Estaba deseando ver cómo se les iluminaba la cara cuando les hablara en sueco fluido y declarara con orgullo que me había educado en una granja remota, igual a la que acabábamos de comprar.

La granja más cercana a la nuestra pertenecía al mayor terrateniente de la región y era con ese granjero en concreto con el que Cecilia había llegado a un acuerdo para alquilar los campos. Era evidente que tenía que empezar por él. Caminando por la carretera llegué a una enorme pocilga, sin ventanas, con un espantoso tejado de acero del que sobresalían unas chimeneas negras y estrechas. Olía a excrementos de cerdo y pienso químico de engorde. Desde luego, no iba a ganarme a la gente del lugar con recelos sobre la ganadería intensiva. Además, Chris había asegurado con toda claridad que no podía sobrevivir siendo vegetariano. Había muy poca proteína en nuestra dieta y casi nada de dinero en el banco, así que, si iba a ser nuestra única fuente de carne, no podía permitirme rechazarla por una cuestión de ética alimentaria. Adoptar una posición de superioridad moral me haría parecer soberbia, quisquillosa y, lo peor de todo, extranjera.

La casa de los vecinos estaba situada al final de un largo camino de grava. Todas las ventanas de la parte delantera daban a la pocilga, algo extraño si tenemos en cuenta que había campos y árboles en las otras direcciones. Así como nuestra casa tenía doscientos años de antigüedad, ellos habían derribado la edificación original para construir en su lugar una casa moderna. Y cuando digo moderna no me refiero a un cubo de cristal, hormigón y acero; tenía forma tradicional, en dos plantas, con revestimiento azul claro, una galería, tejado de pizarra. Buscaban una apariencia tradicional, pero con todas las ventajas de la modernidad. Nuestra granja, a pesar de sus muchos fallos, era más atractiva, una muestra auténtica de la herencia arquitectónica sueca y no una imitación.

Nadie respondió cuando llamé a la puerta, pero vi un Saab plateado brillante (y Saab ya no es una empresa sueca) aparcado en el sendero. Estaban en casa, probablemente en los campos. Fui a buscarlos, caminando a través de los cultivos, asimilando la pura enormidad de sus terrenos: un reino agrícola que quizá tenía cincuenta veces el tamaño de nuestra pequeña granja. Al acercarme al río, me encontré con una suave pendiente cubierta de maleza, como una protuberancia en el paisaje. Pero estaba hecha por el hombre. Debajo del promontorio vi el tejado de un refugio no muy diferente de los refugios antiaéreos construidos en Londres durante la guerra o de los refugios contra los tornados de Estados Unidos. Había una puerta de acero, del mismo material que el techo de la pocilga. Vi el candado colgando, abierto. Decidí probar suerte y llamar a la puerta y oí un escándalo dentro. Al cabo de unos segundos abrieron la puerta. Fue la primera vez que me encontré cara a cara con Håkan Greggson.

MI MADRE SACÓ de su diario un recorte de periódico. Lo sostuvo para que yo lo inspeccionara y pasó su uña quebradiza por la cabeza de Håkan Greggson. Lo había visto antes, en la fotografía que mi madre me había mandado por correo electrónico: el desconocido alto que conversaba con mi padre.

*

EL RECORTE ES de la primera página del *Hallands Nyheter*. La mayoría de la gente de la región está suscrita. Cuando nosotros nos negamos a suscribirnos porque no podíamos permitírnoslo, empezaron las habladurías de por qué habíamos desairado a una institución local. No había más opción que suscribirse. Chris estaba furioso. Yo le expliqué que encajar en la sociedad no tenía precio. De todos modos, te enseño esto porque necesito que entiendas el poder del hombre con el que me enfrento.

Håkan es el del centro.

A su derecha está Marie Eklund, destinada a convertirse en dirigente de los democristianos. Es una mujer severa, un día será una gran política. Y no me refiero a la grandeza de su decencia, sino de su éxito. A mí me falló.

75

Acudí a ella en persona, con mis acusaciones, en el punto culminante de la crisis. Su oficina se negó a recibirme. Ni siquiera se dignó escuchar.

A la izquierda de Håkan está el alcalde de Falkenberg, la ciudad costera más cercana a nuestra granja. Kristofer Dalgaard. Su cordialidad es tan excesiva que no puedes evitar ponerla en tela de juicio. Te ríe los chistes con demasiado estruendo. Le interesan demasiado tus opiniones. A diferencia de Marie Eklund, no tiene más ambición que seguir precisamente donde está, pero mantener el *statu quo* puede ser una motivación tan poderosa como el deseo de medrar.

Y por último está Håkan. Es atractivo. No lo niego. Es todavía más impresionante cuando lo conoces en persona. Alto, de hombros anchos, físicamente muy poderoso. Tiene la piel curtida y bronceada. No hay nada blando en su cuerpo, nada débil. Es lo bastante rico para emplear un ejército y podría actuar como un emperador romano, dictando órdenes desde su galería. No es su estilo. Se levanta al amanecer y no termina de trabajar hasta la noche. Cuando estás en su presencia, es difícil que en algún momento sea vulnerable. Cuando te agarra, lo hace con fuerza. Aunque tiene cincuenta años, tiene el vigor de un hombre joven, con la astucia de uno mayor; es una combinación peligrosa. Me pareció intimidante, incluso ese primer día.

En cuanto salió de la oscuridad de su guarida subterránea, me apresuré a presentarme. Dije algo como «Hola, me llamo Tilde, me alegro de conocerlo, me he trasladado a la granja carretera abajo», y sí, estaba nerviosa. Hablé demasiado, y demasiado deprisa. En medio de mi charla amistosa recordé la bandera que llevaba atada al pelo. Pensé: ¡qué ridícula! Me ruboricé como una colegiala y se me trabó la lengua. ¿Y sabes lo que hizo? Piensa en la respuesta más cruel.

HASTA EL MOMENTO, mi madre había planteado varias preguntas retóricas. En esta ocasión esperaba una respuesta. Era otra prueba. ¿Podía imaginar la crueldad? Se me ocurrieron varias posibilidades, pero eran tan aleatorias y carentes de fundamento que decidí responder:
—No lo sé.

*

HÅKAN RESPONDIÓ EN inglés. Me sentí humillada. Quizá mi sueco estaba un poco anticuado. Pero los dos éramos suecos. ¿Por qué estábamos hablando en un idioma extranjero? Intenté continuar la conversación en sueco, pero él se negó a cambiar. Estaba confundida, pero tampoco quería parecer grosera. Recuerda que en ese momento quería que ese hombre fuera mi amigo. Al final, contesté en inglés. En cuanto lo hice, sonrió como si se hubiera apuntado una victoria. Empezó a hablarme en sueco y no volvió a hablarme en inglés en todo el tiempo que estuve en Suecia.

Como si este insulto no se hubiera producido, me mostró el interior del refugio. Era un taller. Había virutas de madera en el suelo y herramientas afiladas en las paredes. En casi todas las superficies había troles grabados en madera, centenares de ellos. Algunos estaban pintados. Otros a medio terminar: una larga nariz asomaba de un tronco, esperando a que le grabaran una cara. Håkan me explicó que no vendía ninguno. Los regalaba. Se jactó de que cada casa en treinta kilómetros a la redonda tenía al menos uno de sus troles, y algunos de sus amigos más íntimos poseían una familia de troles completa. ¿Te das cuenta de lo que está haciendo? Usa esos troles de madera como medallas para recompensar a sus aliados de confianza. Cuando pasas en bicicleta por delante de una casa, hay troles en la ventana, alineados, uno, dos, tres, cuatro: padre, madre, hija, hijo, todo el conjunto, una familia de troles al completo, el honor más alto que Håkan podía conferir, exhibido como declaración de lealtad.

A mí no me regaló ningún trol, sino el cuchillo, y me dio la bienvenida a Suecia. No presté mucha atención al regalo porque consideraba inapropiado que me dieran la bienvenida a mi propio país. No era ninguna huésped. Estaba tan irritada por su tono que no me fijé en los grabados del mango, ni me planteé por qué me había regalado un cuchillo en lugar de una figura de trol. Ahora es evidente: no quería que exhibiera un trol en nuestra ventana por si acaso la gente lo interpretaba equivocadamente como señal de que éramos amigos.

Cuando me mostró la salida, vi una segunda puerta, en la parte de atrás del refugio. Había un candado industrial colgado de la cerradura. Podría parecer una observación irrelevante, pero esa segunda habitación cobró importancia después. Recuérdalo y pregúntate por qué necesitaba una segunda cerradura cuando ya había un candado en la puerta principal.

* * *

Håkan me acompañó hasta el sendero. No me invitó a entrar en su casa. No me ofreció café. Estaba escoltándome fuera de su propiedad. Me vi obligada a plantear la cuestión de alquilar nuestros campos mientras íbamos caminando, y mencioné mi idea de que aceptaríamos carne a cambio de la tierra. Él tenía una idea diferente.

—¿Y si te compro toda la granja, Tilde?

No me reí porque no parecía estar de broma. Iba en serio. Salvo que no tenía sentido. ¿Por qué no le había comprado la granja a Cecilia? Se lo pregunté directamente. Explicó que lo había intentado y me aseguró que había ofrecido el doble de lo que pagamos nosotros y habría ofrecido tres veces más, pero Cecilia lo rechazó de plano. Le pregunté por qué. Dijo que ninguna de sus disputas me interesaría. De todos modos, estaba encantado de plantearme la misma oferta, la granja entera por el triple del precio que habíamos pagado. Habríamos triplicado nuestro dinero en el espacio de unos pocos meses. Antes de que pudiera contestar, añadió que la vida podía ser difícil en el campo y me pidió que lo hablara con mi marido, como si yo fuera un simple mensajero.

Déjame decírtelo bien claro.

Antes de esa conversación habíamos pasado penurias y dificultades, pero no había ningún misterio. Después de esa visita me planteé una pregunta, una pregunta que me mantuvo despierta por la noche. ¿Por qué Cecilia vendió la granja a una pareja de forasteros sin conexión personal con la región cuando el mayor terrateniente de la zona, un bastión de la comunidad y vecino suyo durante muchos años, codiciaba la propiedad y estaba dispuesto a pagar mucho más?

NO VI QUE se interpusiera ningún obstáculo entre mi madre y la verdad:

—¿Por qué no llamar a Cecilia y preguntarle?

\*

ESO ES EXACTAMENTE lo que hice. Me apresuré a volver a casa y llamé a la residencia; Cecilia había dejado una dirección de contacto y un número de teléfono de una residencia de Göteborg. Pero, si pensabas que una simple pregunta resolvería el misterio, te equivocas. Cecilia estaba esperando la llamada. Me preguntó directamente por Håkan. Le expliqué que me había ofrecido comprar la granja. Se molestó. Argumentó que nos había vendido la granja porque quería que se convirtiera en nuestro hogar. Si la vendía para conseguir un beneficio rápido sería una traición a su confianza. ¡Por fin me quedó claro! Por eso había dado instrucciones a sus agentes para que encontraran compradores que no fueran de allí. Por eso tenía agentes inmobiliarios de Göteborg, a más de una hora de coche: no se fiaba de las inmobiliarias locales. Había insistido en una entrevista como proceso de veto para asegurarse de que era improbable que vendiéramos, atrapados por nuestras circunstancias. Le pregunté por qué no quería que Håkan comprara la granja. Recuerdo la conversación que siguió al pie de la letra. Me rogó:

—Tilde, por favor, ese hombre nunca debe adueñarse de mi granja.

—Pero ¿por qué? —dije.

Cecilia no dio explicaciones. Al final de la conversación, llamé a Håkan al número que me había dado. Mientras el teléfono estaba sonando, planeé hablar con calma y de manera educada. Pero en cuanto oí su voz declaré categóricamente:

—¡Nuestra granja no está en venta!

Ni siquiera lo había discutido con Chris.

Cuando Chris entró en la cocina, levantó el desagradable cuchillo de madera de Håkan. Miró la mujer desnuda. Miró el trol hambriento de sexo. Y rió entre dientes. Me alegré de no haberle contado la oferta. No confiaba en su estado de ánimo. Chris habría vendido la granja.

Tres días después, el agua que salía de nuestros grifos se volvió marrón, manchada con sedimentos, como agua de charco sucia. Estas granjas son tan remotas que no están conectadas a un sistema principal. Sacan el agua de pozos individuales. No quedaba más alternativa que contratar a una empresa especializada para que cavara un pozo nuevo, y eso iba a costarnos la mitad de nuestro fondo de reserva de nueve mil libras. Chris se desesperó por nuestra mala suerte, pero yo no creí que se tratara de suerte, la sincronización era demasiado precisa, la secuencia demasiado sospechosa. No dije nada entonces. No quería que sintiera pánico. No tenía ninguna prueba. El hecho innegable era que el dinero podría no alcanzarnos hasta el invierno. Si queríamos sobrevivir, necesitábamos acelerar nuestros planes para obtener algún beneficio de la granja.

CON LAS DOS manos, mi madre sacó una caja de acero oxidado de la cartera. Tenía el tamaño de una caja de galletas y aspecto de ser muy vieja. Era, de lejos, el elemento más grande de la cartera.

*

CUANDO LLEGARON LOS obreros para cavar el pozo encontré esto enterrado en el suelo, varios metros por debajo de la superficie. Chris y yo estábamos observando el trabajo como si asistiéramos a un funeral, de pie solemnemente al borde del agujero, despidiéndonos de la mitad de nuestro dinero. Cuando cavaron más hondo capté un destello de luz. Grité para que se detuvieran, agitando los brazos. Los obreros vieron el alboroto y apagaron el taladro. Antes de que Chris pudiera agarrarme, me metí en el agujero. Fue una estupidez. Podría haberme matado. Pero sólo pensaba en salvar lo que hubiera ahí abajo. Cuando salí del agujero con esta caja, todos estaban gritándome. Nadie se preocupó de la caja. Lo único que pude hacer fue disculparme y retirarme a la casa, y allí examiné mi descubrimiento en privado.

* * *

Levanta la tapa...

Echa un vistazo...

Esto no es lo que descubrí ese día. Deja que me explique. La caja contenía papeles. Contenía esos mismos papeles, pero no había nada escrito en ellos. Ya ves que el metal está resquebrajado y hay óxido en varios sitios. La caja no pudo impedir la entrada de la humedad, de manera que la tinta original en las páginas había desaparecido hacía mucho. No podías distinguir más que unas pocas palabras. Probablemente eran documentos legales. Debería haberlos echado al fuego, pero me dio por pensar que formaban parte de la historia de la granja. No me parecía correcto destruirlos, así que volví a meterlos en la caja y la guardé debajo del fregadero. Mi siguiente comentario es muy importante: no pensé más en ellos.

Quiero decirlo otra vez porque no sé si te has quedado con la información...

INTERVINE, CON ESPÍRITU de colaboración.

—No pensaste más en ellos.

Mi madre asintió con la cabeza, satisfecha.

—Cuando volví a salir, Håkan estaba en el mismo sitio en el que había estado yo. Era la primera vez que venía a nuestra granja desde nuestra llegada...

—¿Salvo cuando saboteó el pozo, quieres decir?

Mi madre reconoció la seriedad con la que estaba tratando su relato, en lugar de interpretar mi pregunta como una muestra de escepticismo puntilloso.

\*

COMO ESE EPISODIO no lo había presenciado, era la primera vez que lo veía en nuestra tierra. Pero sí, tienes razón, podría haber llevado a cabo el sabotaje él mismo, o contratado a alguien para que lo hiciera. En todo caso, ese día su pose transmitía una vigorosa sensación de propiedad, como si nuestra casa ya fuera suya. Chris estaba a su lado. Los dos hombres no se habían visto antes. Cuando me acerqué con la esperanza de constatar su precaución y su desconfianza, no vi ninguna de las dos cosas. Le había contado a Chris lo mucho que ese hombre me había molestado. Y aun así, él estaba demasiado entusiasmado con la perspectiva de un amigo que hablara inglés para comprender la verdad: ese hombre quería que fracasáramos. Oí a Chris respondiendo tan contento a preguntas sobre nuestros planes. ¡Håkan nos estaba espiando! Ni siquiera se fijaron en que estaba al lado de ellos. No, eso no es verdad, Håkan sí se fijó en mí.

Al final, Håkan se dio la vuelta y simuló verme por primera vez. Aparentando cordialidad, nos invitó a la primera de sus barbacoas de verano, que iba a celebrarse junto al tramo del río que discurría por su terreno. Quería celebrar la fiesta de este año en honor a nuestra llegada. ¡Era absurdo! Después de rehuirnos durante semanas y sabotear nuestro pozo, seríamos los huéspedes de honor. Chris aceptó la invitación de buenas a primeras. Estrechó la mano de Håkan y dijo que le apetecía mucho la fiesta.

Al marcharse de nuestra granja, Håkan me pidió que lo acompañara para que pudiéramos comentar los detalles de la invitación. Explicó que era tradicional que cada huésped llevara un plato de comida. Yo conocía muy bien la tradición y se lo dije. Le pregunté qué quería que llevara. Él hizo ver que consideraba distintas posibilidades antes de sugerir una ensalada de patata recién hecha, explicando que siempre era muy popular. Accedí, preguntando a qué hora quería que estuviéramos allí, y él dijo que la comida se serviría a partir de las tres. Le di las gracias otra vez por la amable oferta y se marchó por la carretera. Después de dar unos pasos miró atrás e hizo esto...

MI MADRE SE llevó un dedo a los labios como si fuera una bibliotecaria silenciando a un lector ruidoso. Era un gesto que ella había hecho antes. Y ahora afirmaba que Håkan había hecho lo mismo.

—¿Te estaba provocando? —pregunté, sintiendo curiosidad por la coincidencia.

*

¡ESTABA BURLÁNDOSE DE mí! La conversación había sido una pantomima. La invitación no era ningún acto de amabilidad. Era una trampa. Y el día de la fiesta saltó el resorte de la trampa. Salimos justo antes de las tres por la orilla del río. Era más agradable que caminar por la carretera, y estaba segura de que seríamos de los primeros invitados porque llegábamos puntuales. Pero no fuimos de los primeros; la fiesta estaba en su apogeo. Había al menos cincuenta personas, y no acababan de llegar. La barbacoa estaba encendida. La comida se estaba cocinando. Parecíamos idiotas allí plantados al borde de la fiesta, con un envase de ensalada de patatas casera. Nadie nos saludó durante unos minutos, hasta que Håkan nos escoltó a través de la muchedumbre reunida en torno a la mesa. Dejamos allí nuestra comida. La primera impresión que yo quería causar no tenía precisamente nada que ver con la de alguien que llega tarde y avanza torpemente con su ensalada de patatas, así que le pregunté a Håkan si me había equivocado de hora. Era una forma educada de decirle que él había cometido un error. Dijo que el error era mío, la fiesta había empezado a la una. Luego añadió que no había necesidad de preocuparse, que no estaba ofendido; que yo me habría confundido al recordar que la comida se cocinaría a partir de las tres.

Puedes pensar que no es más que una confusión sin importancia. Te equivocarás. Fue un acto de sabotaje deliberado. ¿Soy alguien a quien le importaría haberse confundido de hora? No, me habría disculpado y punto final. No me confundí porque sólo me dijo una hora. Håkan quería que llegáramos tarde y nos sintiéramos fuera de lugar. Lo consiguió. Estuve nerviosa toda la fiesta. No podía participar en ninguna conversación, y en lugar de calmarme con una copa, el alcohol me sentó peor. No paré de repetir a la gente que había nacido en Suecia y conservaba el pasaporte sueco, pero no logré ser otra cosa que la inglesa aturdida que había llegado tarde con una ensalada de patatas. ¿Entiendes la astucia teatral de la situación? Håkan me pidió que hiciera la ensalada de patatas. En el momento, no le di más vueltas. Pero no podía haberme pedido un plato menos ambicioso: un plato que nadie podía alabar sin que sonara ridículo. Ni siquiera podía hacerla con patatas cultivadas en casa porque nuestra cosecha no estaba lista. La mujer de Håkan estaba colmando de elogios la comida de los demás, rodajas de salmón, postres con capas espectaculares, comida de la que uno podía sentirse orgulloso. No dijo nada de la ensalada de patatas porque no había nada que decir. El aspecto se diferenciaba muy poco de la versión de producción masificada que puedes comprar en los supermercados...

—ES LA PRIMERA vez que has mencionado a la mujer de Håkan —señalé.

\*

PUES ES UNA omisión reveladora. Ha sido involuntario, pero resulta apropiado. ¿Sabes por qué? Porque no es más que una luna que orbita alrededor de su marido. El punto de vista de Håkan es su punto de vista. Lo importante no es lo que hizo, sino lo que se negó a hacer. Es una mujer que se arrancaría los ojos antes que abrirlos a la realidad de que su comunidad estaba envuelta en una conspiración. Me encontré con ella en muchas ocasiones. Lo único que mi memoria puede invocar es su corpulencia: una masa sólida, sin ninguna ligereza en el andar, sin baile, sin juego, sin diversión, sin malevolencia. Eran ricos, pero ella trabajaba sin parar. Por eso era físicamente fuerte y tan buena en el campo como cualquier hombre. Es extraño que una mujer sea tan fuerte y sin embargo tan débil, tan capaz y tan incapaz. Se llama Elise. No éramos amigas, desde luego. Pero es difícil que su antipatía provoque escozor, porque no dependía de una decisión suya. Sus opiniones estaban modeladas completamente por Håkan. Si él hubiera dado su aprobación, al día siguiente me habría invitado a tomar café y me habría permitido entrar en su círculo de amigas. Y luego, si Håkan hubiera señalado su desaprobación, las invitaciones se habrían interrumpido y el círculo habría cerrado filas. Su conducta sólo respondía a su creencia fanática en que Håkan tenía razón en todo. Cuando nuestros caminos se cruzaban, ella hacía comentarios sosos sobre los cultivos, o el tiempo, antes de alejarse con alguna observación sobre lo excepcionalmente ocupada que estaba. Siempre estaba ocupada, nunca la veías en la galería con una novela, nunca nadando en el río. Hasta sus fiestas eran otra manera de mantenerse ocupada. Su conversación era una forma de trabajo, planteaba escrupulosamente las preguntas adecuadas, sin ninguna curiosidad auténtica. Era una mujer sin placer. En ocasiones sentía pena por ella. Las más de las veces quería sacudirla por los hombros y gritarle:

—¡Abre los ojos de una puta vez!

MI MADRE RARA vez decía palabrotas. Si se le caía un plato o se cortaba, podía soltar un improperio como exclamación, pero nunca para dar énfasis. Estaba orgullosa de su inglés, que en gran medida había aprendido de manera autodidacta, ayudada por innumerables novelas que sacaba de bibliotecas locales. Esta vez, me dio la impresión de que su palabrota capturaba un estallido de rabia, un destello de emoción intensa que atravesó su narración mesurada. Tratando de compensar, se refugió apresuradamente en una imitación de frases jurídicas, como si cavara trincheras para protegerse contra acusaciones de locura.

*

NO TENGO PRUEBAS ni creo que Elise estuviera implicada directamente en los crímenes que se produjeron. Aun así, mi opinión es que lo sabía. El trabajo era su distracción, una forma de mantener su mente y cuerpo ocupados hasta el punto de no tener energía para comprender las pistas. Imagina un nadador en el océano que no se atreve a apartar los ojos del horizonte soleado, porque debajo tiene el abismo más profundo y oscuro, corrientes frías que se arremolinan en torno a sus tobillos. Elise decidió vivir una mentira, eligió la ceguera intencionada. Eso no era para mí. Yo no terminaré como ella; yo haré los descubrimientos que ella fue incapaz de hacer.

Casi no hablé con Elise en la fiesta. Ella me miraba de vez en cuando, pero no hacía ningún esfuerzo para compartir sus amigas. La fiesta ya se estaba acabando y me quedaban dos opciones: aceptar que mi presentación en sociedad había sido un fracaso o luchar. Elegí luchar. Mi plan consistía en contar una historia apasionante. Me decidí por el incidente con el alce. Me pareció una decisión hábil porque era una historia local. Había interpretado el incidente como una bendición de nuestro traslado a la granja y quizá otra gente lo interpretaría de manera similar. Probé la historia en un pequeño grupo, en el que estaba incluido el alcalde, un hombre jovial. La gente comentó que era una anécdota extraordinaria. Complacida con la recepción, sopesé a qué grupo de personas dirigirme a continuación. Antes de que pudiera decidirme, Håkan se acercó a mí y me pidió que repitiera la anécdota para que todos la oyeran. Algún espía, probablemente el alcalde hipócrita, le habría transmitido el efecto positivo del relato en la percepción que los demás tenían de mí. Håkan hizo un gesto para pedir silencio y me situó en el centro de la escena. No tengo el don de hablar en público. Soy tímida delante de grupos grandes. Pero había mucho en juego. Si actuaba bien, mi torpe entrada se olvidaría. Esa anécdota tenía el potencial de definirme a ojos de los invitados. Respiré profundamente. Preparé el terreno. Quizá me sobreexcité. Había detalles que podría haber omitido, como el hecho de que me había desnudado por completo (no había necesidad de compartir esa imagen con todos) o el hecho de que estaba segura de que había un *voyeur* peligroso entre los árboles; eso me hizo parecer paranoide. En líneas generales, mi público estaba cautivado, nadie bostezó ni miró el móvil. Al final de la historia, en lugar de aplaudir, Håkan declaró que él había vivido en la zona toda su vida y nunca había visto un alce en el río. Debía de haberme confundido. Ese hombre me había animado a contar la historia en voz alta con el único propósito de contradecirme en público. No sé qué probabilidades hay de ver un alce en el río. Quizá sólo ocurra una vez cada diez años, tal vez una vez cada cien años. Sólo sé una cosa: a mí me pasó.

En cuanto Håkan declaró su incredulidad, los asistentes a la fiesta se pusieron de su lado. El alcalde, que sólo momentos antes me había dicho que el incidente le parecía extraordinario, confirmó que los alces no llegaban tan lejos. Hubo teorías para explicar mi error, que si la falta de luz, que si las sombras juegan malas pasadas y otras hipótesis nada plausibles sobre cómo una mujer puede imaginar que un alce gigante está nadando a su lado cuando, en realidad, no hay más que maderas flotantes. Como Chris estaba en la periferia de la fiesta, no estaba segura de cómo entendió todo esto, porque la conversación había sido en sueco. Me volví hacia él en busca de apoyo. En lugar de declarar que no era una mentirosa, me murmuró:

—¡Cállate ya con lo del alce!

Perdí las ganas de luchar.

Håkan, regodeándose en su victoria, me pasó un brazo conciliador en torno al hombro. Prometió guiarme por el bosque a donde pudiéramos ver un alce de verdad. Quería preguntarle por qué se comportaba de aquel modo tan horrible conmigo. Había ganado una batalla penosa. Pero estaba equivocado si creía que podría echarme de mi tierra con bravuconadas. Con canalladas y astucias nunca me quitaría la granja.

Yo estaba triste ese día, triste porque la fiesta no había sido un éxito, triste por no tener el número de teléfono de una nueva amiga a la que llamar, triste por no haber recibido ni una sola invitación a tomar café en la casa de otra persona. Quería irme a casa y estaba a punto de decírselo a Chris cuando vi a una joven que se acercaba a la fiesta. Bajaba desde la casa de Håkan, vestida con ropa suelta informal. Sin lugar a dudas, era una de las mujeres más hermosas que había visto en mi vida, a la altura de las modelos que salen en las revistas anunciando perfume o ropa de diseño. Al verla caminar hacia nosotros, me olvidé al instante de Håkan. Me di cuenta de que estaba mirando fijamente a esa chica y pensé que sería educado disimular mi interés, pero comprobé que todos los demás estaban mirando también, tanto los hombres como las mujeres se habían vuelto hacia ella como si fuera el entretenimiento de la tarde. Me sentí incómoda, como si estuviera participando de algo inquietante. Nadie se comportaba de manera impropia, pero en aquella multitud había pensamientos fuera de lugar.

La chica era joven, al borde de la edad adulta, dieciséis años, según descubrí después. Si dabas por hecho que en esa barbacoa todos eran blancos, no te has equivocado. En cambio, la chica era negra y yo tenía curiosidad, estaba ansiosa por observar con quién iba a hablar, pero atravesó la fiesta sin decir ni una palabra a nadie, sin servirse nada de comer o beber, y continuó hacia el río. En el puente de madera empezó a desnudarse, se desabrochó la sudadera con capucha y la tiró al suelo, se quitó los pantalones de chándal y las chanclas. Debajo de esa ropa holgada no llevaba más que un biquini, más adecuado para buscar perlas que para las aguas congeladas del río. De espaldas a nosotros, se zambulló en él con elegancia y desapareció bajo una espuma de burbujas. Salió a la superficie unos metros más allá y empezó a nadar, no sé si indiferente a su público o tal vez muy consciente de su presencia.

\* \* \*

93

Håkan no pudo ocultar su furia. Su reacción me asustó. Todavía tenía el brazo en torno a mi hombro y los músculos tensos. Retiró el brazo, porque estaba delatando sus auténticos sentimientos, y hundió las manos en los bolsillos. Yo le pregunté la identidad de esa joven y Håkan me dijo que se llamaba Mia.

—Es mi hija.

Mia estaba de pie dentro del agua; nos examinaba mientras surcaba la superficie con las puntas de los dedos. Nos miraba directamente a Håkan y a mí. Al sentir aquella mirada tuve ganas de gritar y explicar que no estaba con él, que no era su amiga. Estaba sola, igual que ella.

En el viaje a Londres se me ocurrió que podrías pensar que tengo algo en contra de la adopción. No es verdad. Sin embargo, algo en la relación de Håkan y Mia no me cuadraba. Mis sentimientos no tenían nada que ver con la raza, por favor, créelo. Mis pensamientos nunca podrían ser tan mezquinos. El corazón me decía que algo iba mal. Me costaba creer que fueran padre e hija, que vivieran en la misma casa, comieran en la misma mesa, que él la tranquilizara en momentos de dificultad y ella buscara la sabiduría de sus palabras. Reconozco que la revelación me obligó a cambiar mi manera de ver a Håkan. Lo había etiquetado como un xenófobo primitivo. Me equivoqué. Su carácter tenía más matices, desde luego. Su sentido de la identidad sueca no dependía de señales simplistas como el cabello rubio y los ojos azules. Dependía del patrocinio. A juicio de Håkan, yo había renunciado a mi nacionalidad al dejar mi país y aceptar el patrocinio de un marido inglés. Mia había sido naturalizada porque Håkan la había elegido. La propiedad lo es todo para ese hombre. Mi instinto, incluso en ese primer día, me dijo que Mia corría un peligro extremo.

QUE UNA JOVEN nadara en el río un día de verano no me sonaba muy peligroso. Me aventuré.

—¿Por qué estaba en peligro?

La pregunta irritó a mi madre.

\*

PARECE QUE NO me estabas escuchando. Te he dicho que estaban contemplando a Mia con deseo indisimulado. Quizá nunca lo hayas pensado, pero es peligroso ser deseado, ser el pensamiento que distrae, la preocupación que excita. No hay nada más peligroso. ¿Lo dudas? Considera cómo se comportó Mia. Salió del río, sin establecer contacto visual con nadie de la fiesta pese a que estaba siendo observada. No es un comportamiento natural. Se vistió sin secarse y se formaron marcas de humedad en toda su ropa. Luego caminó entre la gente y, con la cabeza alta, sin tocar para nada la comida ni la bebida, sin decir ni una palabra, volvió a la casa. Me niego a escuchar a nadie que me diga que eso no significaba nada. ¿Cómo puedo estar tan segura? La vi otra vez al cabo de una semana, cuando yo estaba cuidando el huerto. No sé dónde estaba Chris ese día. Su dedicación a la granja iba por rachas. A veces trabajaba de la mañana a la noche, y otras desaparecía durante muchas horas. La cuestión es que no estaba a mi lado cuando oí un ruido. Levanté la mirada y vi a Mia pedaleando por la carretera. Sus movimientos eran erráticos, descontrolados, y pedaleaba a una velocidad alarmante, como si estuvieran persiguiéndola. Le vi la cara cuando pasó junto a la verja. Había estado llorando. Dejé los aperos y corrí a la carretera, temiendo que pudiera caerse de la bici. Y si no se cayó fue sólo por la gracia de Dios. Torció bruscamente a la izquierda y se perdió de vista.

No podía continuar en el huerto como si nada hubiera ocurrido, así que abandoné el trabajo, me apresuré a ir a buscar mi bicicleta al granero y salí en su persecución. Suponía que se dirigía a la ciudad por el carril bici solitario que sigue el curso del río hasta Falkenberg. Es una lástima que nunca nos visitaras, porque no es el momento para una descripción de Falkenberg. Es una ciudad costera muy bonita, pero ahora se trata del estado de ánimo de Mia y estoy tratando de establecer la presencia del peligro y no de describir pintorescas casas de madera pintadas de amarillo pálido y viejos puentes de piedra. Bastará con decir que, antes de que el río desemboque en el mar, el cauce se ensancha, y en sus orillas están los hoteles, restaurantes y tiendas más prestigiosos. Allí es donde Mia desmontó de su bicicleta y empezó a caminar por los jardines públicos inmaculados, sumida en sus pensamientos. La seguí hasta el paseo comercial y allí simulé un encuentro accidental. La combinación de mi aparición repentina y mi ropa sucia, embarrada del huerto de verduras, no pudo causar una gran impresión. No creía que Mia me ofreciera más que un educado hola. Que así fuera: comprobaría que estaba bien y regresaría a casa. Recuerdo que ella llevaba unas chanclas rosas. Parecía tan divertida y hermosa que costaba creer que había estado llorado.

No pasó de largo. Conocía mi nombre y sabía que venía de Londres. Håkan debía de haber hablado de mí. Algunos niños adoptan siempre el punto de vista de sus padres. Pero no era el caso de Mia, no me demostró ninguna hostilidad. Eso me animó, y la invité a un café en el Ritz, en el mismo paseo. A pesar de su nombre, tenía precios razonables y en la parte de atrás había una sala tranquila donde podíamos hablar. Para mi sorpresa, Mia aceptó.

El café era de autoservicio y elegí una porción de tarta Princesa, con una capa gruesa de nata bajo una fina hoja verde de mazapán. Cogí dos tenedores para que pudiéramos compartirla, una taza de café y una Coca-Cola Light para Mia. Entonces me di cuenta de que había salido con tanta prisa de la granja que no había cogido dinero. Me vi obligada a preguntarle a la mujer del mostrador si podía pagar en otro momento. La propietaria del café señaló que no estaba segura de quién era yo, y eso obligó a Mia a dar la cara por mí. Su palabra tenía peso por ser la hija de Håkan, y la mujer nos fió el pastel, el café y el refresco. Me disculpé y dije que volvería esa misma tarde, porque no quería prolongar mis deudas más allá de lo necesario, sobre todo porque la razón de venir a Suecia era no volver a tener deudas nunca más.

Mientras compartíamos la tarta, hablé mucho. Mia mostraba interés cuando yo hablaba de mi vida, pero fue cauta al hablar de su vida en Suecia. Me pareció un poco raro; por lo general, las adolescentes prefieren hablar de sí mismas. No detecté ninguna arrogancia a pesar de su belleza excepcional. Hacia el final de la conversación, Mia me preguntó si me había presentado a todos los vecinos, incluido Ulf, el ermitaño del campo. Nunca había oído hablar de Ulf. Mia explicó que había sido granjero, pero ya no lo era. Nunca salía de los límites de su finca.

Su tierra la controlaba Håkan. Una vez a la semana, Håkan le llevaba todo lo que necesitaba para sobrevivir. Después de hacerme ese último comentario, se despidió, se levantó y me dio amablemente las gracias por el pastel y la Coca-Cola.

Mientras Mia se alejaba, me fijé en que la mujer de la barra estaba observándonos. Tenía un teléfono pegado a la oreja. Estoy convencida de que estaba hablando con Håkan, contándole que acababa de invitar a café a su hija. Siempre se sabe por los ojos de una persona si ha estado hablando de ti.

—¿SIEMPRE SE SABE? —pregunté.

La respuesta de mi madre fue enfática:

—Sí.

Igual que las ruedas de un coche que pasa un bache a toda velocidad sólo se separan un instante del suelo, mi madre regresó a su relato sin la menor explicación.

\*

PENSÉ EN LAS últimas palabras de Mia, y su forma de terminar la conversación me pareció extraña. La referencia al ermitaño era seguramente una instrucción críptica de que debería visitar a ese hombre. Cuanto más lo pensaba, más convencida estaba de que ésa era la intención de Mia. Decidí no esperar. Lo visitaría de inmediato. Así que, en lugar de regresar a casa, seguí pedaleando por la carretera más allá de mi casa, más allá de la granja de Håkan, buscando la casa del ermitaño. Por fin vi la casa vieja, sola en medio de los campos como un animal desorientado. Costaba creer que alguien viviera allí, porque estaba muy deteriorada y descuidada. El sendero era todo lo contrario a la entrada bien mantenida de la granja de Håkan. Había hierbas hasta la altura de la cintura entre piedras sueltas y la naturaleza empezaba a invadir el sendero por los dos lados. Al acercarme, encontré material de la granja abandonado que daba una sensación siniestra y triste. Vi también la huella de un granero o un establo, recientemente demolido.

Desmonté de la bici. A cada paso me decía a mí misma que no había necesidad de comprobar si Håkan estaba observando. Ya casi había llegado a la casa cuando me falló la fuerza de voluntad. Me volví, sólo para tranquilizarme. Pero allí estaba él, subido a su tractor gigante, negro contra el cielo gris. Aunque no pude distinguir su cara desde esa distancia, no me quedó ninguna duda de que era Håkan, arrogante sobre el trono de su tractor. En parte quise echar a correr y lo odié por hacerme sentir tan acobardada. Pero me negué a ceder al miedo y llamé a la puerta del ermitaño. No sabía qué esperar, quizá un atisbo de un interior oscuro con telarañas y moscas muertas. No esperaba un gigantón amable, enmarcado por un recibidor ordenado. Se llamaba Ulf Lund, un hombre con la fortaleza y el tamaño de Håkan, pero tocado por la tristeza, con una voz tan baja que tuve que esforzarme para oírlo. Me presenté, explicando que era nueva en la zona y esperaba que pudiéramos ser amigos. Me sorprendió que me invitase a entrar.

Al pasar por la cocina, me fijé en que Ulf prefería la luz de las velas a la luz eléctrica. Había una solemnidad como de iglesia en aquella casa. Me ofreció café, sacó del congelador un bollo de canela, lo metió en el horno y se disculpó por el rato que tardaría en descongelarse. No parecía molestarle quedarse sentado frente a mí en silencio mientras el bollo solitario se calentaba en el horno. Me armé de valor y le pregunté si estaba casado, completamente consciente de que el hombre vivía solo. Dijo que su esposa había fallecido. No dijo cómo. Tampoco me dijo su nombre, sólo me sirvió el café más fuerte que he probado nunca, tan amargo que tuve que endulzarlo. El azúcar moreno se había endurecido en el tarro. Golpeé la costra con mi cucharilla y comprendí que ya nadie lo visitaba. Ulf me presentó el bollo en un plato. Le di las gracias profusamente, aunque el centro no se había descongelado del todo, y sonreí al tragar la bola de masa fría, dulce y especiada.

Más tarde, cuando ya estaba sentada en el pasillo, poniéndome lentamente los zapatos y examinando mis alrededores, me fijé en dos cosas que me asombraron. No había troles, ninguna de las figuras labradas de Håkan. En cambio, las paredes estaban cubiertas con citas enmarcadas de la Biblia, citas bordadas en tela, todas decoradas con escenas bíblicas. Faraones, profetas y el jardín del Edén cosidos con hilos de colores, la separación de las aguas del mar Muerto, un arbusto en llamas, etcétera. Le pregunté si las había hecho él. Ulf negó con la cabeza: la artesana era su esposa. Debía de haber más de un centenar desde el suelo hasta el techo, incluida ésta...

MI MADRE SACÓ de la cartera una cita bíblica bordada a mano, enrollada y atada con un cordel basto. Desplegó la tela delante de mí y me permitió estudiar el texto cosido en hilo fino negro. Los bordes estaban chamuscados; algunos de los hilos, dañados por el fuego.

*

ESTÁ QUEMADO PORQUE hace sólo unos días Chris lo lanzó a la estufa, diciendo que no significaba nada y gritando:

—Que se queme de una puta vez.

Mi respuesta fue coger unas tenazas y rescatarlo de las llamas medio chamuscado mientras Chris se lanzaba hacia mí con la intención de quitármelo. Me obligó a retroceder por el salón, blandiendo la tela en llamas de un lado a otro como si me defendiera del ataque de un lobo. Fue la primera vez que me llamó loca a la cara. Estoy segura de que había estado diciéndolo a mis espaldas. Pero no es ninguna locura salvar una prueba, sobre todo cuando sirve para demostrar que había algo podrido en el corazón de esa comunidad, así que no, no iba a dejar que se quemara «de una puta vez».

MI MADRE TENÍA ganas de atribuir ese arrebato a mi padre. Ella había registrado mi reacción a su exclamación —«¡Abre los ojos de una puta vez!»— y había tomado buena nota de mi sorpresa. Me acordé de su meticuloso libro de cuentas, tinta negra en un lado, roja en el otro. Se le había anotado un apunte en el debe y ella estaba igualándolo en el haber. Como era cada vez más evidente que la narración cambiaba en función de mi manera de escucharla, me reafirmé en mi intención de presentar un frente neutral sin delatar casi nada.

*

ESTA CITA BÍBLICA es diferente de las otras que colgaban en el pasillo. La tela no tiene ninguna decoración, por eso me fijé en ella. Las otras estaban rodeadas por ilustraciones un poco cómicas, mientras que ésta era sólo texto. Ulf me contó que su mujer estaba trabajando en ella en el momento en que murió. Faltan varias palabras, convertidas en ceniza. Déjame traducírtelo.

«Porque mi lucha es contra la carne y la sangre, contra los gobernantes, contra las autoridades, contra los pode-

103

res de este mundo oscuro y contra las fuerzas del mal en este reino terrenal.»

El bordado incluía la referencia exacta. Puedes leerla aquí: Efesios, capítulo seis, versículo doce. De niña leía la Biblia todos los días. Mis padres eran figuras prominentes en la iglesia local, sobre todo mi madre. Yo asistía a catequesis los domingos. Disfrutaba en las clases en que se enseñaba la Biblia. Era devota. Puede que esto te venga de nuevas, porque ahora sólo voy a la iglesia en Navidad y Pascua, pero la iglesia era una forma de vida en el campo. En esta ocasión, mi conocimiento me decepcionó. No podía recordar la Carta a los Efesios. Sabía que era del Nuevo Testamento. La inmensa mayoría de las demás citas bordadas en la pared eran escenas famosas del Antiguo Testamento, y tenía curiosidad por saber por qué la mujer de Ulf había cambiado de táctica, en sus últimos días, para elegir un pasaje oscuro.

SE ME PLANTEÓ la cuestión de cómo esa cita en tela —una vez enmarcada y colgada en la pared— había llegado a manos de mi madre. No podía creer que el ermitaño hubiera prescindido de un elemento tan preciado como la costura en la que su mujer había estado trabajando cuando murió:

—Mamá, ¿lo robaste?

*

SÍ, LO ROBÉ, pero no a Ulf, sino a alguien que se lo había robado a él, alguien que comprendía su importancia. No quiero hablar de eso todavía. Si no me dejas ceñirme a mi cronología, empezaremos a dar saltos y terminaré contándote lo que ocurrió en agosto antes de que hayamos terminado el mes mayo.

Cuando llegué otra vez a la granja, lo primero que hice fue ir a buscar la biblia sueca que mi padre me había regalado hace cincuenta años, dedicada a mí con su hermosa letra; siempre escribía con pluma. Busqué el capítulo seis, versículo doce de la Carta a los Efesios, que ahora he memorizado.

¡Escucha otra vez la versión cosida!

«Porque mi lucha es contra la carne y la sangre, contra los gobernantes, contra las autoridades, contra los poderes de este mundo oscuro y contra las fuerzas del mal en este reino terrenal.»

Ahora escucha la versión bíblica correcta. Haré hincapié en algunas de las palabras que son diferentes, pero tómate la libertad de hacer tu propio análisis.

«Porque NUESTRA lucha NO es contra la carne y la sangre, sino contra los gobernantes, contra las autoridades, contra los poderes de este mundo oscuro y contra las fuerzas espirituales del mal en el reino celestial, NO en este reino terrenal.»

¡La mujer de Ulf cambió la cita! Bordó su propia versión de manera que se leía que nuestra lucha era contra la carne y la sangre, y situó las fuerzas del mal no en el cielo sino en la tierra. ¡En la tierra! ¿Qué prueba esto? Era un mensaje, no un error. ¿Cómo podía esa pobre mujer asegurarse de que el mensaje la sobreviviría, que no se destruiría después de su muerte? Lo colgó en la pared, camuflado entre las otras citas, un mensaje para quienes prestamos atención, un mensaje, no un error, un mensaje.

Me moría de ganas de compartir este descubrimiento con Chris y salí corriendo a llamarlo. No me respondió. Mientras cavilaba dónde podría estar, me fijé en unos puntos rojos en el sendero de grava. Antes de agacharme supe que era sangre. Las manchas no estaban secas. Eran recientes. Temiendo que Chris estuviera herido, seguí la pista hasta un cobertizo. Las gotas continuaban por debajo de la puerta. Agarré el pomo y al abrir la puerta me encontré con un cerdo muerto colgado de un gancho, un animal completo partido por la mitad, abierto como un libro, balanceándose atrás y adelante, una mariposa con una carcasa sangrante en lugar de alas. No grité. Crecí en el campo y he visto montones de animales muertos. Si estaba agitada y pálida no era porque estuviera anonadada por la visión de un animal muerto, sino por el significado de ese cerdo.

¡Era una amenaza!

Hasta cierto punto, admito que Håkan estaba simplemente cumpliendo su parte del acuerdo. A cambio de permitirle usar nuestra tierra yo había pedido cerdo. Exacto. Pero esperaba unas cuantas salchichas y lonchas de beicon más que un cerdo entero. Sí, era un buen trato porque había mucha carne en esa carcasa, pero ¿por qué dejarlo en ese momento? ¿Por qué entregarlo mientras yo estaba hablando con el ermitaño? ¿No te parece extraña la oportunidad del momento? Mira la secuencia de los hechos: la secuencia lo es todo.

En primer lugar: Håkan recibe una llamada de la mujer de la cafetería, informándole de que estaba conversando con su hija.

En segundo lugar: me ve visitando al ermitaño en el campo y lo relaciona con Mia.

¿Qué hace a continuación?

En tercer lugar: selecciona un cerdo muerto, recién sacrificado porque gotea sangre, o mata uno él mismo. Viene a nuestra granja, dejando un rastro de sangre en nuestro sendero, y cuelga el cerdo, no para cumplir un contrato, sino como forma de decirme que retroceda, que no haga más preguntas, que me ocupe de mis asuntos.

Debería señalar que Chris asegura que el incidente con el cerdo no ocurrió cuando regresé de visitar al ermitaño en el campo, sino un día completamente distinto, y que en mi mente he combinado dos hechos separados, conectando recuerdos que no tenían conexión. Quiere ocultar esta secuencia provocativa precisamente porque la secuencia en sí es muy reveladora.

La amenaza de Håkan tuvo el efecto opuesto al pretendido. Me reafirmó en mi decisión de descubrir qué estaba pasando. Estaba segura de que Mia quería hablar. No sabía de qué quería hablar. Ni siquiera podía adivinarlo. Pero necesitaba hablar con ella otra vez, cuanto antes mejor. Estuve atenta a cualquier ocasión para hacerlo, pero al final fue Mia quien me encontró a mí.

MI MADRE ME pasó un folleto que estaba sujeto con un clip a una hoja de su diario. Anunciaba un baile en un granero.

*

ESTOS BAILES SE celebraban una vez al mes en un granero comunitario, algo parecido a un local comunitario, que quedaba a poca distancia de nuestra granja, carretera arriba. Son fiestas para hombres y mujeres de cierta edad, gente a la que no podría preocuparle menos lo que está de moda y lo que no. Las entradas son caras, ciento cincuenta coronas por persona, unas quince libras. Como estábamos tan cerca del local y la música se oía desde casa, nos ofrecieron entradas gratis a modo de compensación. Chris y yo decidimos probarlo. Después del fracaso de la barbacoa empezábamos a echar de menos la dinámica social de una ciudad. La barbacoa no había servido para crear una red de amigos. Yo no había recibido ninguna invitación desde entonces. No había ni una sola persona a la que pudiera llamar. Pero había otra razón por la que Chris y yo decidimos ir. Antes de marcharnos a Suecia, llevábamos varios años sin mantener relaciones íntimas.

ME QUEDÉ RÍGIDO, impasible, delatando mi incomodi-
dad con tanta claridad como si me hubiera quedado boquiabierto de asombro. No se trataba del asunto del sexo,
sino de la sinceridad sin límites de mi madre. Al carecer de
la información correcta, mi madre malinterpretó mi in-
comodidad como una respuesta simplemente inmadura.

*

PUEDE QUE ESTO te resulte embarazoso, pero para entender lo que ocurrió en Suecia necesitas conocer todos
los detalles, incluso los más delicados, sobre todo los más
delicados. Después de que se desplomaran nuestras finan-
zas perdí el interés en el sexo. El sexo en gran parte tiene
que ver con sentirse bien, no sólo con el otro, sino con tu
vida en general. Muchas parejas se esfuerzan por mantener las relaciones sexuales durante un matrimonio largo.
Chris y yo habíamos tenido suerte. Él era un joven britá-
nico atractivo de pelo oscuro que odiaba la autoridad y
yo era una rubia sueca, joven y guapa, que nunca había
conocido a nadie tan anárquico. Éramos almas perdidas
que habíamos encontrado un hogar en la compañía del
otro. El sexo se convirtió para nosotros en una celebra-

ción de que éramos un equipo, los dos contra el resto del mundo. Siempre que nos tuviéramos el uno al otro no necesitábamos a nadie más.

Todo empezó a torcerse cuando compramos esos pisos. Chris confiaba en mí, quería jubilarse: había trabajado toda su vida y tenía ganas de tomárselo con calma. Empezó a pescar más, pasaba horas planeando vacaciones en el extranjero, leyendo libros de viajes, deseando visitar lugares que no habíamos visto. Él nunca tuvo ninguna afinidad con los bancos ni con los agentes inmobiliarios y aceptaba mis decisiones de buena gana. Cuando el mercado reventó, se quedó de brazos cruzados, impotente y en silencio, mientras yo intentaba desenredar nuestras inversiones. Ya no éramos un equipo. Yo estaba sola. Él estaba solo. Empecé a acostarme temprano para despertarme temprano. Él se iba a la cama tarde y se levantaba tarde. Nuestras vidas se descompasaron. Uno de los motivos que nos llevaron a Suecia fue la posibilidad de recuperar nuestro ritmo, nuestra camaradería y también nuestra pasión, redescubrir el sexo como si fuera un tesoro arqueológico enterrado bajo el polvo y los escombros de cuatro años espantosos.

En el ferry a Suecia, bajo las estrellas, Chris y yo nos besamos; no un beso en la mejilla ni el beso nervioso de jóvenes amantes, sino el beso de quienes han compartido una vida, se conocen demasiado y temen no volver a ser tan apasionados como antes. No nos besamos simplemente: hicimos el amor, en un lugar público, en la cubierta, en un sitio frío y escondido detrás de un bote salvavidas, en un ferry en medio del canal de la Mancha. Yo estaba nerviosa, podrían habernos pillado, pero cuando Chris empezó con las insinuaciones vi que daba por hecho que lo rechazaría, que buscaría alguna excusa, que me preocuparía. Por eso seguí adelante, más que nada como símbolo de cambio, como forma de hacerle saber que las cosas iban a ser diferentes para nosotros: seríamos un equipo inquebrantable otra vez.

Después, en la proa del barco, esperando la salida del sol y el primer avistamiento de tierra, creí sinceramente que ése era nuestro momento: nuestra mayor aventura, pero también, siendo realista, nuestra última aventura juntos. Y además, iba a salir de maravilla, porque se nos debía nuestra cuota de bienestar. Todo el mundo tiene derecho a una porción de felicidad. Suena sentimental, la felicidad no es un derecho humano, pero debería serlo.

Tuvimos una serie de distracciones: la tensión de la granja, la contaminación del pozo, los problemas con Håkan... Pero distracciones siempre hubo. Chris y yo hicimos el pacto de ser disciplinados. Decidimos que programaríamos el sexo: tendríamos citas. No habría excusas. Aprovecharíamos los acontecimientos como ese baile en el granero para obligarnos a adoptar el estado de ánimo necesario.

Esa noche, yo llevé un vestido rosa apagado que tendría treinta años, rescatado de una época en la que Chris y yo íbamos a bailar a clubes de Londres. Chris se puso una camisa de seda brillante. No era tan vieja como mi vestido, pero verlo con algo que no fuera tejanos y un suéter era un signo positivo. Yo no tenía ningún perfume y no podíamos permitirnos comprar uno, así que me lo hice yo misma aplastando agujas de pino que recogí en el bosque. Extraje un aceite intenso y me lo apliqué detrás de las orejas.

Salimos de la granja cogidos de la mano y echamos a andar por la carretera entre campos oscuros, siguiendo el sonido de la música. Llegamos tarde y no pudimos ver el interior del granero porque no había ni una sola ventana. La entrada estaba marcada por una cuerda con una serie de bombillas naranjas de poca luz y llena de polillas gigantes que colgaba sobre la puerta, una enorme puerta corredera hecha de troncos pesados. Chris tuvo que tirar de ella con las dos manos, y nos quedamos allí parados como viajeros de un tiempo antiguo que llegan a una posada rural abarrotada para refugiarse de una tormenta.

Dentro olía a buenos tiempos: alcohol y sudor. Había tanta gente bailando que todo el suelo temblaba y las copas tintineaban en las mesas. Nadie se paró a mirarnos: estaban demasiado ocupados bailando. El grupo estaba en el escenario, cinco hombres con trajes negros baratos, corbatas estrechas también negras y gafas de sol Ray-Ban, una banda que rendía homenaje a los Blues Brothers. Puede que parecieran ridículos vistos con una mirada cruel, pero sabían cantar y estaban decididos a hacernos pasar un buen rato. Los que querían alejarse de la música se sentaban a las mesas del fondo y se daban un festín con la comida que ellos mismos habían llevado y, sobre todo, bebían. No había bar de pago, el local no tenía licencia para servir alcohol y se suponía que cada uno tenía que llevar el suyo. A Chris y a mí nos cogió por sorpresa, porque no llevábamos nada y teníamos ganas de tomar una copa. No importaba. A los pocos minutos los demás invitados nos ofrecieron su aguardiente de un termo gigante mezclado con café intenso. Lo servían con un guiño y un empujoncito cómplice, como si estuviéramos en un antro de la ley seca, y, por Dios, qué fuerte era, cafeína y azúcar y alcohol. Enseguida estuve borracha.

Håkan no era propietario del granero ni tenía nada que ver con la organización de la fiesta. Me había asegurado bien esa misma semana. Después de agradecerle en tono amable la entrega del cerdo, sin dar señas de que su inti-

113

midación hubiera tenido éxito, le pregunté si le gustaba bailar. Él se burló y dijo que nunca bailaba. Me tranquilizó. No aparecería. Después de varias copas de licor de mora de los pantanos y café, comencé a reír de forma más escandalosa, hasta que ya ni siquiera sabía de qué me estaba riendo. Creo que se reían todos. La gente estaba allí por una sola razón: pasarlo bien. Habían llegado de toda la región. A diferencia de la insignificante política local de la barbacoa, ese grupo fortuito estaba dispuesto a aceptar a cualquiera que pensara igual, cualquiera que quisiera bailar. Nadie era forastero allí.

Con un par de copas en el estómago, Chris y yo nos sumamos a la pista de baile. Mis pensamientos flotaban en un zumbido maravilloso cada vez que paraba la música y todos los que me rodeaban compartían un estado similar: contenían la respiración todos al mismo tiempo y abrazaban a quien tuvieran a su lado. En la pista de baile todos tenían derecho a besar a cualquiera. Fue entonces cuando vi a Mia en la puerta. No sé cuánto tiempo llevaba en el granero. Estaba apoyada en la pared del fondo, vestida con tejanos recortados y una blusa blanca. Era la única mujer joven allí, la única de menos de veinte años. Iba sola. No vi a Håkan ni a su esposa. A pesar de nuestra larga conversación, sentí una curiosa timidez. Al final, ella caminó hacia nosotros, le dio un golpecito en el hombro a Chris y preguntó si se le concedía el siguiente baile. Pensé, evidentemente, que quería bailar con Chris, ellos dos, y por eso sonreí y le dije que adelante. Pero Mia negó con la cabeza, diciendo que quería bailar conmigo. Chris rió y comentó que era una idea excelente; iba a salir a fumar.

La banda empezó a tocar. La canción era rápida, la más rápida que habían tocado hasta el momento, y estábamos bailando, Mia y yo. Yo estaba borracha y me pre-

114

guntaba si Mia habría acudido a ese baile para hablar conmigo. Para probar mi teoría le pregunté si asistía con frecuencia a esas fiestas, y ella negó con la cabeza y dijo que era la primera vez. Entonces le pregunté si estaba bien. De repente, perdió todo el aplomo y la confianza. Parecía joven y desorientada. Noté la presión de sus dedos en la espalda, así...

MI MADRE ME levantó de la silla y me colocó en medio del salón como si fuéramos una pareja de baile. Colocó mis manos en su espalda, recreando la escena.

*

CONTINUAMOS BAILANDO, PERO ella ya no quería hablar. Cuando la música terminó, Mia me soltó. Se volvió hacia los músicos y se puso a silbar y aplaudir ruidosamente para mostrar su aprecio con entusiasmo, con una pausa breve apenas para recogerse el pelo detrás de la oreja.

La gente estaba mirándonos.

Sin decir ni una palabra a Mia, volví a las mesas del fondo del granero y la dejé silbando y aplaudiendo. Chris estaba llevándose a los labios una copa llena de aguardiente. La sostuvo pegada al labio inferior, pero no bebió. Me miró como si me hubiera comportado de forma inadecuada, y yo no podía quitarme de encima la sensación de que de alguna manera me había comportado de forma inadecuada. Me serví una copa, la levanté para brindar, la apuré de un trago y me di la vuelta. Las enormes puertas del granero estaban abiertas de par en par. Las polillas revoloteaban en torno a la luz. Y Mia se había ido.

MI MADRE INTERRUMPIÓ la posición de baile. Por un instante dio la impresión de haberse olvidado de mí. Perdió el hilo de la narración por primera vez, y no volvió a empezar hasta que apoyé una mano en su hombro, despacio al principio, pero aumentando el ritmo poco a poco, recuperando su impulso.

*

CHRIS Y YO bailamos unas cuantas piezas más. Yo ya no tenía la misma alegría. Ya no ponía el corazón. La bebida no me puso contenta. Me cansó. Al cabo de un rato, Chris y yo volvimos caminando a la granja. En cuanto al sexo, lo intenté. Esperaba ser todo lo que él deseaba. Pero hasta entonces nunca lo había sentido como un esfuerzo. Chris me dijo que debería fumar para relajarme un poco. Empezó a liar un porro. A mí no me pareció mal. No había fumado droga en muchos años. Quizá ayudaría. Además, era una noche de diversión. Así que esperé a que Chris terminara de liarlo y di una calada, contando los segundos hasta que empecé a marearme. Entonces me levanté. La sábana resbaló por mi cuerpo y me quedé de pie desnuda, soltando humo en una imitación de una figura voluptuosa y seductora. Chris se quedó de costado, observando, pidiéndome que me terminara todo el porro, con ganas de ver qué haría a continuación. Traté de imaginar qué más podía hacer, qué era sexy (antes siempre lo sabía, lo sabía por instinto, sin tener que pensar), y entonces recordé que Chris sólo había traído un poco de hierba de Londres. Seguro que esa pequeña cantidad ya se había acabado: llevábamos un mes en la granja. Me pregunté dónde habría conseguido la hierba y cómo la había pagado. Se lo pregunté, no enfadada ni en plan acusador, sino con curiosidad, ¿de dónde había salido la hierba? Me cogió el porro. Chris tenía los labios ocultos por el humo y casi no oí la respuesta. Lo único que oí fue:

—Håkan.

Mientras Chris me invitaba con un gesto a volver a la cama, este hecho se partió en dos, el hecho de que Håkan le hubiera dado la hierba significaba que Chris se había visto con él sin mi conocimiento. Estos dos hechos se dividieron otra vez, ahora cuatro. Tenían que ser lo bastante amigos para hablar de la disponibilidad de marihuana y contar con la intimidad suficiente para que Chris comentara nuestra situación económica, porque no tenía dinero para drogas y no podía acceder al poco dinero del que disponíamos sin que yo me enterara. Por lo tanto, tenía que haber explicado nuestra situación a Håkan, el hombre que planeaba robarnos la granja. Estaba convencida de que Håkan había regalado la droga a Chris no por generosidad, sino como recompensa por su indiscreción. Estos hechos inquietantes empezaron a multiplicarse, sin control, echando brotes y dividiéndose, llenando mi mente hasta que no pude quedarme más tiempo en esa habitación, con el olor de la apestosa hierba de Håkan ardiendo en nuestra casa, ¡en nuestra granja!

\* \* \*

119

Me puse apresuradamente algo de ropa y salí corriendo. Chris se quedó de pie, desnudo en la escalera, gritándome:

—¡Vuelve!

No me detuve, corrí, lo más deprisa que pude, más allá del granero desierto donde habíamos bailado antes, más allá de la granja de Håkan, más allá del campo del ermitaño, hasta llegar al pie de la colina en torno a la cual se distribuían todas nuestras granjas.

Las laderas eran prados silvestres y en la parte más alta, un bosque denso. Cuando llegué a la línea de árboles me caían goterones de sudor y me derrumbé en la hierba a recuperar el aliento. Miré el paisaje. Me quedé allí tumbada hasta que empecé a temblar. Fue entonces cuando vi los faros en la carretera, no un par de faros, sino dos, no dos, sino tres, cuatro pares de faros. Al principio pensé que la droga me estaba jugando una mala pasada, así que conté otra vez, cuatro coches viajando uno tras otro, circulando lentamente por el campo, en caravana, en plena noche, en una parte del mundo donde normalmente no se veían pasar más de cuatro coches en todo un día. Serpenteando en torno a las estrechas carreteras rurales, se movían como si estuvieran unidos, como un monstruo nocturno en busca de su presa. Al llegar al sendero de Håkan, los cuatro vehículos giraron y aparcaron. Los faros se apagaron. El mundo se oscureció otra vez. Entonces, una por una, cuatro linternas iluminaron los campos y finalmente un quinto haz de luz salió de la casa y se situó a la cabeza de esa banda. No podía ver a la gente, sólo las luces, y los observé caminar hacia el río en fila india. Pero nunca llegaron al río. Desaparecieron en el refugio subterráneo, en el cobertizo donde Håkan tallaba madera: cinco luces desviándose del camino, desapareciendo en ese sótano al abrigo de la noche, un sótano lleno de troles y cuchillos y una puerta con candado sin explicación...

SONÓ MI TELÉFONO. Aunque lo había puesto en silencio, la imagen de mi padre apareció en la pantalla. Era la primera vez que llamaba desde que le había colgado abruptamente. Dejé el teléfono en la mesa y le dije a mi madre:

—Si quieres, no le haré caso.

*

DESCUELGA. CONTESTA A LA llamada. Ya sé lo que va a decirte: ha cambiado de opinión. Ya no pretende quedarse en Suecia. Ha hecho las maletas. Está listo para ir al aeropuerto. O ya está allí, con el billete en la mano.

ME PARECIÓ MUCHO más probable que mi padre llamara para ver cómo estábamos. Dadas las circunstancias, había hecho gala de una paciencia considerable. Además, había sido idea suya quedarse en Suecia y darme así espacio para que hablara con mamá. Un vuelo a Londres sería una provocación. Yo lo había comprendido ya. Él lo había reconocido. No podía ayudarla. Mi madre había huido de él. Si venía a mi apartamento, ella trataría de escapar.

Al final pasé tanto tiempo sopesando la situación que perdí la llamada. Mi madre hizo un gesto hacia el teléfono:

\*

LLÁMALO. QUE DEMUESTRE que es un mentiroso. Te dirá que está preocupado por cómo aguantas la presión de escuchar mis acusaciones siniestras. Te tranquilizará, te asegurará que no ha habido ningún crimen ni conspiración, que no hay víctimas y no habrá investigación policial. Lo único que hace falta es que me trague unas pastillas hasta que esas acusaciones desaparezcan de mi mente.

MI PADRE HABÍA dejado un mensaje en el buzón de voz. A pesar de las numerosas llamadas perdidas, hasta entonces no había dejado ninguno. Llevado por el recelo de no ocultar nada a mi madre, dije:

—Ha dejado un mensaje.

—Escúchalo.

«DANIEL, SOY PAPÁ, no sé qué está pasando: no puedo quedarme aquí sin hacer nada. Estoy en el aeropuerto Landvetter. Mi vuelo sale dentro de treinta minutos, pero no es directo. Vuelo primero a Copenhague. El aterrizaje en Heathrow está previsto para las cuatro de la tarde.

»No vengas a buscarme. No se lo digas a mamá. Iré a tu casa. Sólo quédate allí. No la dejes marchar...

»Hay muchas cosas que ya debería haberte contado. Todas esas cosas que dice... Si las escuchas el tiempo suficiente empiezan a parecer reales, pero te aseguro que no lo son.

»Llámame, pero sólo si eso no la inquieta. No puede saber que estoy en camino. Ten cuidado. Puede perder el control. Puede ponerse violenta.

»La curaremos. Te lo prometo. Buscaremos los mejores médicos. Tardé demasiado en reaccionar. No pude hablar como es debido con los médicos suecos, pero en Inglaterra será diferente. Se pondrá bien. No pierdas esto de vista.

»Te veré pronto.

»Te quiero.»

BAJÉ EL TELÉFONO. Según la valoración de mi padre, si él entraba en el apartamento y pillaba a mi madre por sorpresa, cabía la posibilidad de una confrontación violenta. Mi madre se volvería contra nosotros.

Mi madre dijo:

—¿Cuánto tiempo tenemos?

Mi padre había puesto en marcha un cronómetro, alterando la ya de por sí frágil calma. No tenía ninguna intención de seguir sus instrucciones. Le pasé el teléfono a mi madre para preservar mi estatus privilegiado de persona de confianza. Ella lo aceptó como un regalo precioso y lo sostuvo en las palmas de las manos. No se lo llevó a la oreja.

—Esta muestra de fe me da esperanza —me dijo—. Sé que hemos estado distanciados muchos años. Pero volveremos a estar unidos.

Pensé en la afirmación de mi madre de que ya no estábamos unidos. Nos veíamos con menos frecuencia. Hablábamos menos. Escribíamos menos. Mentir sobre mi vida personal me había obligado a distanciarme para limitar el número de mentiras que tenía que contar. Cada interacción conllevaba el riesgo de descubrimiento.

Ya no estaba unido a mi madre.

Era cierto.

¿Cómo había permitido que eso ocurriera? No de manera preconcebida o intencionada, no por una ruptura o una discusión, sino por pequeños pasos descuidados. Y en ese momento, al volver la mirada hacia atrás, convencido de que mi madre no estaba más que unos pasos más allá, la vi muy lejos.

Cuando reprodujo el mensaje del buzón de voz, di por hecho que vería una reacción poderosa, pero la cara de mi madre permaneció inexpresiva. Al terminar de escucharlo, me devolvió el teléfono, sin reparar en mis sentimientos por una vez, distraída por la noticia. Respiró hondo, cogió el cuchillo de trol y se lo guardó en el bolsillo, armándose ante la llegada de mi padre.

*

UN HOMBRE DISPUESTO a pagar por su libertad con la vida de su mujer, ¿qué es eso? No es un hombre, sino un monstruo. ¿Por qué me advierte? ¿Por qué no viene de improviso? Te lo diré. Quiere que pierda el control, quiere que despotrique y delire. Es la razón por la que te ha dejado el mensaje. No hagas caso de lo que ha dicho sobre la necesidad de secreto. Es mentira. Su intención era que yo lo oyera. ¡Quiere que sepa que va a venir!

LA IDEA DE que mi madre conservara el cuchillo en el bolsillo me parecía insoportable, por mucho que fuese de madera y tuviera el filo romo.

—Mamá, por favor, dame el cuchillo.

—Todavía lo ves como tu padre. Pero me ha hecho daño. Me hará daño otra vez. Tengo derecho a defenderme.

—Mamá, no escucharé una palabra más hasta que dejes el cuchillo en la mesa.

Ella sacó lentamente el cuchillo de los vaqueros, me lo ofreció por el mango y dijo:

—Te has equivocado con él hasta ahora.

Sacó un bolígrafo de la cartera y anotó una serie de números en la parte de atrás de su diario.

*

Tenemos tres horas a lo sumo hasta que llegue. He basado mis cálculos en que coja un vuelo directo. Dice que toma un vuelo vía Copenhague, pero miente para poder llegar antes y pillarnos con la guardia baja. ¡El tiempo corre contra nosotros! No podemos permitirnos perder ni un segundo. Pero aun así tengo que corregir otra mentira. Los doctores suecos hablan un inglés excelente. No es cierto que no entendieran a Chris: lo entendieron a la perfección, entendieron hasta la última palabra engañosa. El caso es que no le creyeron. Llama a los médicos ahora mismo y te maravillarás de su fluidez en inglés, háblales con frases complejas, cuenta cuántas palabras no entienden. El total será cero, o muy pocas. Llámalos cuando quieras, cuando tu confianza en mí flaquee, y diles que confirmen mi relato. Los profesionales consideraron que estaba bien para darme el alta y accedieron a mi petición de no decirle nada a Chris; así me dieron una breve oportunidad para escapar al aeropuerto.

En cuanto a la parte central del mensaje, cuando a Chris se le quiebra la voz: eso no es amor ni compasión, no tenía los ojos llenos de lágrimas. Si no estaba fingiendo, era el sonido de un hombre en la cuerda floja, agotado por el apuro de cubrir sus crímenes. Es su estado mental el que deberíamos cuestionar, atrapado entre el instinto de supervivencia y la culpa. Es un hombre entre la espada y la pared, el animal más peligroso. Todos somos capaces de descender a niveles que antes nos hubieran parecido fuera de nuestro alcance. Chris ha llegado al extremo de usar mi infancia contra mí, secretos que le conté como confidencias, susurrados por la noche después de hacer el amor, intimidades de ésas que sólo compartirías con una persona en la que confiaras como si fuera tu alma gemela.

ESTA DESCRIPCIÓN DE mi padre no sonaba cierta. Odiaba la indiscreción. Era incapaz de cotillear ni sobre su peor enemigo, y mucho menos de manipular un secreto que le hubiera confiado mi madre.

—Pero papá no es así —dije.

Mi madre asintió con la cabeza.

—Estoy de acuerdo. Y ésa es la razón por la que confiaba en él por completo. Él no es así, como tú bien dices. Salvo cuando está desesperado. Somos personas diferentes cuando estamos desesperados.

No me quedé satisfecho. Ese argumento podría aplicarse a cualquier característica que no pareciera plausible. Incómodo, pregunté:

—¿Cuáles eran esos secretos?

Mi madre sacó de la cartera una carpeta de aspecto oficial. En la parte delantera había una pegatina blanca con su nombre, la fecha y la dirección del psiquiátrico sueco.

\*

PARA CONVENCER A un médico honrado de que una persona está loca, una de las primeras líneas de investigación es la familia del sujeto. En mi caso no hay historial de problemas de salud mental. Sin embargo, como de muchos casos no queda constancia, mis enemigos no se dan por vencidos. Tienen otra opción. Vuelven la mirada hacia mi infancia y presentan un trauma no diagnosticado, dando a entender que mi locura precede a cualquier acusación que haya hecho contra ellos. Esa estrategia requiere que uno de los villanos sea alguien cercano a mí, alguien con información íntima, como mi marido. Para que ellos preserven su libertad, es esencial que Chris me traicione. ¿Ahora te das cuenta de la presión a la que estaba sometido? Fue una decisión antinatural para él, pero en esa fase había llegado demasiado lejos para volverse atrás.

Durante mi período de internamiento en el psiquiátrico, los doctores me visitaron en una celda. Dos hombres se sentaron frente a mí, al otro lado de una mesa atornillada al suelo, armados con el relato que Chris les había proporcionado de mi infancia, no un relato general, sino más específicamente de un incidente que se produjo en el verano de mil novecientos sesenta y tres. No lo llamaré ficción, era otra cosa, no una historia inventada de la nada, no, no, algo más sutil, una adaptación de la verdad, para asegurarse de que su relato no pudiera refutarse categóricamente. Los doctores me lo presentaron elaborado con mucha crueldad como si fuera un hecho y me pidieron mi respuesta. Temía un encarcelamiento permanente en ese psiquiátrico, por eso al darme cuenta de la importancia de mi respuesta, pedí un papel y una libreta. Tienes que comprender que estaba en estado de shock al encontrarme encerrada. Me rodeaba la locura, una locura auténtica. Estaba aterrorizada. No sabía si podría salir de allí. Esos doctores eran juez y jurado de mi vida. Dudaba de mi capacidad de hablar con claridad. Me estaba confundiendo entre el inglés y el sueco. En lugar de irme por las ramas, propuse una alternativa. Explicaría exactamente lo que ocurrió en mil novecientos sesenta y tres, no oralmente sino por escrito, y ellos podrían juzgar por el cuidadoso documento si el incidente de infancia era relevante.

Tienes en tus manos el testimonio que escribí para ellos esa noche. Los doctores me lo devolvieron a petición mía cuando salí del manicomio. Creo que guardaron una fotocopia en sus archivos por si necesitas cotejarlo, o quizá éste sea la copia...

Sí, no me había fijado antes, pero esto es una copia, ellos se quedaron el original.

Tú y yo nunca hemos hablado de mi infancia en profundidad. No has conocido a tu abuelo. Tu abuela murió. En cierto sentido, nunca estuvo viva para ti. De esto podrías deducir que mi infancia no fue feliz. Bueno, eso no es verdad, hubo felicidad, hubo mucha felicidad. En el fondo soy una chica de campo con gustos sencillos y amor por la naturaleza. No era una vida desgraciada.

En el verano de mil novecientos sesenta y tres ocurrió un hecho que lo cambió todo, destrozó mi vida y me convirtió en una desconocida en mi propia familia. Ahora mis enemigos están tergiversando ese suceso para poder encerrarme en una institución. Para protegerme no tengo más opción que presentarte mi pasado. Mis enemigos han creado una versión maliciosa de los hechos, tan inquietante que si oyeras lo que dicen me mirarías de otra manera. Y si tuvieras un hijo nunca te fiarías de que estuviera sola con él.

No podía ni imaginar siquiera un suceso tan terrible como para cambiar toda la opinión que tenía de mi madre, mucho menos que me hiciera dudar de su capacidad de cuidar de un niño. No obstante, me vi obligado a aceptar que sabía muy poco de su infancia. No podía recordar ninguna mención específica del verano de 1963. Ansioso, abrí la carpeta. Dentro había una carta de presentación escrita por mi madre antes del cuerpo principal del texto.

—¿Quieres que lea esto ahora?

Mi madre asintió:

—Es el momento.

Estimados doctores:

Tal vez les despierten cierta curiosidad mis razones para escribir esto en inglés en lugar de hacerlo en sueco. En el curso de mi vida en el extranjero, mi inglés escrito ha mejorado, mientras que mi sueco escrito iba pasando al olvido. Abandoné el sistema educativo sueco a los dieciséis años y apenas usé mi lengua materna durante el tiempo que viví en Londres. En cambio, he trabajado con tesón para perfeccionar mi inglés y he mejorado con la ayuda de la buena literatura. Usar el inglés no es una declaración contra Suecia. No expresa malos sentimientos hacia mi patria.

Me gustaría hacer constar que no siento ningún deseo personal de hablar sobre mi infancia. Se la ha presentado como una forma cínica de desviar la atención de los crímenes reales que se han producido. No existe relación entre el pasado y el presente, pero entiendo que si me niego a hablar les hará pensar lo contrario.

Mis enemigos han descrito un suceso que ocurrió en el verano de 1963. Tienen la esperanza de atraparme en este psiquiátrico hasta que me retracte de mis acusaciones contra ellos o hasta que mis acusaciones carezcan de toda eficacia porque mi credibilidad haya sido socavada. Acepto que algunos elementos de su historia son ciertos. No puedo afirmar que son todo mentiras. Si llevaran a cabo una investigación de su versión descubrirían que los detalles generales son correctos, igual que lugares, nombres y fechas. No obstante, del mismo modo que yo no afirmaría ser amiga de alguien que pasara rozándome en un tren repleto simplemente porque nuestros hombros se tocaran, no se puede afirmar que su historia sea verdad en función de una mera conexión fugaz con los sucesos reales.

Lo que están a punto de leer es el relato cierto de lo que ocurrió. Sin embargo, éstos son recuerdos de hace más de cincuenta años y no puedo recordar palabra por palabra lo que se dijo entonces. Por consiguiente, podrían concluir que todos los diálogos están inventados y en consecuencia dudar de todo el contenido de mi declaración. Acepto, por adelantado, que el diálogo sólo sirve para capturar el espíritu general de la conversación, porque las palabras exactas se han perdido para siempre, y también algunas de las personas que las pronunciaron.

Atentamente,

Tilde

La verdad sobre la granja

Nuestra granja no era distinta de otras miles de granjas de Suecia. Aislada y hermosa. La población más cercana estaba a veinte kilómetros. De niña, el sonido de un coche que pasaba era algo tan inusual que me hacía salir a mirar. No teníamos televisor. No viajábamos. El único paisaje que conocía eran los bosques, lagos y campos.

La verdad sobre mí

Mi madre estuvo a punto de morir al dar a luz. Las complicaciones la incapacitaron para tener más hijos. Por esa razón no tengo ni hermanos ni hermanas. Mis amigas vivían lejos. Reconozco que en ocasiones era solitaria.

La verdad sobre mis padres

Mi padre era estricto, pero nunca pegó a mi madre y nunca me pegó a mí. Era un buen hombre. Trabajaba para el gobierno local. Mi padre nació en esa zona. Construyó la granja con sus propias manos cuando sólo tenía veinticinco años. Ha vivido allí desde entonces. Su afición era la apicultura. Conservaba prados silvestres para sus colmenas. Su mezcla inusual de flores producía una miel blanca que ganó muchos galardones. Las paredes de nuestro salón estaban cubiertas de premios nacionales de apicultura y recortes enmarcados de artículos sobre su miel. Mi madre ayudaba con el trabajo, pero su nombre no figuraba en las etiquetas de la miel. Mi padre y mi madre eran miembros importantes de la comunidad. Mi madre colaboraba mucho con la iglesia. En resumen, mi educación fue agradable y tradicional. Nunca faltaba comida en la mesa. No tenía motivos para quejarme. Esto nos lleva al verano de 1963.

## La verdad sobre el verano de 1963

Tenía quince años. La escuela había terminado. Ante mí se extendían unas largas vacaciones de verano. No tenía planes, más allá de los entretenimientos y las tareas habituales: ayudar en la granja, ir en bicicleta al lago, nadar, recoger fruta y explorar. Todo cambió un día cuando mi padre me dijo que se había instalado en la zona una familia nueva. Habían comprado una granja cercana. Era una familia inusual porque estaba formada por un padre y una hija pero sin madre. Habían salido de Estocolmo para empezar una nueva vida en el campo. La chica tenía mi edad. Después de oír la noticia estaba demasiado nerviosa para dormir y me quedé despierta contemplando la posibilidad de tener una amiga cerca. Estaba nerviosa porque no sabía si ella querría ser mi amiga.

## La verdad sobre Freja

Pasaba el máximo tiempo posible cerca de la granja de la chica nueva con la intención de buscar su amistad. Demasiado tímida para llamar a su puerta, recurrí a métodos indirectos que podrían parecer raros, pero siempre había vivido protegida en casa y era socialmente inexperta. Entre nuestras dos granjas había un grupo de árboles demasiado pequeño para llamarlo bosque. Era una zona de terreno salvaje imposible de labrar o cultivar por la presencia de varias rocas grandes. Iba allí cada día. Me sentaba en la copa de un árbol de cara a la granja de la chica nueva. Cada día esperaba muchas horas, grabando dibujos en el tronco. Al cabo de una semana o así empecé a dudar de que esa chica nueva quisiera ser mi amiga.

Un día vi al padre caminando por los campos. Se paró al pie de mi árbol y dijo.

—Hola, ahí arriba.

Contesté:

—Hola, ahí abajo.

Fueron nuestras primeras palabras:

—*Hej där uppa!*

—*Hej där nerra!*

—¿Por qué no bajas y conoces a Freja?

Era la primera vez que oía su nombre.

Bajé del árbol y caminé con él hasta su granja. Freja estaba esperando. El padre nos presentó. Explicó lo mucho que le gustaría que nos hiciéramos amigas, porque Freja era nueva en la zona. Freja tenía la misma edad que yo, pero era mucho más guapa. Ya le habían crecido los pechos y se peinaba con estilo. Era la clase de chica a la que cualquier chico prestaría atención. Ella ya era más adulta que niña, mientras que yo seguía siendo una criatura. Propuse construir un refugio en el bosque, sin saber si pondría mala cara ante la idea, porque ella era de ciudad y yo no conocía a chicas mayores de ciudad.

Quizá no les gustara construir refugios en los árboles. Ella dijo que vale. Así pues, corrimos hasta el grupo de árboles. Le mostré cómo crear un tejado doblando retoños y atándolos. Si esto suena como una tarea masculina para chicas de quince años, pues quizá lo era. Pero la actividad física era algo natural para mí. Era lo único que conocía como modo de diversión. Freja era más sofisticada. Sabía de sexo.

Mediado el verano, Freja se había convertido en la amiga que siempre había deseado. Me imaginaba diciéndole al final de las vacaciones que ella era la hermana que nunca había tenido y que seríamos las mejores amigas durante el resto de nuestras vidas.

La verdad sobre el trol

Llegué al bosque una mañana y me encontré a Freja sentada en el suelo, abrazándose las rodillas. Levantó la mirada y dijo:
—He visto un trol.
No estaba segura de si era una historia de miedo o si estaba hablando en serio. A menudo nos contábamos historias de miedo. Yo le había contado historias de troles. Así que le pregunté:
—¿Lo has visto en el bosque?
Ella dijo:
—Lo vi en mi granja.
Si mi amiga decía que algo era cierto, yo tenía la obligación de creérmelo. Le cogí la mano. Estaba temblando.
—¿Cuándo lo viste?
—Ayer, después de que estuvimos jugando en los campos. Fui a casa, pero iba demasiado sucia para entrar y me limpié el barro de las piernas con la manguera de fuera.

Fue entonces cuando vi al trol, en el fondo del jardín, detrás de los arbustos de grosellas.

—¿Qué aspecto tenía el trol?

—Tenía piel pálida curtida como el cuero. La cabeza era gigantesca. Y en lugar de dos ojos tenía un enorme ojo negro que no pestañeaba. El trol se quedó mirándome sin apartar la vista. Yo quería llamar a mi padre, pero tenía miedo de que no me creyera. Así que solté la manguera y corrí adentro.

Freja no jugó ese día. Nos quedamos sentadas de la mano hasta que dejó de temblar. Después de darle un abrazo de despedida a Freja, me quedé mirándola mientras volvía a casa a través de los campos.

Al día siguiente, Freja estaba tan feliz que me besó y me abrazó y dijo que el trol no había vuelto, y se disculpó por alarmarme. Debía de haber sido una mala pasada de su imaginación.

Pero el trol regresó y Freja ya no volvió a ser la misma. Nunca se sintió segura. Siempre tenía miedo. Se convirtió en otra persona. Estaba más triste y más callada. Casi nunca quería jugar. Le daba miedo volver a casa cada tarde. Le daba miedo su granja.

La verdad sobre los espejos

Unas semanas después de que ella viera al trol por primera vez, me encontré a Freja en el bosque con un espejo en la mano. Estaba segura de que el trol de un solo ojo utilizaba espejos para espiarla. Esa mañana, al despertarse, había dado la vuelta a todos los espejos para dejarlos cara a la pared, todos los espejos de la casa, salvo el de su dormitorio. Propuso que lo rompiéramos y enterráramos los fragmentos en el suelo. Acepté. Lo golpeó con un palo pesado y nada más romperlo se echó a llorar. Freja regresó a casa esa tarde y se encontró todos los espejos bien colocados. Su padre no pensaba tolerar una conducta tan peculiar.


## La verdad sobre el lago

Mi plan era simple. Freja sólo había visto al trol en su granja. ¿Y si las dos huíamos a los bosques? Podríamos sobrevivir fácilmente durante unos días si nos llevábamos suficiente comida. Si no veíamos al trol, habríamos confirmado que la solución era dejar la granja. Freja accedió a mi plan y nos encontramos en la carretera a las seis de la mañana. Empezamos a pedalear. No podíamos quedarnos en el grupo de árboles cercanos porque nos descubrirían enseguida. Necesitábamos alcanzar los bosques que rodeaban el gran lago. Eran bosques tan grandes que podías desaparecer y nunca te encontrarían. Mis padres estaban acostumbrados a que me pasara todo el día fuera. No empezarían a preocuparse hasta que no apareciera a la hora de cenar.


A mediodía se desató un temporal de lluvia. El aguacero era intenso. Tenías que gritar para que te oyeran. Freja enseguida se sintió demasiado cansada para ir más lejos. Empapadas, arrastramos las bicicletas fuera de la carretera. Una vez en el bosque, las camuflamos bajo un montón de hojas y ramas. Construí un refugio bajo el tronco de un árbol caído. Comimos bollos de azúcar y canela y bebimos zumo de grosellas. Había calculado la comida para que durara tres días, pero casi nos la habíamos terminado de una sola vez. Cada par de minutos, preguntaba a Freja:

—¿Ves al trol?

Ella miraba a su alrededor y negaba con la cabeza. Aunque estábamos mojadas y cansadas, también nos sentíamos felices, protegidas con nuestros impermeables. Esperé a que Freja se quedara dormida antes de permitirme cerrar los ojos.

Cuando me desperté, Freja se había ido y el bosque estaba oscuro. La llamé a gritos. No hubo respuesta. El trol había venido por Freja. Empecé a llorar. Entonces me asusté porque el trol podía venir por mí. Corrí todo lo deprisa que pude hasta que llegué al gran lago y no conseguí ir más lejos. Estaba atrapada contra el borde del agua, convencida de que el trol se encontraba sólo unos metros por detrás. Me quité el impermeable y nadé. Nunca había leído una historia en la que un trol disfrutara nadando. Eran criaturas densas y pesadas, y yo era una buena nadadora para mi edad.

Esa noche me alejé demasiado. Cuando por fin paré de nadar, estaba más lejos que nunca de la orilla. Los pinos gigantes a los lados del lago estaban tan distantes que sólo parecían manchas. Al menos estaba sola. Al principio esa idea me calmó. El trol no me perseguía. Estaba a salvo. Luego me entristecí. Recordé que había perdido a mi amiga. Freja ya no estaba y cuando regresara a la orilla volvería a estar sola. Notaba las piernas pesadas. Estaba muy cansada. Mi barbilla se hundió debajo del agua, luego la nariz, después los ojos y finalmente toda la cabeza. Me estaba ahogando. No tomé la decisión de morir. Pero no tenía energía para nadar.

Me sumergí bajo la superficie. Debería haber muerto esa noche. Tuve suerte. Pese a que estaba a muchos centenares de metros de la orilla, por fortuna en esa zona había poca profundidad. Descansé un momento sumergida, en el fondo encenagado del lago, luego me impulsé y salí a la superficie. Boqueé y tomé aire antes de hundirme otra vez en el fondo. Descansé un poco, me propulsé hacia arriba, salí a la superficie, respiré. Repetí este proceso una y otra vez. Con este extraño método logré regresar a la orilla, donde me tumbé boca arriba un rato mirando las estrellas.

Cuando recuperé las fuerzas caminé a través de los bosques. Finalmente encontré la carretera, pero no conseguí encontrar las bicicletas escondidas. Empecé a caminar hacia casa, empapada. Por delante vi las luces brillantes de un coche. Era un granjero vecino. Me estaba buscando. Mis padres me estaban buscando. Todo el mundo me estaba buscando, incluida la policía.

La mentira

Cuando llegué a casa no paraba de decir lo mismo:
—¡Freja está muerta!
Expliqué lo del trol. No me importaba que esas historias les parecieran descabelladas. Ella había desaparecido. Era la única prueba que necesitaba. No pararía de hablar del trol hasta que me llevaran a la granja de Freja. Al final, mi padre accedió a investigar. No sabía de qué otra forma calmarme. Me llevó a la granja de Freja. Estaba en casa, en pijama. Iba bien peinada. Estaba limpia, guapísima. Era como si nunca se hubiera fugado. Le dije a Freja:
—Háblales del trol.
Freja les dijo:
—No hay ningún trol. Yo no me fugué. Y esta chica no es mi amiga.

*Estimados doctores:*

*Llevo toda la noche escribiendo, el proceso no ha sido fácil y estoy agotada. Hemos de vernos otra vez pronto. Me estoy quedando sin tiempo y me gustaría dormir antes de comentar estas páginas, así que voy a reducir los siguientes hechos a una serie de puntos rápidos.*

*Después de la mentira de Freja, estuve enferma muchas semanas. Pasé el resto del verano en cama. Cuando por fin me recuperé, mis padres ya no me permitieron salir de la granja sola. Mi madre rezaba por mí cada noche. Se arrodillaba junto a mi cama y rezaba, en ocasiones durante una hora entera. En la escuela, los chicos se mantenían a distancia.*

*Al verano siguiente, en uno de los primeros días de calor del año, Freja se ahogó en el lago, no lejos del sitio donde nos habíamos refugiado juntas bajo el tronco de un árbol. El hecho de que yo también hubiera estado nadando en el lago ese mismo día provocó rumores de que estaba implicada. Los niños de la escuela dijeron que yo la había matado. Pensaban que era sospechoso que no tuviera coartada. Estas historias se extendieron de granja en granja.*

Hasta el día de hoy no estoy segura de si mis padres creyeron que era inocente. Ellos también se preguntaron si no me había encontrado a Freja en el lago ese caluroso día de verano, quizá habíamos discutido y en medio de la discusión ella me había llamado loca y quizá yo me enfadé tanto que le hundí la cabeza bajo el agua y la aguanté allí, la aguanté y la aguanté y la aguanté hasta que ella ya no pudo mentir más.

Los días que siguieron fueron los peores días de mi vida. Me sentaba en la copa del árbol alto, mirando la granja de Freja, y pensaba en saltar. Conté todas las ramas que rompería. Me imaginé destrozada al pie del árbol. Miraba al suelo y no paraba de decir:

Hola, ahí abajo.

Hola, ahí abajo.

Hola, ahí abajo.

Pero si me mataba todos estarían seguros de que había ahogado a Freja.

Cuando cumplí dieciséis, el mismo día de mi cumpleaños, a las cinco de la mañana, salí de la granja. Abandoné a mis padres. Dejé esa zona de Suecia para siempre. No podía vivir en un sitio donde nadie me creía. No podía vivir en un lugar donde todos pensaban que era culpable de un crimen. Me llevé el poco dinero que había ahorrado y pedaleé lo más deprisa que pude hasta la parada del autobús. Dejé la bici tirada en el campo, tomé un autobús a la ciudad y nunca volví.

Atentamente,

Tilde

AUNQUE HABÍA TERMINADO, me aferré a las páginas y simulé leer. Necesitaba más tiempo para ordenar mis pensamientos. En ninguna fase de mi vida había percibido a mi madre como la chica solitaria descrita en ese relato, en busca del amor de una sola amiga. Mi falta de curiosidad había sido tan absoluta, que se me planteó una pregunta:

¿De verdad conozco a mis padres?

Mi cariño por ellos había derivado en una especie de abandono. Una excusa podría ser que mi madre y mi padre nunca habían compartido voluntariamente información delicada. Habían querido pasar página del pasado y forjarse identidades más felices. Quizá yo había justificado mis acciones con el argumento de que no me correspondía hurgar en sus recuerdos dolorosos. Y sin embargo, era su hijo, su único hijo, la única persona que podría haber preguntado. Había confundido la confianza con la perspicacia y pensado que las horas que pasábamos juntos eran indicativas de lo bien que nos llevábamos. Peor todavía, había aceptado la tranquilidad sin preguntar, regodeándome en la satisfacción sin investigar nunca lo que subyacía bajo el deseo de mis padres de crear una vida doméstica tan diferente de la que ellos habían vivido.

\* \* \*

No engañé a mi madre con mis trucos; ella se había dado cuenta de que había terminado de leer. Me puso una mano en la barbilla y me la levantó muy despacio, hasta que mis ojos se encontraron con los suyos. En ellos vi determinación. No era la joven perdida sobre la que acababa de leer.

\*

TIENES UNA PREGUNTA para mí, una pregunta que a cualquier hijo le costaría mucho plantear a su madre. Pero no responderé hasta que la formules. Debes decir las palabras. Debes tener el valor de mirarme a los ojos y preguntarme si maté a Freja.

MI MADRE TENÍA razón. Quería preguntárselo. Al leer aquellas páginas, me había planteado los hechos de ese día en el lago. No era difícil imaginar una confrontación accidental: mi madre con la fortaleza física consecuente tras años de trabajo en la granja; Freja, nacida en la ciudad, hermosa y más débil. Sus caminos se cruzan. Mi madre pierde los estribos, furiosa después de meses de aislamiento y sufrimiento, zarandea a su antigua amiga y le sujeta la cabeza bajo el agua. Recuperando el control de sus emociones, avergonzada de sus acciones, mi madre se retira a la orilla, pero al mirar atrás ve que Freja no ha salido a la superficie, sigue inconsciente bajo el agua. Desesperada, mi madre regresa, trata de salvarla, pero es en vano. Entonces se deja llevar por el pánico y sale huyendo, dejando el cuerpo de su amiga a la deriva en el lago.

—¿Tuviste algo que ver con la muerte de Freja?

Mi madre negó con la cabeza.

—Haz la pregunta. ¿Maté a Freja? ¡Pregúntalo! —Empezó a repetir una y otra vez—: ¿Maté a Freja? ¿Maté a Freja? ¿Maté a Freja?

Quería provocarme, repicando con los nudillos en la mesa cada vez que decía el nombre. Yo estaba tenso. No podía soportarlo más. Antes de que golpeara la mesa otra vez, le agarré el puño y la energía del golpe se trasladó a mi brazo. Pregunté:

—¿La mataste?

*

NO, NO LA maté.

Te reto a que vayas a cualquier escuela, en cualquier lugar del mundo, y verás como encuentras un niño infeliz. Sobre ese niño infeliz habrá cotilleo malicioso. Ese cotilleo se basará sobre todo en mentiras. Pero no importa que sean mentiras, porque cuando vives en una comunidad que cree esas mentiras, que repite esas mentiras... las mentiras se vuelven reales, reales para ti, reales para los demás. No puedes escapar de ellas, porque no tiene nada que ver con las pruebas, sino con la maldad, y la maldad no necesita pruebas. La única vía de escape posible consiste en desaparecer dentro de tu cabeza, vivir entre tus pensamientos y fantasías, pero eso no funciona mucho tiempo. No se puede dar la espalda al mundo para siempre. Cuando el dique empieza a romperse, tienes que escapar de verdad: haces las maletas y echas a correr.

Al mirar atrás me doy cuenta de que Freja tenía muchos problemas. Su madre había muerto. Su vida estaba patas arriba. Después de traicionarme como amiga, se lió con un joven, un jornalero de una de las granjas más grandes. Corrían rumores de que estaba embarazada. Estuvo un tiempo sin ir a la escuela. El tufo del escándalo. No me preguntes si era cierto. No lo sé. No me importaba lo que dijeran de ella. Lloré cuando Freja murió. Nadie lloró más que yo. Lloré, aunque me había traicionado, aunque me había dado la espalda, lloré. Podría llorar otra vez, hasta hoy, tanto la quería.

* * *

Ahora que has oído la verdad sobre el verano de mil novecientos sesenta y tres debes aceptar que esos sucesos no tienen nada que ver con los crímenes ocurridos este verano. No hay ninguna relación. Estamos hablando de personas diferentes en un lugar diferente y en un momento diferente.

FRUSTRADO CON LA referencia críptica a aquellos «crímenes», y sintiéndome envalentonado, planteé la pregunta a bocajarro:

—¿Mia está muerta?

Mi madre se sobresaltó. Hasta el momento ella había controlado el flujo de información. Yo había sido dócil y atento. Se acabó: quería un resumen de lo que estábamos discutiendo antes de seguir adelante. Le había permitido ser prudente y evasiva demasiado tiempo. Mi madre dijo:

—¿De qué crees que se trata?

—No lo sé, mamá. No haces más que hablar de crímenes y conspiraciones, pero no concretas nada.

—En la cronología está la cordura.

Lo dijo como si fuera un saber bien conocido y ampliamente aceptado.

—¿Qué significa eso?

—Cuando vas dando saltos, atrás y adelante, la gente empieza a cuestionar tu cordura. ¡A mí me pasó! La forma más segura es empezar por el principio y llegar al final. Sigo la cadena de acontecimientos. En la cronología está la cordura.

Mi madre estaba describiendo la cordura como si fuera ese test policial anticuado en el que se pedía al sospechoso de ebriedad que caminara en línea recta.

—Entiendo, mamá. Puedes contarme lo que ocurrió a tu manera. Pero primero necesito saber de qué estamos hablando. Dímelo en una frase. Luego escucharé los detalles.

—No me creerás.

Estaba corriendo un riesgo al ser tan directo. No estaba seguro de que mi madre no fuera a dejarlo si la presionaba demasiado.

—Si me lo dices ahora mismo —dije, no sin cierta inquietud—, prometo no hacer ningún juicio hasta que haya oído la historia completa.

*

ES EVIDENTE QUE todavía crees que en realidad no ocurrió nada en Suecia. Te lo dije al principio, se trata de un crimen. Ha habido una víctima. Ha habido muchas víctimas. ¿Necesitas más información? Sí, Mia está muerta. Una jovencita a la que había llegado a querer está muerta. Está muerta.

Ahora plantéate unas pocas preguntas. ¿Cuántas teorías descabelladas he creído antes? ¿Busco conspiraciones en todas las noticias? ¿Alguna vez he acusado a alguien de un crimen falsamente? Me estoy quedando sin tiempo. Tengo que ir a la policía hoy. Si voy sola a la comisaría, los agentes contactarán con Chris. Él les contará la historia de mi enfermedad y se la contará bien. Estos agentes de policía casi con seguridad serán hombres, hombres como Chris. Le creerán. Lo he visto antes. Necesito un aliado conmigo, preferiblemente un miembro de mi familia, alguien que me apoye, y no queda nadie excepto tú. Siento que esto caiga sobre tus espaldas.

* * *

Me lo has preguntado directamente. Te he contestado. Ahora soy yo la que pregunta directamente. ¿Es demasiado para ti? Porque si estás haciendo tiempo hasta que llegue tu padre, si tu táctica consiste en dejarme hablar mientras no escuchas ni una palabra, en retenerme aquí con pretensiones falsas para que los dos podáis llevarme a un psiquiátrico, entonces deja que te advierta: consideraría eso una traición tan grave que nuestra relación nunca se recuperaría. Ya no serías mi hijo.

DESDE EL PRINCIPIO había estado presente la insinuación de que si no la creía nuestra relación se resentiría. Mi madre veía la situación en términos más drásticos. Para ser su hijo, tenía que creerla. En circunstancias menos extraordinarias, la amenaza habría parecido exagerada. Pero mi madre nunca había dicho palabras así. La novedad las hacía reales. Nunca se me había ocurrido la posibilidad de que mi madre no me quisiera. Pensé en su manera de abandonar la granja de niña, huyendo de sus padres sin una carta ni una llamada telefónica, desapareciendo sin dejar rastro. Había cortado lazos íntimos antes. Podía volver a hacerlo. Sin embargo, con tal de influenciarme, ella misma contradecía de plano sus instrucciones de dejar de lado la emoción. Acababa de usar nuestra relación como un elemento del juego. Yo no podía prometerle que la creería simplemente para apaciguarla.

—Me has pedido que fuera objetivo. —Añadí con rapidez—: Puedo repetir la promesa que ya te he hecho: mantener una mentalidad abierta. Ahora mismo, sentado aquí, no sé qué es verdad. Sé, mamá, que no importa lo que ocurra en las próximas horas, no importa lo que me cuentes, siempre seré tu hijo. Y siempre te querré.

La hostilidad de mi madre se hizo añicos. No estaba seguro de si la causa de su conmoción había sido mi reclamo amoroso o el reconocimiento de que había cometido un error táctico. Repitió mis palabras, teñidas por un deje de decepción consigo misma:

—Una mentalidad abierta, con eso me conformo.

No del todo, pensé para mí, mientras ella volvía a concentrarse en el diario.

*

ANTES HEMOS HABLADO de la propietaria anterior, la anciana Cecilia, y el misterio de por qué nos vendió la granja. El misterio se hace aún más profundo. Dejó una barca anclada a un puente flotante, una barca de remos cara, con motor eléctrico. Las dos cosas eran nuevas, la barca y el motor. Pregúntate por qué la frágil Cecilia gastaría tanto dinero en una barca cuando estaba planeando vender la granja y mudarse a la ciudad.

Hay montones de asuntos de los que no sé nada. Hasta mi reciente estancia en Suecia no había dedicado ni un solo segundo a pensar en motores de barca. En cuanto me di cuenta de que la barca era una prueba vital, me puse a aprender por mi cuenta. Para mí fue una revelación saber que esas barcas se compran sin motor; el motor es un gasto adicional. Es más, el llamado motor eléctrico E-Thrust que Cecilia seleccionó no es el más barato, ni de lejos. Cuesta trescientos euros. En mi investigación he descubierto que se pueden comprar motores más baratos compatibles con esa barca. La siguiente pregunta es: ¿por qué nos dejó ese motor eléctrico en particular?

Quiero que mires las especificaciones del motor. Entre la lista está la respuesta, la razón de que eligiera ese motor y lo dejara allí. Mira a ver si la descubres.

Mi madre sacó de su diario una hoja impresa con información de internet y me la pasó.

Motor eléctrico E-Thrust 55 lb
¡Disponible en Europa por primera vez!
Basados en diseño y tecnología superior de Estados Unidos, estos motores ofrecen una potencia y rendimiento extraordinarios, año tras año.

- Empuje máximo: 55 lb
- Entrada de potencia: 12 v (batería no incluida)
- Monitor LCD 7 funciones
- Rotación: 360 grados
- Acero inoxidable
- Longitud: 133 cm/52"
- Anchura: 12 cm/4,7"
- Profundidad: 44 cm/17,3"
- Peso: 9,7 kg/21 lb
- Control de velocidad telescópica: 5/2 (adelante/atrás)
- Propulsor: 3 aspas
- Manual de instrucciones: Sí. Idioma de las instrucciones: inglés/alemán/francés
- Tamaño de embarcación recomendado: Max.1.750 kg/3.850 lb
- Aprobado en la UE: Sí

155

LE DEVOLVÍ LA hoja y reconocí mi fracaso.

—No lo sé.

\*

ES FÁCIL PASARLO por alto en esa lista, no caer en ello; es la tercera característica, el monitor LCD de siete funciones.

Deja que me explique.

Llevábamos casi dos meses en la granja y Chris no había salido por el río ni una vez. Ni siquiera cinco minutos. Para vender vacaciones necesitábamos pruebas de que en el río se podía pescar. Pero las cañas de Chris no se habían movido del granero. ¿Qué le estaba pidiendo? No era ningún trabajo que detestara. Le encantaba pescar. Él había ayudado a elegir la granja porque estaba al lado del río. Ya lo había inspeccionado. Yo le decía de vez en cuando que por favor saliera a pescar, pero él se encogía de hombros, liaba un cigarrillo y decía: «Puede que mañana.» Y un día, después de semanas de no hacer caso de lo que le pedía, Chris anunció que iba a salir por el río con Håkan. Ya se habían hecho amigos y pasaban mucho tiempo juntos. Yo no me quejaba. A Chris le convenía esa amistad. Su humor había mejorado desde esas mañanas frías de abril en las que no se levantaba de la cama o se quedaba plantado delante de la estufa. En el fondo, yo estaba celosa, pero no de su relación con Håkan, porque me desagradaba y desconfiaba de él, sino de la forma en que se le había abierto un grupo de amigos, entre ellos el alcalde hipócrita, destacados hombres de negocios y miembros del ayuntamiento. Chris había sido bien recibido en el corazón mismo de la comunidad local. Me pregunté si Håkan no sería tan amable con mi marido sólo para atormentarme. Pero no soy mezquina. Soy práctica, pragmática. Necesitábamos buenas relaciones con los vecinos, y si esas relaciones se erigían en torno a Chris y no en torno a mí, que así fuera. Por supuesto, me molestó que, después de desoír mis peticiones con tanta frecuencia, respondiera de una manera tan solícita a la de Håkan. Aun así, evité los comentarios maliciosos. Al contrario, expresé mi gratitud porque por fin fuera a traerme un salmón para hacerle una foto.

Después de desayunar, Chris sacó el motor eléctrico del granero. Recuerdo esa mañana con cariño. No sospechaba nada. No estaba paranoica. Le preparé unos sándwiches con pan hecho en nuestro horno. Preparé un termo de té. Le besé y le deseé suerte. Plantada en la punta de nuestro embarcadero, le dije adiós con la mano, con mucha confianza en sus aptitudes y mucha esperanza puesta en nuestro río. Le grité que me trajera una pieza magnífica. Y eso es exactamente lo que hizo.

MI MADRE SACÓ una fotografía de su diario, la cuarta hasta el momento.

*

ÉSTA ES DE poco después de que Chris y Håkan regresaran de su excursión de pesca, fíjate en la fecha y la hora estampadas en la esquina. ¿De qué podía quejarme? Le pedí a Chris que trajera un salmón magnífico y lo logró. La fotografía es un material promocional perfecto para nuestros alojamientos de huéspedes: dos hombres sosteniendo orgullosamente su captura. Pero algo chirría en esta foto.

Mira con más atención.

Examina la expresión de Chris.

No es de orgullo ni entusiasmo. Tiene los labios apretados, como si necesitara una gran presión para mantener la sonrisa.

Ahora estudia la expresión de Håkan.

Fíjate en sus ojos: una mirada de soslayo a Chris. Hay cálculo ahí. La fotografía no es de celebración. ¿Por qué no? ¿Dónde está la alegría? Recuerda lo que había en juego. Nuestro dinero iba a acabarse a final de año y ese salmón debería haber sido prueba de que podíamos ganar más.

Me doy cuenta de que estás pensando que yo podría haber estropeado la tarde al sospechar de manera innecesaria y que estos hombres están reaccionando a una actitud inapropiada por mi parte. Te equivocas. Los felicité afectuosamente. Incluso logré ser amable con Håkan, proponiéndole que viniera cuando lo cocináramos. Pero enseguida me sentí confundida. Los hombres sujetaban una pieza excepcional y sin embargo reaccionaban en silencio. Hice ademán de coger el salmón y Chris lo apartó, en un gesto instintivo. Expliqué que teníamos que envolverlo y meterlo en la nevera. Sólo entonces me dejó coger el pescado. Al acomodarme el ejemplar, el dedo me resbaló y penetró por debajo de las branquias. ¿Sabes qué descubrí?

¡Hielo!

Lo noté con la punta del dedo: un cristal frío; sólo un instante, luego desapareció. Se fundió con el calor de mi piel antes de que yo pudiera inspeccionarlo. La prueba había desaparecido, pero la había sentido, estaba segura. Ese pez no era del río. Lo habían comprado.

Entré corriendo y solté el pescado en la mesa de la cocina. Sola, examiné las dos branquias. No había más hielo, pero la carne estaba demasiado fría. En lugar de meter el salmón en la nevera, volví al salón y me escondí detrás de las cortinas. Miré por la ventana y vi a Chris y Håkan hablando. Como no sé leer los labios, no pude interpretar qué estaban diciendo, pero sí puedo asegurarte que no eran dos pescadores triunfantes. Håkan puso una mano en el hombro de Chris. Chris asintió con la cabeza. Se volvió hacia la casa y tuve que retirarme bruscamente.

\* \* \*

En la cocina simulé estar contenta y ocupada cuando pasó Chris. Él ni siquiera miró el salmón, su gran premio. Se dio una ducha, dijo que estaba cansado y se metió en la cama. No pude dormir esa noche, ni tampoco Chris; o al menos no se durmió enseguida, y eso que debería haber estado exhausto. Se quedó tumbado a mi lado, simulando dormir. Hubiera querido colarme en sus pensamientos. ¿Qué era lo que le impedía conciliar el sueño? ¿Por qué habían comprado un salmón caro como coartada? Uso la palabra «coartada» deliberadamente, un salmón como coartada. Ése era el propósito del pez, servir de coartada, una coartada que tenía que haber pagado Håkan, porque un salmón entero no es barato. Puede que les costara quinientas coronas, cincuenta libras. Nuestra economía iba muy ajustada para que Chris gastara tanto dinero sin que yo me enterase. Tuvo que comprarlo Håkan y dárselo a Chris.

No podía investigar hasta que estuviera segura de que Chris estaba dormido. Esperé hasta las dos de la madrugada. Entonces su respiración cambió por fin y se durmió. Me había subestimado, no se había dado cuenta de que yo había notado el fragmento de hielo. Bajé sigilosamente de la cama, caminé de puntillas, me puse un abrigo y me dirigí al granero, donde se guardaba el motor eléctrico. En ese granero, mirando el motor, mi primera idea fue que quizá Chris habría navegado apenas unos centenares de metros corriente arriba para desembarcar en el muelle de Håkan. A continuación, los dos hombres se habrían escabullido a algún otro sitio en el coche de Håkan. Empecé a examinar el motor, sin hacer nada más que toquetear el exterior, apretando cada botón hasta que vi el suave brillo azul del monitor. Fui pasando por las siete funciones, hasta la pantalla que mostraba la cantidad de potencia que quedaba en la batería representada como un porcentaje. El motor estaba completamente cargado antes de que Chris y Håkan salieran. La batería había bajado al seis por ciento. Dicho de otra manera, habían usado el noventa y cuatro por ciento de la carga. Mi primera teoría era equivocada. Habían recorrido una gran distancia, gastando casi toda la batería. Habían estado en el río, pero no habían estado pescando.

Recordé la generosidad de Cecilia. ¿Por qué me había dejado esa barca? ¡Quería que explorara el río! Las características específicas de ese motor formaban parte de su plan. Con el monitor LCD como guía aproximada podría recrear su viaje y ver hasta dónde habían llegado usando la misma cantidad de energía. Decidí no esperar. Lo haría esa noche, mientras Chris dormía, antes de que amaneciera. Iría río arriba y descubriría dónde habían estado, ¡tenía que ser ya!

LEVANTÉ LA MANO para interrumpirla, con la intención de verificar que lo había entendido bien.

—¿Sacaste la barca en plena noche?

*

AL DÍA SIGUIENTE podía llover, las pruebas podían borrarse, tenía que ser esa misma noche y tenía que hacerlo sin que Chris ni Håkan se enterasen.

Tardé más de una hora en recargar el motor. Me quedé sentada en el granero, viendo cómo los números subían poco a poco hasta llegar al cien por cien. Todavía me faltaba transportar el motor al río. Tuve que usar la carretilla y empujarla por el campo, tratando de no hacer ruido, con miedo a volcarla. Si Chris se despertaba, no tendría explicación. Por suerte, llegué al muelle sin que me descubriera y no me costó mucho acoplar el motor a la barca. Esa facilidad de colocación también tuvo que influir en la selección de Cecilia. Miré el reloj; supuse que Chris no se despertaría hasta las ocho como pronto. Para no arriesgarme, calculé que contaba con cinco horas para explorar y regresar.

Ajusté la velocidad del motor en el rango medio y me alejé del embarcadero. Ellos no habían viajado corriente abajo, de eso estaba segura. En el río hay una presa que alimenta a una central hidroeléctrica muy pintoresca, diseñada para que parezca un antiguo molino de agua. No había forma de pasar en barca. Sólo podían haber viajado corriente arriba. Mi duda era hasta dónde. Sujeté mi linterna barata de plástico en la proa de la barca y enfoqué el haz de luz a la superficie del agua. La luz enseguida atrajo una nube de insectos; me preocupaba que alguien me viera, pero mantuve la serenidad. En esa pequeña barca en medio de un río oscuro, mientras el resto del mundo dormía, yo era la única persona despierta y en busca de la verdad.

El río trazaba curvas suaves entre campos cultivados pertenecientes a distintas granjas, todos igual de monótonos. No vi dónde podría haberse detenido Chris ni por qué razón, así que continué río arriba hasta llegar al borde del bosque. Fue como cruzar la frontera a un reino diferente. Los sonidos cambiaron. La sensación cambió. A partir de ahí, el río quedaba completamente encerrado. Así como en los campos había reinado el silencio, el bosque rebosaba de vida, agitada por mi llegada. Bullían los arbustos. Y había criaturas observándome.

Al final, cuando sólo me quedaba el cuarenta por ciento de la batería, paré el motor y dejé que la corriente moviera la barca. En buena lógica, había alcanzado más o menos el punto de su destino final. Si iba más lejos no tendría suficiente energía para volver a la casa. La razón de que no me hubiera detenido al llegar al cincuenta por ciento era que en el viaje de regreso, siguiendo la corriente, necesitaría bastante menos energía.

*   *   *

163

Cogí la linterna para examinar el terreno mientras la barca se mecía suavemente bajo mi peso. Capté destellos de ojos luminosos que al cabo de un instante desaparecían. Era una noche clara, sin rastro de niebla ni bruma. Levanté la mirada al cielo y vi infinidad de estrellas. Pensé: tantas estrellas como posibles respuestas. Chris y Håkan podrían haber amarrado en cualquiera de los árboles y caminado por el bosque para llegar a su destino. No había forma de estar segura. Me senté, completamente frustrada, admitiendo que tendría que regresar sin respuesta.

Mientras sujetaba otra vez la linterna en la parte delantera de la barca, me fijé en que justo delante había una rama en medio del río que parecía venir hacia mí. Me picó la curiosidad. Miré en la oscuridad y distinguí un árbol que tenía sus raíces en un islote, un islote con forma de lágrima. Encendí el motor para avanzar, agarré la rama y amarré la barca en la punta de la Isla de la Lágrima. Había marcas en torno al tronco, señales de rozaduras donde habían amarrado otras barcas, demasiadas marcas para contarlas, toda una sección del tronco estaba desgastada por un largo historial de visitas. En la orilla embarrada, justo encima del nivel del agua, vi huellas de pisadas parciales, algunas viejas, otras nuevas; el número y la variedad dejaban claro que ese islote lo había visitado mucha gente y no sólo Chris y Håkan. Me asusté al darme cuenta de que, incluso en plena noche, podría no estar sola. Me planteé desatar la barca y continuar mi examen desde el agua, con cierta distancia de seguridad. Pero necesitaba ver el islote de cerca. Caminé hacia el grupo de árboles situado en la parte de atrás del islote, el extremo ancho de la lágrima. Entre los árboles había una forma oscura angulosa, un refugio hecho por el hombre, una cabaña, un refugio construido lejos de las miradas de la gente, hecho de madera, no de palos del bosque, sino de planchas sujetas con clavos. El tejado parecía impermeable. Era obra de hombres, no de niños. Al rodear la construcción vi que no había puerta, sólo un espacio abierto y una cortina deshilachada. Retiré la cortina y vi una alfombra, un saco de dormir con la cremallera bajada y abierto como una manta, una lámpara de queroseno con el cristal cubierto de hollín. Era imposible no fijarse en las dimensiones de aquel espacio. No era lo bastante alto para acoger a alguien de pie, pero sí lo bastante ancho para una persona tumbada. Había un olor inconfundible a sexo. Había colillas de cigarrillo en el barro. Algunas eran de marca. Otras liadas a mano. Levanté una y olí a marihuana. Con un palo removí las cenizas de un millar de fuegos y encontré en un lado los restos fundidos de un condón: un manchurrón obsceno de moco envuelto en plástico.

EL LUGAR SONABA inquietante y me di cuenta de que mi madre estaba dando vueltas en torno a una acusación alarmante, insinuándola, pero sin afirmar de manera explícita lo que tenía en mente. Sin embargo, no me correspondía a mí hacer suposiciones ni llenar las lagunas.

—¿Qué crees que ocurrió en esa isla?

Mi madre se levantó y abrió varios armarios de la cocina hasta que encontró el azúcar. Cogió un puñado, lo vertió cuidadosamente en la mesa y lo esparció de manera uniforme delante de mí. Con la punta de un dedo, dibujó la forma de una lágrima en medio de los finos gránulos blancos.

*

Cuando se trata de sexo, ¿sabes con qué suele fantasear la gente? Con un espacio privado propio, un espacio donde puedan hacer cualquier cosa y nadie lo sepa nunca. Sin juicios, sin obligaciones, sin vergüenza, sin desaprobación ni repercusiones. Si eres rico, quizá ese espacio sea un yate en el mar. Si eres pobre, podría ser un sótano donde guardas tus revistas guarras. Si vives en el campo, es una isla en el bosque. Estoy hablando de follar, no de hacer el amor. Todo el mundo quiere mantener sus polvos en secreto.

EN UN ACTO reflejo, incapaz de contenerme, barrí el azúcar de un manotazo. Destrocé la silueta del islote. Comprendí demasiado tarde lo reveladora que había sido mi reacción. Aquel gesto repentino denotaba rabia y pilló a mi madre por sorpresa. Se echó atrás y me miró para estudiar mi expresión. Ella sin duda había interpretado mi gesto como un desprecio descarado de su teoría. En realidad, era una confirmación bastante penosa de que tenía razón. Yo había creado mi propia versión de ese islote. Mi madre estaba sentada allí, en ese piso. En numerosas ocasiones me había preguntado si sería posible mantener mi sexualidad en secreto ante mis padres y continuar mi relación con Mark. Él no lo habría aceptado, y por esa razón yo nunca había manifestado lo que pensaba. De haber sido posible, podría haber pasado el resto de mi vida habitando en una isla de mi propia creación, alejándome cada vez más de mis padres. Con las yemas de los dedos rebozadas de azúcar, me disculpé:

—Lo siento. Me cuesta aceptarlo. De papá, quiero decir.

Mi madre no se aplacó, tal vez porque percibía en mis pensamientos algo que no podía llegar a identificar. Pregunté, temeroso de lo que ocurriría a continuación:

—¿Crees que papá y Håkan fueron a esa isla?

—Sé que fueron.

Dudé, preparándome para la respuesta.

—¿Qué hicieron allí?

*

LA PREGUNTA NO es qué. La pregunta es con quién, ¿a quién más llevaron allí? Sabemos a ciencia cierta que no pescaron. Busqué en todos los rincones de la isla, pero no conseguí encontrar ninguna pista. Era duro irme sin una respuesta, pero al mirar el reloj me di cuenta del peligro que corría. El sol empezaría a levantarse en cuestión de minutos.

Por suerte, navegar corriente abajo fue más rápido. Aun así, el sol ya empezaba a brillar con fuerza. Håkan y Elise estarían despiertos. Siempre se levantaban al amanecer. Sólo me cabía esperar que no estuvieran junto a la orilla. Dejé atrás el embarcadero de Håkan y me sentí aliviada al ver que no estaban allí ni él ni su mujer. Justo cuando creía que estaba a salvo, el motor se apagó. La batería se había agotado. Iba a la deriva por el centro del cauce del río.

Antes de que argumentes que el hecho de que se apagara el motor significa que Chris y Håkan no podían haber llegado a la Isla de la Lágrima, ten en cuenta mi ineficiencia río arriba. Viré la embarcación muchas veces de un lado al otro, para ver si había algún sitio donde podrían haber desembarcado. Más adelante, cuando regresé a la Isla de la Lágrima, logré hacer el trayecto de ida y vuelta con una sola carga del motor eléctrico. El caso es que esa mañana, con Chris a punto de despertarse, me vi obligada a remar la distancia que me quedaba. Llevaba muchos años sin remar. Y cuanto más deprisa remaba, peor lo hacía. Al llegar al embarcadero me dolían los brazos. Quería derrumbarme y recuperar el aliento, pero no había tiempo. Eran casi las ocho de la mañana. Desmonté el motor, resoplando. Al empujar la carretilla por la pendiente, hacia el granero, se me cayó el alma a los pies. ¡Chris ya estaba despierto! Había salido a fumar. Me vio. Saludó. Yo me quedé parada, como una boba, luego le devolví el saludo y me obligué a sonreír. El motor estaba en la carretilla. Eché mi chaqueta por encima, aunque quizá ya lo había visto. Necesitaba una excusa. Continué hacia la casa, porque pensé que parecía creíble que estuviera usando la carretilla para cualquier otro propósito. Miré la carretilla y vi que el motor sobresalía por debajo de mi chaqueta. No sobreviviría a ningún escrutinio, ni siquiera a una mirada rápida, así que atajé por el campo y dejé la carretilla detrás del granero.

Al llegar al lado de Chris, le di un beso (me obligué a hacerlo) y los buenos días. Me puse a examinar el huerto de verduras, inventando la excusa de que había ido a limpiar de juncos la orilla del río. Chris casi no dijo nada, terminó de fumarse el cigarrillo y entró a desayunar. Aproveché la oportunidad. Eché a correr, empujé la carretilla hasta el granero, bajé el motor y lo conecté al cargador. Cuando volví, Chris estaba en la puerta. Había abandonado su desayuno. No tenía ni idea de cuánto había visto; le dije que se había olvidado de volver a conectarlo. Él no contestó. Recogí la colada y caminé hacia la casa. Eché una mirada atrás y vi a Chris al lado de la puerta del granero, mirando fijamente el motor.

MIS PADRES estaban comportándose como una pareja que a mí me resultaba simplemente irreconocible. Su forma de relacionarse parecía haber cambiado mucho durante el verano.

—Si papá te pilló, ¿por qué no te dijo nada? ¿Por qué no te preguntó qué estabas haciendo? No entiendo el silencio.

—¿Qué podía decir? Me pilló en el granero al lado del motor. Le convenía no llamar la atención sobre la barca.

Mi duda era más amplia.

—Da la impresión de que vosotros dos habíais dejado de hablaros.

Estaba a punto de insistir cuando mi madre levantó la mano para silenciarme.

—¿Estás preguntando por nuestra relación?

—Cuarenta años juntos no pueden derrumbarse en unos meses.

—Puede ocurrir en mucho menos tiempo. Reclamas seguridad, Daniel. Siempre lo has hecho. Deja que te lo diga. No existe. Una gran amistad puede barrerse en una tarde, un amante se convierte en enemigo con una sola confesión.

En cierto sentido se trataba de una advertencia: eso nos ocurriría a nosotros dos si yo no creía su relato.

—Tu padre y yo estábamos simulando —dijo—. Yo simulaba desconocer la Isla de la Lágrima. Él simulaba no haberse dado cuenta de que mi investigación se había puesto muy seria.

Mi madre cogió su diario y buscó una entrada en concreto:

—Deja que te ponga un ejemplo.

Eché un vistazo a las páginas y vi que las notas se estaban volviendo mucho más detalladas.

*

EL DIEZ DE junio me desperté temprano y, sin desayunar, fui en bici hasta la estación y tomé el primer tren a Göteborg. Me iba de viaje y no tenía ninguna intención de decírselo a Chris. Normalmente nos lo contábamos todo, pero eso tuve que mantenerlo en secreto, porque pensaba visitar a Cecilia y preguntarle en persona por la Isla de la Lágrima. No quería hablar con ella por teléfono, porque me daba miedo que Chris pudiera escucharme. Quería plantearle estas preguntas directamente: ¿Por qué me había dejado la barca? ¿Cuáles eran sus sospechas? ¿Qué era lo que no me estaba contando?

Cecilia se había trasladado a una residencia en Göteborg, una ciudad que me traía muchos recuerdos difíciles. Allí viví unos meses de adolescente, tratando de ahorrar suficiente dinero para comprar un pasaje de barco a Alemania. Durante esos meses trabajé de camarera en el café de un hotel en Kungsportsavenyn, el paseo principal. Imaginaba que la policía me buscaba, decidida a acusarme del asesinato de Freja. Vivía como una fugitiva. Me corté mucho el pelo, cambié mi forma de vestir y adopté un nombre falso. Recuerdo que una vez estaba sirviendo café a un cliente en la terraza cuando vi a un par de policías de patrulla. Me tembló tanto el brazo que derramé el café sobre el cliente y recibí la reprimenda de mi jefe. Sólo me salvé porque a los hombres les gustaba coquetear conmigo y dejaban buenas propinas, aunque siempre se las quedaba el jefe.

Al llegar a la ciudad esa mañana, decidí ir caminando a la residencia. Así ahorraba un poco. Además, hacía sol y quería pasar por el café en Kungsportsavenyn, porque ya no era ninguna jovencita asustada. La residencia estaba en las afueras, al otro lado del puente, a mucha distancia del centro. Fui a pie hasta allí, preguntándome qué iba a decir Cecilia. El edificio era agradable. Había jardines bien cuidados, un estanque ornamental rodeado de bancos donde la gente se sentaba a charlar. Dentro, las zonas comunes estaban limpias, la recepción, ordenada, y la recepcionista era amable. Cuando me presenté, pregunté si Cecilia tenía muchas visitas. La mujer me confió que no había tenido ninguna, ni una sola, ni un solo visitante en todo el tiempo que llevaba en la residencia. Me enfadé. Nos habían hecho tragar un cuento sobre la comunidad y la solidaridad. ¿Cómo era posible que nadie hubiera visitado a esa mujer? Era un exilio cruel. Håkan estaba castigándola por no venderle la granja. Había decretado que no debía recibir el menor gesto de amabilidad.

Cecilia estaba sentada en su habitación, con las rodillas apoyadas en el radiador, mirando el jardín. No leía, ni veía la televisión. Sólo estaba allí sentada. Puede que llevara horas así. Hay algo desgarrador en una persona que mira un jardín soleado desde el interior. Y en cuanto a la habitación, era anónima. En dos horas de trabajo podría prepararse para otra persona. Aquello no era un hogar. Era un lugar de tránsito, una sala de espera entre la vida y la muerte. No podíamos hablar allí. Tenía que recordarle que existía el mundo exterior. Hablaríamos en el jardín.

172

Al agacharme a su lado, me sorprendieron los cambios en su cuerpo. Cuando nos habíamos conocido en su granja, ella era físicamente frágil pero fuerte de espíritu. Le brillaba la mirada y tenía la mente clara. Cuando me miró, tenía los ojos acuosos, como si le hubieran diluido el carácter con un millar de partes de nada. Pero me alivió confirmar que me reconocía y accedía a sentarse conmigo junto al estanque.

Un tribunal podría poner en duda la credibilidad del testimonio de Cecilia. Acepto que su nivel de conciencia era variable: en ocasiones podía participar directamente, en otras se le iba el pensamiento y había que tener paciencia para proseguir con el interrogatorio. Acepté que se desviara y se fuera por la tangente, pero logré engatusarla hasta llegar al misterio de por qué me había vendido la granja. Sin que le diera pie, me preguntó si había descubierto la verdad sobre Anne-Marie, la mujer del ermitaño del campo. ¡Era un tema que yo ni siquiera había mencionado! Resumí todo lo que sabía: había sido muy religiosa, bordaba citas bíblicas, había muerto y su marido parecía desolado por la pérdida. Cecilia estaba muy irritada por mi ignorancia, como si le hubiera fallado.
—Anne-Marie se suicidó —me dijo.

Aprovechando una ola de lucidez, Cecilia me contó la historia. Anne-Marie tenía cuarenta y nueve años y ningún historial médico de depresión. Cecilia quería a esa mujer, era una amiga a la que conocía desde hacía muchos años. Esa amiga amable se despertó una mañana, se duchó, se puso la ropa de trabajo, salió de la casa y entró en la pocilga, lista para empezar con las tareas del día. Entonces descubrió algo espantoso, o algo espantoso cobró forma en su mente, porque Anne-Marie ató una soga a las vigas. Se colgó al amanecer mientras su marido estaba durmiendo. Ulf bajó a desayunar, vio la puerta de la pocilga abierta y pensó que los cerdos se habrían escapado. Salió corriendo de la casa, cruzó el patio y entró en la pocilga para ver si quedaba alguno. Se encontró con todos los animales apiñados en un rincón. Fue en ese momento, según la versión oficial, cuando se volvió y vio a su esposa. No hubo ninguna nota, ninguna explicación, ninguna advertencia, y tampoco tenían ninguna preocupación económica.

Según Cecilia, la respuesta de los vecinos fue la típica, se tragaron las malas noticias del mismo modo que un océano podría tragarse un barco que se hunde. Mataron a los cerdos como si hubieran sido testigos de un crimen. Desmantelaron la pocilga viga a viga. En el funeral de Anne-Marie, Cecilia tocó el brazo de Håkan y le preguntó por qué, no como una acusación sino como una pregunta melancólica que sólo Dios podía responder. Håkan se la quitó de encima, enfadado, diciendo que él no tenía ni idea. Quizá no tenía ni idea, pero no tuvo demasiados reparos en aprovecharse de su muerte. Håkan expandió su reino, haciéndose con la tierra de Ulf. Lo presentó como un acto de caridad, como una forma de ayudar a un hombre desolado por la pena.

Cecilia llevaba un buen rato hablando. Tenía los labios secos y agrietados. Me preocupaba estar cansándola. Le dije que se quedara en el banco mientras yo iba a buscar algo para beber. Fue una decisión que siempre lamentaré. No debería haber interrumpido su relato. Cuando regresé con un café, ella se había ido. El banco estaba vacío. Vi una multitud reuniéndose en torno al estanque. Cecilia estaba de pie en medio del agua, que le llegaba hasta la cintura. Parecía bastante calmada. Tenía los brazos cruzados sobre el pecho. El vestido húmedo y blanco de la residencia se había vuelto traslúcido y me recordó un bautismo en el río, como si esperara que un sacerdote la

174

sumergiera. Fue un enfermero el que se metió en el agua a toda prisa. Pasó un brazo en torno a Cecilia y la levantó. No podía pesar mucho. Los seguí a la enfermería. Allí se apresuraron a hacerle un examen médico. Yo aproveché al máximo la distracción, regresé a su habitación y rebusqué de arriba abajo, asombrada de las pocas cosas que conservaba. Sus pertenencias debían de haberse vendido. En los cajones había libros, pero sólo cuentos infantiles, nada de biblias ni, que yo pudiera ver, ninguna novela. En el armario encontré esta cartera de cuero. Cecilia había sido maestra de escuela y supongo que la usaba para llevar los libros. La robé porque necesitaba un bolso, no una bolsa de mano poco práctica, sino un bolso de tamaño decente donde poder meter mis notas y las pruebas...

MI MADRE Y yo nos levantamos al mismo tiempo, reaccionando al ruido de alguien que trataba de entrar en el apartamento. Habían abierto la puerta de la calle. Oímos cómo se trababa con la cadena, con mucho estruendo al principio, luego ya con más suavidad, fruto de un segundo intento algo más cauto. Yo había visto a mi madre soltar la cadena de seguridad a petición mía, pero debía de haberla recolocado cuando le di la espalda, convencida de que mi padre se presentaría sin avisar. Abajo se oía una mano pugnando con la cadena, estirándose en torno a la puerta, tratando de descorrerla. Mi madre gritó:

—¡Está aquí!

Empezó a recoger las pruebas de forma apresurada. En un instante devolvió cada objeto a su lugar en la cartera. Colocó las cosas pequeñas en los bolsillos delanteros, las más grandes, incluida la caja de acero oxidado, en la parte de atrás, todo muy ordenado y sin desperdiciar espacio. Estaba claro que lo había hecho antes: podía guardar las pruebas y estar lista para ponerse en marcha en un momento. Mi madre miró a la puerta de acceso al jardín del tejado.

—¡Necesitamos otra salida!

Mi padre nos había engañado. Había mentido, había tomado un vuelo directo para llegar antes y pillarnos por sorpresa, tal como mi madre había asegurado. Eso fue lo primero que pensé, influido por la intensidad de la reacción de mi madre. Sin embargo, enseguida descarté esa explicación. Mi padre no tenía llaves. Sólo podía ser una persona: Mark.

Mi madre tenía la cartera preparada y estaba lista para echársela al hombro. Puse una mano encima para detener su huida.

—No es papá.

—¡Es él!

—Mamá, no es él, por favor, espera aquí.

Le hablé con brusquedad, incapaz de mantener la calma, indicándole por gestos que se quedara donde estaba, pese a que dudaba que obedeciera. Me apresuré a bajar al recibidor. Mark ya no estaba luchando con la puerta, sino entreabriéndola con el pie mientras sostenía su teléfono, a punto de llamarme. Atrapado por completo en el relato de mi madre, no había podido informarle. Debería haber adivinado su reacción: ya me había expresado su preocupación de que estuviera solo.

—Perdona que no te haya llamado —dije en un susurro—, pero es un mal momento.

No había pretendido sonar tan agresivo. A Mark lo pilló por sorpresa. Sentí pánico. Después de años de un engaño cuidadosamente construido, toda la estructura podrida estaba a punto de desmoronarse sin darme ni tiempo a controlar el derribo. Perdidos los papeles, le hice un gesto a Mark para que se apartara, al tiempo que retiraba la cadena y abría la puerta del todo. Mark estaba a punto de hablar cuando hizo una pausa, mirando por encima de mi hombro.

Mi madre estaba de pie en el pasillo, aferrada a su cartera. Vi la silueta del cuchillo de madera en el bolsillo delantero de sus tejanos. Los tres nos quedamos inmóviles,

177

sin que nadie hablara. Al final, mi madre dio un pasito para acercarse más, observando el traje y los zapatos caros de Mark.

—¿Eres médico? —le preguntó.

Mark negó con la cabeza.

—No.

Mark, por lo general educado y locuaz, se limitó a una respuesta monosilábica, porque no estaba seguro de qué quería yo que dijera.

—¿Te ha enviado Chris?

—Vivo aquí.

Yo añadí:

—Es Mark. El piso es suyo.

Me di cuenta, demasiado tarde, de lo exigua que resultaba esa presentación después de tantos años de espera. Tal como lo había dicho, daba la impresión de que era un casero y no un amante. La atención de mi madre había pasado de la ropa de Mark a su cara.

—Me llamo Tilde —dijo—. Soy la madre de Daniel.

Mark sonrió y estuvo a punto de dar un paso adelante, pero notó el precario equilibrio de emociones y se contuvo.

—Me alegro de conocerte, Tilde.

Por alguna razón, a mi madre no le gustó la forma en que usó su nombre. Dio un pasito atrás. Controlando su nerviosismo, dijo:

—¿Quieres que vayamos a otro sitio?

—Podéis quedaros todo lo que queráis.

—¿Tú vas a quedarte?

Mark negó con la cabeza.

—No, dadme un minuto y me iré.

Mi madre se quedó mirándolo fijamente. En cualquier otra circunstancia habría sido una muestra de mala educación. Mark le sostuvo la mirada con una sonrisa agradable. Mi madre bajó la mirada al suelo y añadió.

—Esperaré arriba.

Antes de salir del recibidor, mi madre echó una mirada final a Mark, ladeando muy ligeramente la cabeza, como si corrigiera su visión del mundo.

Esperamos en silencio, escuchando los pasos pesados de mi madre al subir lentamente la escalera. Una vez solos, me volví hacia Mark. El encuentro que había temido tanto tiempo acababa de producirse de una manera que nunca podría haber imaginado: mi madre había conocido a mi compañero, y sin embargo, no lo había hecho realmente, sólo habían intercambiado nombres y miradas. Yo había ofrecido más engaño; incapaz de decir las palabras «Éste es el hombre con el que vivo», había optado por «El piso es suyo». No era una mentira, pero como si lo fuera. Mark estaba triste por la conversación; había esperado mucho más. Hablando en voz baja, dejó a un lado sus emociones y dijo:

—¿Cómo está?

—No lo sé.

Me pareció que no tenía sentido resumir mi conversación hasta el momento.

—Dan —dijo Mark—, necesitaba asegurarme de que estabas bien.

Nunca habría venido simplemente para participar o porque se sintiera al margen. Había venido como medida de precaución ante la posibilidad de un desastre, temiendo que hubiera perdido el control de la situación. Él y mi madre podrían haber coincidido en que yo no tenía experiencia en situaciones difíciles. Asentí.

—Tenías derecho a volver. Pero ya me las arreglo solo.

Mark no estaba convencido.

—¿Cuál es tu plan?

—Voy a terminar de escuchar, luego tomaré una decisión sobre si necesita tratamiento. O si tenemos que ir a hablar con la policía.

—¿La policía?

—Es una decisión difícil. —Añadí—: Mi padre está en camino. Ha cambiado de opinión. Su avión está a punto de aterrizar.

—¿Vendrá aquí?

—Sí.

—¿Estás seguro de que quieres que me vaya?

—Ella no hablará mientras tú estés en el apartamento. No con la libertad con la que ha hablado hasta ahora.

Mark se lo pensó.

—Muy bien. Me voy. Pero te digo lo que voy a hacer. Me sentaré en la cafetería de la esquina. Puedo leer, trabajar un poco. Estoy a dos minutos. Si cambia algo, me llamas.

Mark abrió la puerta.

—Soluciónalo —dijo.

Esperaba encontrar a mi madre escuchando a escondidas. Sin embargo, el pasillo estaba vacío. Regresé arriba y la hallé en la ventana. Cuando me acerqué a ella, me tomó la mano y pronunció el nombre de mi compañero como si probara el sonido por primera vez.

—Mark. —A continuación, como si la idea acabara de ocurrírsele, añadió—: ¿Por qué no hablas tú un rato?

Como desconfiaba de mis emociones, me limité a apretarle la mano. Ella lo comprendió, porque respondió:

—Recuerdo unas vacaciones que pasamos en la costa sur. Tú eras muy pequeño. Tenías seis años. Hacía calor. Había un cielo azul. De camino a la playa de Littlehampton estábamos seguros de que iba a ser un día perfecto, pero al llegar nos encontramos con un fuerte viento de mar. En lugar de marcharnos, nos refugiamos en una duna, una hondonada a resguardo en la parte de atrás de la playa. Mientras los tres permaneciéramos tumbados no notaríamos el viento. Hacía sol y la arena estaba caliente. Nos quedamos mucho rato allí, adormilados, tomando el sol. Al final dije:

»—No podemos quedarnos aquí para siempre.

»Y tú me miraste y preguntaste:

»—¿Por qué no?

—Mamá —dije—, podemos hablar de mi vida en otro momento.

La voz de mi madre era lo más triste que había oído en todo el día:

—En otro momento no, hoy. Cuando termine, una vez que hayamos ido a la policía, quiero que hables. Quiero escuchar. Antes nos lo contábamos todo.

—Lo haremos otra vez.

—¿Lo prometes?

—Lo prometo.

—¿Estaremos unidos otra vez?

—Estaremos unidos otra vez.

Mi madre preguntó:

—¿Listo para escuchar el resto?

—Estoy listo.

*

TODOS COMETEMOS ERRORES. Algunos podemos perdonarlos. Otros no. Yo cometí un error de juicio imperdonable este verano. Por un momento, dudé de mi propia convicción de que Mia estaba en peligro.

Una vez por semana iba en bici a la playa, no a la playa turística, sino a una que queda más al norte. Es escarpada, con dunas y grupos de helechos y con un bosque espeso al fondo; no es una playa de vacaciones. Nunca iba ningún turista. Yo siempre corría por la arena. Una tarde llevaba corriendo unos treinta minutos y estaba a punto de dar la vuelta cuando percibí un movimiento delante, en el bosque. Vi algo de color blanco brillante, como la vela de un barquito pasando entre los troncos de los pinos. Normalmente, esas playas y bosques están vacíos. Mia salió de entre los árboles y apareció en la playa, vestida como una novia con flores en el pelo y flores en las manos. Llevaba un vestido como los que nos ponemos cuando llega el *midsommar* para celebrar el sol de medianoche, lista para bailar en torno al mayo. Me escondí detrás de unos arbustos para ver qué hacía a continuación. Ella siguió playa arriba hasta que llegó a un faro abandonado. Colgó las flores en la puerta y entró.

Fue como si hubiera sido testigo de una historia de fantasmas, salvo que la chica era real y las pisadas quedaban claras en la arena. Mia estaba esperando a alguien. Las flores eran una señal para un observador de que ella estaba dentro del faro. Yo estaba decidida a ver quién iba a reunirse con Mia. Cuanto más esperaba, más confundida estaba, y una parte de mí se preguntaba si la otra persona me había visto. Quizá se había escondido en el bosque y no aparecería hasta que me marchara. Después de casi una hora me lo planteé. Quedaba claro que Mia no estaba en apuros. Había caminado hasta ese faro con libertad, por decisión propia. Yo tenía curiosidad, pero también tenía frío. Temía enfermarme antes del festival del *midsommar*, así que decidí irme.

Nunca me perdonaré por ese error de juicio. Creo que el hombre que llegó finalmente fue el asesino de Mia.

AUNQUE ESTUVE TENTADO de pedir más información, sentí que mi madre ya no evitaba los detalles, sino que estaba construyendo una explicación de los hechos relacionados con el asesinato de Mia. No se había sentado ni había mostrado ningún deseo de hacerlo. Con la cartera todavía colgada del hombro, la abrió para sacar una invitación del *midsommar*.

*

EL PUEBLO ORGANIZA cada año dos festejos del *midsommar* distintos, uno para los turistas que veranean en la zona y otra celebración más prestigiosa exclusivamente para residentes. Esto es una invitación a la primera fiesta que repartían en las playas y los hoteles. Aunque las imágenes de niños bailando en torno al mayo con flores en el pelo prometen un festival de pura bondad, es una excusa para ganar dinero. Las festividades se organizan a bajo coste. ¿Cómo lo sé? Trabajé allí. Mia pasó por la granja y me habló de la oportunidad de un trabajo remunerado. Debía de saber que íbamos cortos de dinero. Estaba tratando de ayudarnos. Contacté con los organizadores

183

y ellos me dieron trabajo en la carpa donde se servía cerveza y aguardiente.

El día de la fiesta llegué a los terrenos, propiedad de Håkan, a primera hora de la mañana, imaginando un equipo de gente motivada para celebrar un gran acontecimiento. Cargábamos con una gran responsabilidad. Éste es un festival sobre el amor a nuestra tierra, que se remonta a la antigua celebración de las cosechas y que expresa nuestro profundo cariño por Suecia. Ese día fui testigo de algo deprimente. La tienda de lona blanca donde se servía la comida estaba pegajosa y vieja. Había papeleras por todas partes. Había carteles pintados a mano para dar órdenes a la gente. No hagas esto. Tienes que hacer lo otro. Se veía más la larga fila de urinarios portátiles de plástico que el mayo. El precio de la entrada incluía la comida y una bebida no alcohólica. Cuando consideras que sólo costaba doscientas coronas, unas veinte libras, parece razonable. Sin embargo, la comida se prepara en masa con una clara estrategia de recorte de gastos. ¿Recuerdas que Håkan me pidió que llevara ensalada de patatas a su fiesta? Vi de primera mano lo humilde que se considera una ensalada de patatas. La preparan en cubos y la sirven con cucharones gigantes, comida para turistas. Por eso Håkan me había pedido que la llevara a su fiesta, comida de turista, porque así era como me veía él, como una turista en Suecia.

Había más personal en la tienda de bebidas, donde servíamos cerveza y licores, que en toda la tienda de alimentos, donde las colas se extendían centenares de metros. Era una táctica deliberada para impedir que la gente volviera a servirse más. No hace falta decir que la gente se volvía enseguida hacia la tienda de cerveza, sobre todo los hombres. Estaba a tope desde el principio. Más allá de lo que yo opinara sobre la planificación, la gente se lo pasaba bien. Hacía calor y todos tenían ganas de divertirse.

Durante mi pausa para comer, me aventuré a acercarme al palo de mayo para observar la representación del *midsommar*. Había estudiantes bailando, vestidas con trajes tradicionales. Mientras miraba, alguien me tocó en el hombro y me di la vuelta. Era Mia. No iba vestida de blanco con flores en el pelo, como en la playa, sino que estaba recogiendo basura en una bolsa de plástico. Me dijo que había pedido específicamente el trabajo, porque no quería ponerse el vestido tradicional y que la miraran. Incluso entonces me pareció un comentario inquietante. ¿Por qué esa jovencita tenía tanto miedo de que la miraran? Mia me habló de la celebración del festival de Santa Lucía del año anterior, la celebración de la luz en el día más oscuro del año. La iglesia decidió representar una obra encargada especialmente para la ocasión, sobre el proceso de elección de la chica correcta para representar el papel de santa Lucía, la santa con velas en el pelo. En esa obra de ficción aparecía el personaje de un director de coro intolerante que elige a la chica basándose en un modelo estereotipado de la belleza sueca. La chica que selecciona es bravucona, pero es hermosa y rubia. El personaje representado por Mia ni se tenía en cuenta, porque ella era negra, aunque era la más pura de corazón. Durante la ceremonia, la chica bravucona que encabeza la procesión tropieza y se le prende fuego el pelo porque lleva demasiada laca. El personaje de Mia apaga las llamas, poniéndose en riesgo. La obra me sonaba peculiar. Aún más extraño, después de esa obra sobre una falsa procesión de Santa Lucía continuaron con la procesión real, en la que Mia era protagonista. Mia me explicó que todo el asunto había sido agotador. Después de aquel bochorno, había prometido no volver a actuar nunca más delante del público.

* * *

Durante nuestra conversación, Mia tuvo una fuerte reacción al ver a alguien detrás de mí. Me volví y vi a Håkan entrando en la tienda de la comida. Mia corrió tras él. Yo la seguí y descubrí un gran alboroto dentro de la tienda. Håkan sujetaba a un joven por el cuello, un hombre atractivo de veintipocos, con el cabello rubio largo y un pendiente en la oreja. Aunque el joven era alto y atlético, físicamente no era rival para Håkan, que lo inmovilizó contra la lona y lo acusó airadamente de acostarse con su hija. Mia se abrió paso a la carrera, agarró a Håkan por el brazo y le dijo que ni siquiera conocía a ese hombre. Håkan no estaba convencido y quería una respuesta del joven. Él miró a Mia y se echó a reír, diciendo que Håkan estaba loco si se refería a esa chica, porque no le gustaban las negras. De hecho, el joven usó un insulto racista inexcusable que no repetiré. Todos en la tienda debieron de despreciarlo por eso, salvo una persona, Håkan, porque se calmó de inmediato al darse cuenta de que el joven era un racista. La información que Håkan había obtenido de sus espías era errónea. Se relajó visiblemente. Como ya te he dicho, nada es más importante para él que el concepto de propiedad. En lugar de reprender a ese joven por su comentario desagradable, Håkan se disculpó por acusarlo falsamente.

Mia estaba molesta por esta confrontación pública. Soltó la bolsa de basura y salió corriendo de la tienda. Yo me acerqué a Håkan y le sugerí que fuera tras ella. Håkan me miró con mucho odio. Me dijo que me ocupara de mis asuntos. Al pasar a mi lado entre la muchedumbre, con los brazos a los costados, cerró la mano y me la apretó con fuerza contra el coño, empujando con los nudillos a través del vestido de algodón, y luego se apartó cuando di un respingo, como si el gesto hubiera sido un accidente. Si me hubiera puesto a gritar, él lo habría negado. Me habría llamado mentirosa. O habría dicho que la tienda estaba abarrotada y que sólo me había rozado al pasar. Ya había vuelto a la tienda de la cerveza y todavía podía sentir sus nudillos en mí, como si yo estuviera hecha de materia amasable y su marca fuera a quedar para siempre.

ME PREGUNTÉ SI mi madre había usado esa palabra —coño— para transmitirme la conmoción que había sentido ella, para imitar la impresión duradera que le habían causado los nudillos de Håkan. Si era así, lo había conseguido, porque nunca se la había oído pronunciar antes. ¿Había una segunda intención? Tal vez mi madre pensaba que estaba sintiéndome demasiado cómodo. Después de la amabilidad e intimidad que acabábamos de compartir, me estaba advirtiendo que no esperara ninguna protección ante la verdad, me recordaba que, según ella, estábamos hablando de violencia y oscuridad y ella iba a exponerlas sin ninguna censura.

Sacó de su diario una segunda invitación, de producción cara, y colocó las dos entradas una junta a la otra en la mesa para que pudiera examinarlas y ver su contraste.

*

ÉSTA ES LA invitación a la segunda fiesta del *midsommar*, la exclusiva. No hace falta que señale la diferencia de calidad. Fíjate en mi nombre manuscrito en elegante caligrafía negra. Pusieron mi segundo nombre (Elin), pero no el de Chris; es extraño, porque... ¿cómo obtuvieron esa información? ¿Y a qué se debe esa incoherencia? Yo nunca le había dicho a nadie mi segundo nombre. No es ningún secreto, pero no creo que se trate de un desliz irreflexivo. Sólo puede interpretarse como una amenaza implícita de que podían desenterrar información privada sobre mí. Ésta era la forma que tenía Håkan de decirme que el proceso de investigación iba en los dos sentidos y que si pensaba atacarlo sería mejor que estuviera lista para el combate de mi vida.

NO ALCANZABA A comprender la naturaleza de la amenaza.

—Mamá, ¿qué pueden descubrir de ti?

*

¡PODÍAN DESCUBRIR LO de Freja! Si lo hacían, estaría perdida. Ya me había visto obligada a irme de casa por culpa de esos rumores. A ojos de mis padres, yo había matado a mi mejor amiga. No importaba que no fuera cierto. Håkan susurraría esas historias a su mujer en la cena, con la seguridad de que ella las susurraría a sus amigas al tomar café. Pronto habría centenares de personas susurrando al mismo tiempo. Habría miradas y más miradas. No podría vivir entre esas mentiras, otra vez no, cualquier cosa menos esas mentiras. Trataría de ser fuerte, trataría de no hacer caso, pero, al final, no puedes aislarte del mundo. No tendría más alternativa que vender nuestra granja.

Pero hasta que esas historias sobre Freja se desvelaran, mi investigación continuaría. Me negaba a vivir con miedo, y la fiesta del *midsommar* me daba la oportunidad de observar las interrelaciones de la comunidad. Aunque esperaba que las celebraciones fueran cautas al principio, pronto correría la bebida. Las lenguas se soltarían, las indiscreciones saldrían a la superficie, y yo estaría lista para tomar nota de lo que ocurriera a continuación. Esta vez no sería como mi llegada a trompicones a la barbacoa de verano de Håkan. Entonces estaba preocupada por la forma en que sería percibida; esta vez yo sería la observadora. No perdería ni un segundo pensando en mi reputación. No podía importarme menos que les cayera bien o no. Mi objetivo era ver qué hombres revoloteaban en torno a Mia.

Te he prometido no perder tiempo en descripciones a menos que fuera necesario. Si te cuento que el cielo amenazaba con una tormenta te ayudará a comprender por qué ese día fue el *midsommar* más inquietante de mi vida. Esperaba que cayera un aguacero en cualquier momento y la gente estaba contrariada. Además, muchos de los asistentes albergaban en sus corazones cierto rencor. La fiesta de los turistas del día anterior había gozado del clima de verano más perfecto: sol espléndido y cielo azul brillante. Los juerguistas bebieron hasta muy tarde y se quedaron dormidos en la hierba. En cambio, ese día el aire era gélido y soplaba viento de tormenta. Todos los elementos que los organizadores podían controlar eran de un nivel superior, pero no podían hacer nada con el clima y eso enturbiaba el ambiente.

Había tomado la decisión de vestirme con el traje tradicional rural de Suecia, me había hecho trenzas y llevaba un ramo de flores recogidas en casa. La utilización de mi segundo nombre me había cargado de ansiedad. Mi indumentaria era un intento de convertirme en una figura graciosa, inofensiva. Si había cualquier sospecha de que estaba acercándome demasiado a la verdad, esa indumentaria seguramente ayudaría a disiparla. Se burlarían con disimulo de la mujer que llevaba un vestido azul y un delantal amarillo. Chris protestó y dijo que iba a ponerme en ridículo. No entendía cómo podía contribuir eso a integrarnos. No se daba cuenta de que yo ya había renunciado a esa ambición; era inútil, nunca nos considerarían como uno más. Más aún: yo no quería formar parte de ese grupo. Como no podía acogerme a esas razones para explicar mi aspecto estúpido, me vi obligada a rechazar las protestas de Chris con afirmaciones nada convincentes, como que era mi primer *midsommar* en Suecia en muchos años y quería sacar el máximo partido. Él estaba tan frustrado que se marchó de casa sin mí, en el coche de Håkan. Dijo que si iba a comportarme como una niña no quería saber nada de mí. Al verlo marchar, lamenté que no hubiéramos podido ser socios en la investigación, igual que nos habíamos asociado en casi todas las cosas importantes de nuestras vidas. La realidad era que desconfiaba de él. Así que me fui sola, con el vestido tradicional, sin más socio que mi vieja cartera de cuero resquebrajado.

Al llegar a la fiesta, toleré las miradas condescendientes de algunas de las mujeres. Me hablaron en tono amable, como si fuera una boba, felicitándome por ser tan valiente. Como esperaba, todo el mundo puso los ojos en blanco y bajó la guardia. El sitio elegido para el *midsommar* era pintoresco, eso es innegable. La fiesta se celebraba en una franja de tierra junto al río, más abajo del salto del salmón, cerca del teatro al aire libre donde se representaban farsas turísticas para las multitudes en verano. El emplazamiento se había preparado con gran atención. Había baños de lujo y carpas con comida exquisita. Había ramos de flores de verano. Aún más asombroso era el mayo, la misma estructura exacta que se había utilizado el día anterior pero con el doble o el triple de flores. Era tan hermoso que por un momento fui incapaz de ver la injusticia que representaba. Podían haber usado fácilmente el mismo palo de mayo hermoso para las dos fiestas del *midsommar*. Esa celebración de la vida y el verano estaba contaminada por la mezquindad de espíritu.

Elise estaba allí, con una mirada desdeñosa. Aunque ya te he dicho que me negaba a ser ciega como Elise, algunos días, en mis momentos más bajos, comprendía su decisión, y me avergüenza confesar que la ceguera voluntaria me atraía. Qué alivio borrar de mi mente todas las sospechas y dedicar mis energías a adorar a esa gente. No perdería más el sueño, no me preocuparía, no desperdiciaría ni un segundo más preguntando qué estaba ocurriendo río arriba, en medio del bosque. Si hubiera elegido la ceguera, estoy convencida de que Håkan habría celebrado mi elección, se habría deleitado con mi rendición y me habría recompensado con un montón de amistades. Pero la ceguera no es un camino fácil. Requiere compromiso y dedicación. El precio era demasiado alto: me convertiría en una imitación de Elise. Tal vez ella estaba imitando a una mujer que la precedió, quizá ese modelo de ceguera se remontaba a varias generaciones de mujeres obligadas a quitarse de la cabeza toda clase de preguntas o críticas, a desempeñar un papel tan viejo como aquellas granjas —el papel de la devoción leal—, un rol que me aportaría aceptación, quizá incluso cierta felicidad. Salvo cuando estuviera sola. Me odiaría a mí misma. Lo que debe guiar nuestras decisiones es cómo nos sentimos con nosotros mismos cuando estamos solos.

Mia llegó por su cuenta, igual que yo. Y lo que me sorprendió mucho más fue que, también como yo, iba engalanada. Iba vestida de blanco nupcial; llevaba flores en el pelo y un ramo en la mano. Era exactamente la misma ropa que había llevado en la playa, salvo que ya no estaba impecable. La tela estaba sucia y rasgada. Las flores perdían pétalos. No había hecho ningún esfuerzo por ocultar las marcas en su ropa. Era como si la hubieran atacado en el bosque al volver del faro. Al principio, Mia hizo caso omiso de todo el mundo. Se quedó de pie junto al río, de espaldas a la fiesta, mirando al agua. La dejé en paz, porque no quería romper filas públicamente. Después me fijé en algo extraño en su forma de moverse. Sus pasos eran demasiado atentos, como si tuviera que concentrarse. Y está claro que mi instinto fue acertado, porque, cuando al final fui a saludarla, Mia tenía los ojos inyectados en sangre. ¡Estaba borracha! Seguro que había llevado sus propias provisiones, porque en aquella fiesta nadie iba a servirle alcohol. Por supuesto, los adolescentes se emborrachan de vez en cuando, no hace falta poner el grito en el cielo, pero estar borracha en silencio a media tarde en un acontecimiento como ése no era frívolo ni divertido: aquella manera de beber implicaba una mente atribulada.

Cuando nos pusimos a bailar en torno al palo de mayo, Mia ya no era capaz de ocultar su estado, o ya no quería. Otras personas que no percibían tan bien los matices de su conducta habían empezado a fijarse en que algo iba mal. Vi a Håkan haciendo preparativos para llevarla a casa. Una medida tan drástica causaría revuelo. Håkan tenía que haber calculado que era preferible una breve disrupción controlada que dejar que Mia montara una escena. Yo no podía permitirle que se la llevara de la fiesta. Había una razón por la que Mia estaba bebiendo. Tenía la certeza de que se estaba emborrachando para enfrentarse a alguien, para reunir valor. Era imprescindible que yo le consiguiera tiempo suficiente para que pudiera llevar a cabo su plan.

* * *

Tomé el brazo de Mia con suavidad y la acompañé al centro del escenario. Llamé a todos para que se reunieran. Empecé a hablar de la historia del festival del *midsommar*, improvisando. Con la fiesta entera reunida en torno a mí, incluido Håkan, expliqué que era la noche del año en que la magia era más fuerte en Suecia, que nuestros bisabuelos bailaban en un ritual de fertilidad para que la tierra se impregnara y diera buenas cosechas. Entonces pasé a cada uno de los niños una flor de mi ramo atado a mano y les conté que, según la tradición, tenían que colocar esas flores bajo sus almohadas y esa noche soñarían con sus futuros novios, novias, maridos y mujeres. Hubo risas mientras los niños aceptaban las flores. Debí de parecerles una bruja inofensiva, pero había un motivo para mi excentricidad. Me acerqué a Mia y le pasé los restos de mi ramo. Ahora que había hablado de novios y maridos, ¿cómo reaccionaría? Mia levantó las flores. ¡Tenía razón! Estaba a punto, lista para denunciar a esa comunidad y los secretos que estuvieran escondiendo. Todos la miraban, esperando a ver qué haría a continuación. Ella lanzó las flores por encima de la cabeza como una novia podría hacerlo en el día de su boda. Seguimos con la mirada el arco de las flores en el aire. El cordel que ataba los tallos se soltó y las flores se desprendieron, liberándose, como un cometa de pétalos de verano.

Håkan se abrió paso y agarró a Mia del brazo, disculpándose con todos. Tuvo cuidado de no arrastrarla ni maltratarla en público. Ella no se resistió y se retiraron hacia su brillante Saab plateado. Håkan la instaló en el asiento del copiloto. Mia bajó la ventanilla y miró atrás.

—¡Cuéntanoslo! —quería gritarle—. ¡Cuéntanoslo ahora!

195

Cuando el coche aceleró, la hermosa melena oscura de Mia se le arremolinó ante la cara y se la tapó por completo.

Fue la última vez que vi a Mia con vida.

NO HABÍA NINGUNA excusa para no poner a prueba la afirmación de mi madre. Llevaba el móvil. Sería sencillo introducir el nombre «Mia Greggson» en un buscador. Si la chica había muerto asesinada habría artículos de periódico y amplia atención pública. Cavilé si debía ser franco con mi madre. Anunciar mis intenciones sólo funcionaría si ella conocía la existencia de los artículos. Incluso podría sacar fotocopias de su diario. Si no había ningún artículo, podría sentir pánico y deducir que no iba a creerla sin ellos. Podría huir. La franqueza en este caso no era noble, sino arriesgada.

—Quiero ver si ha aterrizado el avión de papá —dije.

Desde la interrupción de Mark, mi madre estaba más agitada. El apartamento ya no era un lugar seguro. Se había negado a sentarse o soltar la cartera. Caminaba por la sala. Su tempo era más rápido. Cuando levanté el teléfono, ella dijo:

—Su avión ya habrá aterrizado.

Abrí una página nueva en otra ventana del navegador para tener así la posibilidad de volver fácilmente a la información de llegadas de Heathrow si mi madre de repente exigía ver mi teléfono. Tomadas esas precauciones, escribí el nombre de Mia, moviendo rápidamente los dedos sobre el teclado, fracasando en el intento de ocultar mi ansiedad. Hasta el momento, mi madre había demostrado ser muy perceptiva.

—¿Qué dice?

—Aún estoy escribiendo.

Añadí la ubicación del supuesto asesinato y pulsé Buscar. La pantalla quedó en blanco. La conexión era lenta. Mi madre se acercó. Levantó la mano para pedirme el teléfono.

—Déjame ver.

Con un imperceptible movimiento del pulgar cambié a la ventana del sitio web del aeropuerto y le pasé el móvil. Ella miró la pantalla con atención.

—El avión ha aterrizado hace veinte minutos.

Sólo me cabía esperar que no se fijara o no le importara el icono que indicaba que había otra ventana del navegador abierta. Mi madre no tenía smartphone, pero estaba tan alerta a trucos de cualquier clase que podría adivinarlo o arrastrar la otra pantalla accidentalmente. Levantó un dedo y tocó la pantalla. Desde mi ángulo no podía saber si mi madre simplemente estaba estudiando la lista de vuelos procedentes de Suecia. Estuve tentado de dar un paso adelante y pedirle que me devolviera el teléfono, pero, temiendo que eso me delatara, decidí contener los nervios y esperar. Mi madre me devolvió el teléfono. No había descubierto la otra página. La búsqueda del asesinato de Mia ya se habría completado. La información estaría en mi pantalla. Pero no podía mirar, porque ella me estaba hablando directamente:

*

CHRIS CORRERÁ POR el aeropuerto y buscará un taxi. Cruzará la ciudad como en una carrera. Su objetivo será pillarnos por sorpresa. No llamará hasta que esté a la puerta del edificio. Cuando esté aquí, será imposible huir sin luchar. Sin embargo, esta vez no me rendiré en silencio como la anterior.

La idea de una escena de violencia doméstica entre mi madre y mi padre me resultaba ajena por completo. Sin embargo, ya empezaba a parecerme inevitable que pasaran a mayores si se encontraban cara a cara.

—Mamá, nos vamos a ir.

Mi madre se cercioró de que no se dejaba ninguna prueba. La tentación de mirar mi teléfono era poderosa, pero los movimientos de mi madre eran tan erráticos que me preocupaba que me pescara. Esperé hasta que bajó la escalera delante de mí. No podía posponerlo más. Bajé la mirada a la pantalla.

El teléfono mostraba una lista de posibles resultados. Eran de periódicos suecos. Estaba anonadado. Supongo que esperaba no encontrar resultados, ni artículos de periódico, una página en blanco. Aunque había prometido ser objetivo y mantener una mentalidad abierta, en el fondo debía de haber creído que en realidad no había ocurrido nada y que Mia no estaba muerta. Hice clic en el primer enlace. La página empezó a cargarse. Comenzó a verse un fragmento de imagen. Ya no podía seguir mirando. Bajé el teléfono y me lo guardé en el bolsillo, justo a tiempo, porque mi madre se volvió al pie de la escalera.

Adelanté una mano para tocarle el hombro, sin tener ni idea de adónde estábamos yendo.

—Mamá, ¿adónde podemos ir? No te sentirás cómoda hablando en público.

—Podemos decidir el sitio después. Ahora tenemos que irnos.

—¿Y quedarnos en la calle?

Mi madre soltó:

—¿Estás tratando de retrasarme? ¿Ése es tu plan? ¿Estás ganando tiempo para que Chris pueda pillarme?

—No.

—¡Mientes!

La acusación fue brusca.

—No quiero verte pelear con papá. Quiero oír el final de tu historia. Ésa es la verdad.

Mi madre abrió la puerta de la escalera. Salimos al pasillo. Mi madre pulsó repetidamente el botón del ascensor, como si estuvieran persiguiéndonos. Cuando vio que subía desde la planta baja dio un paso atrás:

—¡Podría estar en el ascensor! Vamos a ir por la escalera.

No discutí, la seguí a la escalera de incendios, donde ella bajó apresuradamente, casi echando a correr. Le hablé en voz alta y mis palabras resonaron en el espacio de hormigón:

—Mamá, voy a llamar a Mark. Tiene una oficina. A lo mejor sabe de algún sitio donde podamos hablar. Necesitamos un lugar privado.

—¡Date prisa! —respondió mi madre.

Saqué el teléfono y estudié la pantalla. El artículo del periódico sueco era sobre Mia. Había una imagen de ella, justo como la había descrito mi madre. El artículo hablaba de su desaparición. Bajé por la pantalla. Había una recompensa por información. El artículo no era concluyente. No hablaba de asesinato. Pero la noticia de una persona desaparecida a menudo precede a la de un asesinato. Nada en el artículo contradecía el relato de mi madre.

Marqué el número de Mark. Contestó de inmediato.

—Mi padre está en camino —dije—. Su avión ha aterrizado ya. Mi madre no va a quedarse en el apartamento. Necesitamos otro sitio para hablar. Algo privado. Algún sitio donde mi padre no pueda encontrarnos.

—¿Estás seguro de que no quieres esperarlo?

—Sería un desastre.

Mark encontró la solución de inmediato:

—Te reservaré una habitación de hotel. Pide un taxi. Te llamaré con los detalles. ¿Estás bien? ¿Tu madre está bien?

—Estamos bien.

—Yo me encargo del hotel. Te llamaré.

Colgó.

En contraste con la velocidad de mi madre, yo me movía como un hombre que hubiera bebido demasiadas copas. ¿Estaba tomando la decisión correcta o debería entretenerme y permitir que mi padre nos diera alcance? Después de hablar con Mark volvieron a aflorar mis dudas sobre si yo era la persona ideal para manejar la situación. A mí no se me había ocurrido la idea del hotel, una solución obvia a nuestro problema. Aunque se me hubiera ocurrido, no tenía dinero para pagarla. Mi padre podría ser útil. Si mi madre estaba enferma, él sabía más que nadie de su enfermedad. Por otro lado, una mirada fugaz al artículo no había ofrecido ninguna prueba concluyente de que mi madre estuviera delirando. Además, me costaba comprender por qué mi padre no había telefoneado al llegar al aeropuerto. La perspectiva de una confrontación violenta estaba a sólo unos minutos de distancia. Permitir que mi padre nos alcanzara sería un acto de traición, equivaldría a rechazar todo lo que mi madre me había contado. La responsabilidad era mía, tanto si quería asumirla como si no. Mientras no tuviera ninguna prueba de que el relato de mi madre no era cierto, tomaría su palabra como dogma de fe. Ella había dicho antes que teníamos el deber de creer a la gente que amábamos. En este caso, ella estaba pidiendo espacio y tiempo para terminar de contarme lo que le había ocurrido a Mia. No podía negárselo.

Le di alcance al pie de la escalera.

—Espera —dije.

Mi madre se detuvo. Hice una llamada a una compañía de taxis. Como no conocía el nombre del hotel, les dije que queríamos ir al centro de Londres. Mandarían un coche de inmediato. Entretanto, mi madre se quedó de puntillas, mirando al vestíbulo a través del cristalito. Al verlo vacío, declaró:

—Nos quedaremos aquí hasta que el taxista nos llame. No quiero esperar en la calle.

El taxista llamó al cabo de unos minutos y cruzamos el vestíbulo para salir a hurtadillas del edificio. Había una extensión de terreno abierto entre mi bloque de apartamentos y la verja de entrada, sin ningún sitio donde escondernos, que nos dejaba expuestos, sin precaución posible contra un encuentro casual con mi padre. Noté la enorme tensión que incluso esa corta distancia provocaba a mi madre. Los dos respiramos aliviados al llegar al taxi, pero mi madre, sin darme tiempo a proponer un plan, se inclinó hacia delante y se dirigió al conductor:

—Vaya hasta el final de esta calle y pare ahí.

El taxista me miró en busca de confirmación. Aunque la petición me había cogido por sorpresa, asentí. Mi madre me susurró:

—¿Por qué ha tenido que confirmarlo contigo? No es porque otros hayan puesto en duda mi estado mental, eso no puede saberlo. ¿Por qué entonces? Te diré por qué. Porque soy una mujer.

El taxista aparcó al final del callejón que discurría entre mi edificio de pisos y la avenida. Sugerí a mi madre que si el hombre me había mirado era porque sus instrucciones le parecían extrañas, pero ella descartó esa explicación:

—De extrañas, nada. Quiero verlo llegar.

—¿A quién?

—A tu padre.

—¿Quieres esperar aquí hasta que papá aparezca?

—Es importante que lo veas por ti mismo. Recuerdas a Chris como un hombre normal y estás aferrándote a esa imagen. Eso es un lastre. No es el mismo hombre. Lo verás muy claro desde aquí. No podemos arriesgarnos a estar más cerca. En cuanto lo veas, lo comprenderás.

Expliqué nuestros peculiares requisitos al taxista, que ya se inquietaba. Íbamos a pagarle por el tiempo de espera. Nos quedaríamos un rato donde estábamos y luego nos iríamos. Mi madre añadió:

—Cuando demos la señal.

El conductor nos examinó con atención. Sin duda había recibido un montón de peticiones extrañas y sospechosas de pasajeros. Llamó a la compañía de taxis, que respondió por mí. Acordado el precio, se puso a leer el periódico.

Fuera de mi casa, en la calle, la personalidad de mi madre cambió radicalmente. No habló salvo para pronunciar alguna orden o directriz. No se relajó ni un segundo. Tenía el cuerpo retorcido para mirar por la luna trasera hacia la puerta principal, donde se detendría el taxi. No logré que conversara. Esperamos casi en silencio, vigilando mi edificio de apartamentos.

Sonó mi teléfono. Era Mark. Me dio la dirección de un hotel caro en Canary Wharf. Había pagado por anticipado la habitación y cualquier gasto adicional. No necesitaría tarjeta de crédito para registrarme. Se ofreció a esperar en el hotel, en el vestíbulo o en el restaurante para estar disponible.

—Me parece buena idea —dije.

Colgué y le expliqué el plan a mi madre. Iríamos en taxi al hotel y allí ella podría terminar su historia sin miedo a que la encontraran. Canary Wharf estaba bastante lejos y era una elección inusual. Mi padre no esperaría que fuéramos allí, un sitio oportunamente anónimo en una zona de Londres que ni siquiera teníamos en la memoria. Mi madre mantuvo la mirada fija en la puerta principal. Cuando le insistí para que me diera una respuesta, ella me agarró el brazo de repente y me hizo agacharme por debajo de la ventanilla. Pasó un taxi a nuestro lado. Nos agachamos en el hueco entre los asientos; nuestras caras casi se tocaban. Mi madre contuvo la respiración. El ruido del motor del otro coche empezó a alejarse. Lentamente, mi madre permitió que nos levantáramos. Miramos por el parabrisas trasero como si lo hiciéramos por encima de una trinchera. Un taxi negro se detuvo junto a la puerta principal. Bajó mi padre.

Era la primera vez que lo veía desde abril. Su cuerpo había cambiado. Había perdido peso y tenía un aspecto desastrado, como en un paralelismo con muchos de los cambios que había experimentado mi madre. En la calle, encendió un cigarrillo e inhaló como si toda su existencia dependiera de esa calada. Me alegré de verlo, lo quería mucho. Esa emoción era fuerte, mi instinto me decía que confiara en él, que abandonara mi escondite y gritara su nombre.

Un segundo hombre bajó del taxi.

—¡Él no! —exclamó mi madre.

El hombre puso una mano en el hombro de mi padre. Estaba tan sorprendido que me incorporé y quedé claramente a la vista, hasta que mi madre me hizo bajar.

—¡Te van a ver! —susurró.

El segundo hombre era de edad similar a la de mi padre, pero iba vestido con formalidad. No recordaba haberlo visto en ninguna de las fotografías o recortes de periódico. Mi padre no había mencionado que iba a viajar con alguien, una omisión tan mayúscula que me pregunté si había escuchado mal el mensaje que me había dejado en el buzón de voz. El desconocido pagó la carrera y se guardó la billetera de cuero en el bolsillo. Sentí los dedos de mi madre tensándose en mi brazo. Estaba asustada.

—¿Quién es, mamá?

Ella se dio la vuelta y tocó el hombro del taxista.

—Vamos, vamos, vamos —le imploró.

El hombre, que no estaba acostumbrado a desempeñar el papel de conductor en fuga, se tomó su tiempo doblando el periódico, para consternación de mi madre, que daba la impresión de querer saltar al asiento y ponerse al volante. Miré atrás y vi a mi padre y su compañero no identificado junto a la entrada, discutiendo. Cuando nuestro conductor arrancó el motor, mi padre levantó la mirada en nuestra dirección y mi madre se agachó otra vez.

—¡Nos ha visto!

Mi madre se negó a incorporarse hasta que le aseguré, varios minutos después, que no nos estaban siguiendo. La incorporé con suavidad en su asiento y le pregunté:

—¿Quién era ese hombre?

Ella dijo que no con la cabeza, negándose a responder, y se llevó un dedo a los labios, igual que había hecho en el tren de Heathrow, igual que aseguraba que había hecho Håkan cuando los había visitado. Tuve ganas de imitar el gesto, de explorarlo por mí mismo. Había algo en ese gesto que no comprendía.

\* \* \*

Mi madre se quedó mirando hacia atrás todo el trayecto, verificando cualquier vehículo que serpenteaba entre el tráfico. El taxista me buscó en el retrovisor y, con un movimiento de ojos, quiso saber si mi madre estaba bien. Yo aparté la mirada. No lo sabía. Por un momento estaba seguro de que estaba paranoica y aterrada. Al momento siguiente, su paranoia y su miedo parecían justificados, y me daba cuenta de que yo también los sentía. Todavía me preguntaba por qué mi padre no me había informado de que vendría con alguien, con ese desconocido bien vestido.

Sonó mi teléfono. Era mi padre. Miré a mi madre.

—Se preguntará dónde estamos.

—No respondas.

—Debería decirle que estamos bien.

—¡No le cuentes nada de nuestros planes!

—Tengo que explicarle qué estamos haciendo.

—Sin detalles concretos.

Respondí a la llamada.

Mi padre estaba enfadado.

—El conserje nos ha dicho que acabáis de iros.

La cara de mi madre estaba cerca de la mía, escuchando la conversación.

—Mamá no se sentía cómoda hablando allí —dije—. Vamos a otro sitio.

—¿Adónde?

Con urgencia, mi madre me hizo una seña para que no se lo contara.

—Quiere hablar conmigo a solas —dije—. Te llamaré cuando hayamos terminado.

—Estás consintiéndola, Daniel. Estás cometiendo un error. Cuanto más te convence, más se convence ella misma. Estás complicando las cosas.

No se me había ocurrido que yo pudiera agravar el estado de mi madre. Mi seguridad estaba flaqueando.

—Papá, te llamaré luego.

—Daniel...

Colgué. Llamó otra vez. No respondí. No dejó ningún mensaje. Mi madre estaba satisfecha con mi manera de manejar la llamada.

—Qué sucio, eso de insinuar que estás empeorando mi estado —dijo—. Sabe cómo jugar con la gente.

Con el temor de haber cometido un error, le dije:

—Basta de ataques personales. Limítate a los hechos. Le diría lo mismo a él si hablara de ti de esa forma.

—Sólo los hechos, pues. ¿Por qué no te ha contado que estaba con alguien?

La miré.

—¿Quién era ese hombre?

Mi madre negó con la cabeza y otra vez se llevó un dedo a los labios.

Al llegar al hotel, pagué al taxista. Bajamos, rodeados por las líneas de acero y cristal del Canary Wharf. Escolté a mi madre hasta una recepción decorada con opulentos arreglos florales. El personal del hotel iba vestido con camisas blancas almidonadas. Me ocupé del papeleo lo más deprisa que pude. Mi madre permaneció a mi lado, con la espalda apoyada en el mostrador y la mirada fija en las puertas de la calle, esperando que los conspiradores nos siguieran. Me agarró del brazo, aparentemente ajena a las otras personas que nos rodeaban.

—¿Y si llama a la compañía de taxis para averiguar adónde nos ha llevado?

—No sabe qué compañía de taxis usamos. Y aunque lo supiera, o lo adivinara, no le darían esa información.

Mi madre negó con la cabeza ante mi ingenuidad.

—Pueden comprarlos como a cualquier otro.

—Si viene aquí, no podrá descubrir en qué habitación estamos, el hotel no se lo dirá.

—Deberíamos tomar otro taxi, una compañía de taxis diferente, darles un nombre falso y pedirles que nos dejen cerca de otro hotel, pero no en la misma puerta; podemos llegar caminando. Así le sería imposible encontrarnos.

—El hotel está pagado.

Eso pareció impresionarla.

—Papá ha estado llamando y llamando —añadí—. Si supiera dónde estamos, no lo hubiera hecho.

Mi madre consideró la situación y asintió a regañadientes. El personal había estado simulando no escuchar. Rechacé el ofrecimiento de acompañarnos a la habitación, cogí la llave y expliqué que no teníamos equipaje.

Sabía que era mejor no hablar hasta que estuviéramos a salvo en la habitación con la puerta cerrada. Mi madre tendría que aprobar la nueva ubicación. Estábamos en la sexta planta. La habitación era moderna, cómoda, y mi madre se distrajo un momento cavilando acerca de lo cara que debía de ser. Se acercó al sofá colocado en el rincón de la ventana, lleno de cojines blandos y brillantes. Ofrecía una vista río arriba hacia el centro de la ciudad. Pero el placer duró poco. Se puso a examinar la habitación, levantando el receptor del teléfono, abriendo cada cajón y armario. Yo me senté junto a la ventana y llamé a Mark. Ya estaba en el vestíbulo. No sabía cómo expresar mi gratitud.

—Te lo pagaré —dije.

Él no respondió. La verdad era que no tenía ni idea de cuánto costaba y no podía permitirme devolverle el dinero. Entretanto, mi madre pasó del dormitorio al cuarto de baño y finalmente al pasillo, donde estudió el plano que ubicaba las otras habitaciones, las rutas de la salida de incendios. Cuando terminó, colocó su cartera de pruebas en la mesa de centro, al lado del plato de fruta y la botella de agua mineral de cortesía que habían dejado en la habitación.

\* \* \*

Me acerqué al minibar y elegí una bebida energética con cafeína. Me la serví con hielo y di un sorbo.

—¿Quieres algo, mamá?

Ella negó con la cabeza.

—¿Por qué no comes una fruta?

Examinó el bol y eligió un plátano. Nos sentamos en el asiento de la ventana, más como gente que va de pícnic que como huéspedes de hotel. Mi madre empezó a pelar y cortar el plátano, para compartirlo conmigo.

—Mamá, ¿quién era ese hombre?

MI MADRE ABRIÓ su cartera y sacó del diario una lista manuscrita de nombres. De un vistazo, conté seis.

*

ESE HOMBRE ESTÁ en esta lista de sospechosos. Te la habría enseñado antes, pero estaba segura de que la rechazarías como una fantasía. Y sin embargo, esta lista está cobrando vida ahora. Uno de esos hombres me ha seguido hasta aquí, dispuesto a llegar a donde haga falta para detenerme.

En primer lugar están Håkan y Chris. Tu padre es sospechoso. Lo siento, pero lo es.

Está Ulf Lund, el ermitaño del campo.

Está el alcalde hipócrita, Kristofer Dalgaard, ya te he hablado de él antes; me traicionó al contarle mi historia del alce a Håkan.

Por cierto, todos los nombres de esta lista, incluso Ulf, estuvieron en la celebración del *midsommar* en la que Mia se emborrachó, último lugar donde se la vio con vida en público. Estos seis hombres estaban en la multitud cuando ella lanzó sus flores al aire. Al recordarlo, he tratado de calcular dónde habrían aterrizado las flores si no se hubieran separado, si el cordel no se hubiera desatado, a qué pies habría caído. Aunque no puedo estar segura, creo que Mia buscaba el siguiente nombre de la lista.

Stellan Nilson es un agente, uno de los policías más veteranos de la región. Cobrará mucha importancia en los hechos que siguen. Es más un hermano que un amigo para Håkan. Hasta se parecen físicamente: altos, fuertes, serios. Cuando están juntos, la gente suele preguntarles si son familia y a ellos les encanta la idea. Sonríen y dicen que deberían serlo.

El último nombre de la lista es Olle Norling, celebridad de la radio y la televisión, médico, sobre el papel, aunque no tiene consulta ni pacientes reales. Es un *showman* de éxito, un comediante, y su número de circo consiste en hablar de la sabiduría que enriquece el alma. Presenta espacios de salud en programas de televisión populares, publica libros sobre perder peso sonriendo cincuenta veces al día y otras afirmaciones descabelladas sobre el poder de la mente. Es un doctor de fantasía, un vendedor de humo, pero la gente lo adora, se traga su imagen cultivada de mago amable y comprensivo. De hecho, ha llegado muy alto gracias a la astucia y el autobombo. El doctor Norling fue el primero que me declaró loca.

—Tú no estás bien, Tilde.

Eso es lo que dijo, y en inglés, negando con la cabeza lentamente de un lado a otro, como si sólo deseara lo mejor para mí.

Uno de estos hombres está en Londres, ahora mismo, con Chris, persiguiéndome.

A JUZGAR POR la energía con la que lo había descrito me aventuré a adivinarlo.

—¿El doctor?

\*

EL DOCTOR OLLE NORLING. ¿Por qué está aquí? Después de fracasar en el intento de encerrarme en una institución, su plan es volver a probarlo. No han cambiado de estrategia; por mucho que me dieran el alta en el psiquiátrico y los doctores de verdad declararan que estoy bien, siguen con su plan de encerrarme, aturdirme con fármacos y destruir mi credibilidad. Llegan tarde para impedir que oigas la verdad. Su única opción es romper nuestra relación y obligarte a unirte a su grupo: acabar conmigo porque soy la única fuerza que puede llevarlos ante la justicia. Los conspiradores dudan con razón de la capacidad de tu padre para conseguir ese objetivo. No sé si fue a Norling al que se le ocurrió la idea de cuestionar mi cordura. Desde luego, fue el primero en decirlo en voz alta, poniendo su reputación y sus conocimientos médicos en mi contra. La cuestión de mi estado mental sólo se planteó cuando me negué a aceptar su explicación de lo que le había ocurrido a Mia.

\* \* \*

Después del *midsommar* esperaba hablar con Mia de ese día inquietante. Pero no había ni rastro de ella. Yo estaba asustada. Estábamos en plenas vacaciones de verano. Ella tendría que haber estado al aire libre, en el campo. Me puse a caminar por los cultivos por la mañana, por la noche, observando la granja de Håkan, con la esperanza de ver a Mia en la galería o en la ventana del dormitorio. Pero nunca la veía.

Al cabo de una semana llegó por fin la respuesta. Me había levantado temprano y estaba trabajando en nuestros alojamientos, subida a una escalera alta para pintar las paredes del granero, cuando vi el Saab plateado brillante de Håkan circulando a gran velocidad. Håkan no es ningún fanfarrón peligroso. Yo nunca lo había visto conducir imprudentemente por la carretera. Tenía que tratarse de una emergencia. Estaba esperando que el coche pasara de largo a toda velocidad, así que me quedé atónita cuando torció en nuestro sendero. Håkan bajó y echó a correr hasta nuestra casa sin verme siquiera. Yo me agarré con más fuerza a la escalera, temiendo caer, porque no se me ocurría ninguna explicación que no fuera que le había ocurrido algo terrible a Mia.

Bajé a toda prisa y oí voces estridentes. A través de la ventana, vi a Chris y Håkan en la cocina. Håkan se volvió y salió disparado de la casa, de vuelta a su coche. Solté la pintura y corrí tras él. Apreté una mano contra la ventanilla y dejé huellas amarillas en el cristal, pero necesitaba oírselo decir. Håkan bajó la ventanilla y dijo:
—¡Mia se ha ido!

Lo siguiente que recuerdo es estar tumbada en el sendero de grava, mirando al cielo. Chris me sujetaba la cabeza en su regazo. El coche de Håkan ya no estaba en el camino. Sólo había estado inconsciente unos segundos. Mia enseguida apareció en mis pensamientos. Esperaba que la noticia hubiera sido una pesadilla; tal vez me había caído de la escalera y me había dado un golpe en la cabeza, quizá Mia estaba a salvo. Pero yo sabía la verdad, siempre la había sabido. Mis enemigos te contarán que mi desvanecimiento fue un momento determinante. Perdí el juicio y nada de lo que dije, pensé o afirmé después puede tomarse en serio. Palabras enfermas de una mente enferma. Yo te diré la verdad. El desmayo no significó nada. Acepto que me hizo parecer débil y vulnerable, pero no me volví loca. Lo que ocurrió es que me invadió una abrumadora sensación de fracaso. Había pasado los últimos dos meses consciente de que Mia estaba en peligro y no había hecho nada para protegerla.

Håkan contó lo que había sucedido la noche en que Mia desapareció. Su explicación es la siguiente:

Discutieron.

Ella se enfadó.

Esperó hasta que estuvieron todos dormidos, preparó dos bolsas y desapareció en plena noche. Se marchó sin decir adiós y sin dejar ninguna nota.

Eso es lo que nos contaron. Eso es lo que contaron en el pueblo y eso fue lo que el pueblo creyó.

El agente Stellan, el mejor amigo de Håkan, llegó a su granja. Dio la casualidad de que yo estaba en el campo en ese momento. Vi su coche en el sendero. Conté el tiempo. Al cabo de diecisiete minutos, el agente Stellan se marchó. Los hombres se estrecharon la mano: una investigación de diecisiete minutos concluyó con una palmadita en la espalda.

\* \* \*

Håkan pasó por nuestra granja al día siguiente y explicó que se había dado aviso a la policía en las ciudades principales: Malmö, Göteborg, Estocolmo. Estaban buscando a Mia. Sin embargo, sus posibilidades de acción eran limitadas. Mia no era una niña y buscar fugados era un proceso difícil. Al repetir esta información, Håkan bajó la cabeza para indicar que no encontraba las palabras, que estaba consumido por la pena, o eso se suponía que debíamos creer. Chris lo consoló diciendo que estaba seguro de que Mia volvería, que esa clase de conducta era típica de adolescentes. ¡Su conversación no era real! Era una actuación, los dos estaban actuando para mí, Håkan en el papel del padre con el corazón roto, Chris dándole pie. Pero era más que una actuación, me estaban poniendo a prueba. ¿Me acercaría a Håkan y le pondría el brazo en torno al hombro? No podía hacerlo. Me quedé en el rincón de la sala, lo más lejos posible de él. Si hubiera sido más interesada y astuta lo habría abrazado, habría llorado lágrimas de cocodrilo por su pena falsa, pero no poseo su don para el engaño, así que le dejé perfectamente claro que no le creía, una declaración atrevida de oposición desafiante. Mirando atrás, me doy cuenta de que fue un gran error de cálculo. A partir de ese momento estuve en peligro.

MI MADRE VOLVIÓ a su cartera y sacó un póster. Lo desplegó sobre la mesa de centro y se sentó otra vez a mi lado.

*

ÉSTOS NO SALIERON del ordenador de Håkan. Recurrió a una imprenta profesional y usó papel de máxima calidad. Hasta la composición tiene estilo, casi parece un suplemento sacado de las páginas de *Vanity Fair* o de la revista *Vogue*. Es el cartel de búsqueda de un desaparecido más extravagante del mundo. Estaban en todas partes. Pasé un día localizándolos y conté más de treinta, pegados a los troncos de los árboles, en un tablón de anuncios de la playa, en la iglesia y en los escaparates a lo largo del paseo. La distribución de los carteles me inquietó, porque Mia no iba a esconderse en ninguno de esos sitios. Si había huido, estaría en alguna ciudad. Si se había fugado, se iría lejos, muy lejos, no iba a quedarse a un par de kilómetros de casa. Y si se había fugado, no se lo habría contado a nadie, porque esa información hubiera llegado a oídos de Håkan en un abrir y cerrar de ojos, así que esos carteles no tenían propósito alguno, más allá de señalar con un gesto grandilocuente que Håkan había hecho lo correcto, que estaba cumpliendo con el papel que se esperaba de él.

Mira al pie del cartel...
Una buena recompensa por pistas útiles que no es una errata de imprenta: cien mil coronas suecas, ¡diez mil libras! Lo mismo podría haber ofrecido un millón de dólares, o un cofre de pirata lleno de oro; sabía que nadie proporcionaría nueva información. Era una declaración de mal gusto sobre él mismo: «Mira qué cantidad de dinero estoy dispuesto a pagar. Mi amor por Mia se traduce en un número... ¡Y nunca has visto uno tan alto en un cartel de búsqueda de desaparecidos!»

A juzgar por tu expresión, has interpretado estos carteles como prueba de su inocencia, como se esperaba de ti.

NEGUÉ CON LA cabeza ante la osadía de mi madre, empeñada en saber siempre lo que estaba pensando.

—No creo que estos carteles demuestren que es inocente. No prueban nada. Puedes argumentar con ellos en un sentido y en el contrario. Si no hubiera gastado dinero, si no hubiera puesto carteles o si sólo hubiera puesto un cartel cutre, podrías haberlo acusado de insensibilidad. O de soportar el peso de la culpa.

—Pero no puedo hacer un juicio de algo que no hizo.

—Lo que quiero decir es...

*

NO LO ACEPTAS como prueba. Bien. No lo aceptaremos. No lo necesitamos. No tienes que dudar de su inocencia porque lo diga yo. No tienes que dudar de ella por estos carteles. Duda de ella porque el relato de Håkan de la noche en que desapareció Mia no tiene ningún sentido. En teoría se fugó de la granja el uno de julio. ¿Qué se supone que hizo esta chica de dieciséis años? Mia no tenía coche, ni llamó a ningún taxi. ¿Cómo se marchó de una granja en medio de ninguna parte en plena noche? No estaba en la estación de tren por la mañana. Su bicicleta seguía en la granja. No se fue caminando, no había ningún sitio al que caminar, las distancias eran demasiado grandes. Yo me he fugado de una granja remota. Deja que te cuente, por experiencia personal, que necesitas un plan. Según Håkan, había un margen de diez horas en las que Mia podría haber desaparecido, pero en esas diez horas todo estaba cerrado. Durante muchos kilómetros en todas direcciones el mundo estaba oscuro, una población dormida, ninguna tienda abierta, ningún transporte público. Mia simplemente desapareció. Eso es lo que hemos de creer.

Yo tenía la obligación de hablar con la policía y acudí a ellos sin comentárselo a Chris, porque quería averiguar en qué medida se tomaban el asunto en serio. Pasé por el centro del pueblo en bici. Había mucha gente en las tiendas. El paseo estaba repleto. En la cafetería donde había compartido una tarta con Mia sólo unas semanas antes había otra gente sentada, bebiendo, riendo. ¿Dónde estaba el dolor por esa chica perdida? La búsqueda de tranquilidad es uno de los grandes males de nuestro tiempo. Håkan comprendía eso a la perfección, comprendía que, mientras no hubiera cadáver ni pruebas de un crimen, a nadie le importaría. Todo el mundo preferiría creer que Mia había huido antes que plantearse la posibilidad de que hubiera sido asesinada.

En la comisaría había más silencio que en una biblioteca. Estaba escandalosamente limpia, como si no hicieran nada más que fregar el suelo y limpiar los cristales. Era evidente que esos policías nunca se habían enfrentado a un crimen del que hablar. Eran novatos. En Estocolmo, podría haber tenido una oportunidad, podría haber encontrado un aliado, alguien con experiencia en la oscuridad de los corazones de los hombres. Ahí no, esos hombres y mujeres sólo buscaban un trabajo estable y seguro, sabían cómo seguir la corriente de los tejemanejes de un pueblo.

En la recepción pedí hablar con el agente Stellan. Imaginé una larga espera, varias horas, pero apenas me dio tiempo a leer más de una página o dos de mis notas antes de que Stellan me llamara y me hiciera pasar a su despacho. Quizá porque se parecía tanto a Håkan, lo vi fuera de lugar en una oficina con bolígrafos y papeles. Me invitó por gestos a sentarme y me preguntó en qué podía ayudar. Le dije que por qué no habían hablado conmigo de la desaparición de Mia. Él me preguntó en tono brusco si sabía dónde estaba. Respondí que no, que no lo sabía, por supuesto que no lo sabía, pero que en mi opinión se trataba de algo más que de la simple fuga de una chica. No tuve el valor de explicar mi hipótesis en la comisaría, todavía no, no sin pruebas suficientes. Lo interesante fue que Stellan no me miró como si me hubiera vuelto loca o como si estuviera diciendo disparates. Me miró así...

MI MADRE ME lanzó una mirada que podría haber significado que estaba triste, o que me escuchaba con prudencia, o que estaba aburrida.

*

¡COMO SI YO fuera una amenaza! Estaba calibrando si iba a ser un problema muy grande. Esa comisaría y su agente más veterano no tenían ninguna intención de descubrir la verdad. Al contrario, era una institución que trabajaba para ocultarla. Este caso requería a alguien que fuera escéptico, requería un forastero. Yo no me lo había propuesto, pero me veía obligada a representar ese papel. Le di las gracias a Stellan por su tiempo y decidí que el siguiente paso, la única acción lógica, a falta de una fuerza policial que funcionara, a falta de una orden de registro, era colarme en la granja de Håkan.

MIENTRAS YO PERMANECÍA sentado, inquieto al pensar en mi madre cometiendo un allanamiento de morada, sus manos desaparecieron en el compartimento más profundo de la cartera. No vi lo que estaba haciendo hasta que empezó a sacarlas lentamente. Llevaba dos manoplas rojas y abrió mucho las manos en un gesto solemne para que las inspeccionara, como si fueran tan concluyentes como guantes empapados de sangre. Había algo absurdo en el momento, en la disyuntiva entre la seriedad de mi madre y la originalidad de las manoplas. Pero no tenía ningunas ganas de sonreír.

\*

¡PARA NO DEJAR huellas! Eran los únicos guantes que tenía, manoplas gruesas de Navidad. Empecé a llevarlas en el bolsillo en pleno verano, esperando mi oportunidad de irrumpir en la casa. Tú puedes dar fe de que nunca había hecho nada parecido. No iba a colarme en la casa de Håkan en plena noche como podría hacer un ladrón profesional. Sería oportunista, aprovecharía un momento en que tanto Elise como Håkan estuvieran fuera. Recuerda que hablamos de la Suecia rural, nadie cierra la puerta con llave, no hay alarmas. Sin embargo, el comportamiento de Elise había cambiado desde la desaparición de Mia. No trabajaba. Se sentaba en la galería, perdida en sus pensamientos. Antes la he descrito como alguien permanentemente ocupado. Ya no... Antes de que me interrumpas otra vez, estoy de acuerdo en que eso podría explicarse de muchas maneras. Da lo mismo cómo interpretes el cambio en su carácter, el caso es que así me resultaba más difícil colarme en la casa porque ella pasaba mucho más tiempo allí.

Un día vi que Elise y Håkan salían juntos. No sabía adónde iban ni cuánto tiempo estarían fuera, tal vez sólo unos minutos, tal vez horas, pero era mi única oportunidad y la aproveché. Abandoné mi trabajo en el huerto, corrí a través de los campos y llamé a la puerta sólo para asegurarme de que la casa estaba vacía. No hubo ninguna respuesta. Llamé otra vez, preguntándome, mientras me ponía estas manoplas gruesas, si tendría el valor de abrir la puerta y entrar en su casa. Como cualquier persona sensata, estaba dispuesta a quebrantar la ley si hacía falta. Sin embargo, eso no significa que me resultara fácil.

Ponte las manoplas.
Levanta esa copa.
¿Ves?
Resbalan. Son poco prácticas. Ningún ladrón profesional las elegiría. Me puse nerviosa, porque llevaba manoplas de Navidad en pleno verano, porque estaba intentando entrar en una casa ajena y ni siquiera podía abrir la puerta. El pomo de acero era muy liso y no giró con facilidad. Lo intenté varias veces. Al final tuve que agarrar el pomo con las dos manos.

Esos primeros metros en el interior de la casa, de la puerta de entrada al pie de la escalera, fueron los pasos más intimidantes que he dado en mi vida. Tenía tan arraigadas mis costumbres suecas y mi sentido de cómo hay que comportarse en una casa que hasta me quité los zapatos, una idiotez viniendo de un intruso. Dejé los zuecos en el primer escalón, anunciando mi presencia a cualquiera que regresara.

Nunca había estado en el piso de arriba de esa casa. ¿Qué descubrí? Coge un folleto de cualquier tienda de muebles de gama media y podría mostrarte el dormitorio de Håkan. Estaba limpio y ordenado. Había una cama de pino, armarios de pino, todo inmaculadamente limpio, sin nada en las mesitas, ni pastillas ni libros ni pilas de ropa sucia. Los toques decorativos eran escasos e inofensivos, como decididos por un comité: obras de artistas locales pasables enmarcadas en la pared. Era un muestrario de muebles, no un dormitorio real, y hago mi siguiente comentario no como crítica sino como una observación de alguien que lleva cuarenta años de matrimonio: estaba segura, de pie en ese cuarto, junto a un jarrón lleno de tulipanes de madera pintados, que nadie tenía relaciones sexuales allí. Era un espacio sin sexo, y sí, tienes razón, no tengo pruebas de eso, pero una habitación te dice muchas cosas y, aunque no haya corroborado mi observación, estoy segura de que Håkan satisfacía sus necesidades sexuales en otro sitio. Elise debía de haberse rendido a ese hecho, y por primera vez sentí pena por ella, la leal Elise, una prisionera en ese dormitorio de pino. Estoy segura de que a ella la solución poco elegante de dormir en otro sitio le estaba vedada. Ella era de él. Él no era de ella.

Por deducción, la última habitación de la planta pertenecía a Mia. Eché un vistazo, convencida de que había algún error; ésa no podía ser la habitación de Mia. Los muebles eran idénticos a los de la anterior habitación: el

225

mismo armario de pino, incluso la misma cama de pino que sus padres. El único toque personal que Mia había dado a la habitación era un espejo decorado. No había carteles ni postales ni fotografías. Era diferente a todas las habitaciones de adolescente que he visto, un lugar muy solitario. No era un espacio donde a Mia se le hubiera dado libertad, no, estaba decorada y limpiada según los criterios de Elise. La habitación se percibía como una orden, una orden de que debía convertirse en uno de ellos. Tal vez Mia hubiera dormido en esa habitación, pero no le pertenecía, no hablaba de su personalidad. En nada se distinguía de una habitación de invitados cómoda. Entonces lo noté: el olor. Habían limpiado la habitación a conciencia, profesionalmente, habían hecho la cama con sábanas limpias y planchadas, nuevas, nadie había dormido en ellas. Habían pasado la aspiradora y el cuarto olía a lavanda. Por supuesto, en el enchufe había un ambientador a potencia máxima. Si la policía científica acudía a hacer un examen, estoy segura de que no encontraría ni siquiera la más pequeña partícula de piel de Mia. Aquello era limpieza en un grado siniestro.

Miré en el armario. Estaba lleno. Miré en los cajones. Estaban llenos. Según Håkan, Mia había preparado dos bolsas. ¿Con qué? No daba la impresión de que faltara nada. No puedo comparar porque no sé cuánta ropa había en el armario antes de que Mia se marchara, pero no parecía una habitación saqueada por una chica a punto de fugarse. Había una biblia en la mesita: Mia era cristiana. No tenía ni idea de si creía en Dios o no; pero desde luego no se había llevado la biblia. Miré las páginas: no había notas, no había páginas arrancadas. Busqué el versículo de Efesios que Anne-Marie había bordado días antes de suicidarse. No estaba marcado. Debajo de la biblia había un diario. Al mirarlo, vi una enumeración de datos. Hablaba de trabajos de escuela, pero ninguna referencia a sexo, novios, novias o frustraciones. Ninguna adolescente del mundo tiene un diario así. Mia por fuerza sabía que registraban su habitación. Estaba escribiendo ese diario con el conocimiento de que sería leído: era el diario que quería que Elise y Håkan leyeran. El diario era un truco, una distracción para apaciguar a un padre chismoso, ¿y qué clase de adolescente produce un señuelo documental tan inteligente si no es alguien con mucho que esconder?

Me había prometido no quedarme más de treinta minutos, pero los treinta minutos pasaron deprisa y no encontré ninguna prueba. No podía marcharme con las manos vacías. Decidí quedarme hasta que encontrara algo, ¡no importaba el riesgo! Se me ocurrió que había pasado por alto el espejo. Destacaba por ser diferente. No era antiguo ni de una tienda de muebles, sino un objeto de artesanía, hecho a mano y ambicioso; con forma de espejo mágico, con la madera formando espirales en torno a un cristal ovalado. Al acercarme, me fijé en que el cristal no estaba pegado al marco: había clips de acero arriba y abajo. Se giraban, como llaves, y el cristal quedaba suelto. Tuve que reaccionar para cogerlo antes de que cayera e impedir que se hiciera añicos en el suelo. Detrás del espejo había un espacio profundo tallado en la madera. La persona que había hecho ese inusual espejo tenía una intención oculta. Habían creado un escondite personalizado para Mia. Esto es lo que encontré dentro.

MI MADRE ME pasó los restos andrajosos de un pequeño diario. Tenía una cubierta delantera y otra posterior, pero habían arrancado las páginas interiores. Por primera vez, experimenté una emoción poderosa en respuesta a las pruebas de mi madre, como si ese objeto retuviera algún rastro innegable de violencia.

*

IMAGINA AL RESPONSABLE en acción, sus manos poderosas arrancando las páginas, el aire lleno de palabras. El fuego habría sido una forma más segura de destruir esta prueba, o arrojarla a las profundidades del río. No fue un intento racional de ocultarlo. Fue una respuesta enfurecida a los pensamientos escritos en estas páginas, una expresión de odio que llevaba consigo la implicación de un crimen por venir, o un crimen ya cometido.

Examínalo tú mismo.

No queda casi nada, ninguna de las entradas, sólo fragmentos recortados junto al lomo, dientes de papel con fragmentos de palabras. He contado exactamente cincuenta y cinco letras esparcidas y sólo tres palabras completas.

*Hans*, que en sueco significa «su».

*Rök*, que significa «fumar», y por favor piensa en quién fuma y quién no.

*Räd*, no es una palabra completa, está cortada, y no existe en sueco la palabra *räd*, creo que la segunda «d» está arrancada, debería haber sido *rädd*, «asustada» en sueco.

El diario era demasiado importante para volver a guardarlo. Pero robar los restos del diario de Mia era una provocación, una declaración inequívoca de mi intención de perseguir al culpable y de hacer todo lo necesario para hallar la verdad. Cuando Håkan volviera y descubriera la desaparición del elemento más sugerente de que Mia no había huido de casa, recorrería su granja quemando pistas incriminatorias. En buena lógica, aquella primera oportunidad de reunir pruebas iba a convertirse en la única. No podía marcharme. De pie en el dormitorio de Mia, mientras me preguntaba dónde buscar a continuación, miré a través de los campos y vi el promontorio en la tierra, el refugio subterráneo donde Håkan tallaba esos troles obscenos, el lugar donde estaba la segunda puerta con candado. Al día siguiente podría estar vacío o arrasado. Tenía que actuar en ese momento.

Me guardé los restos del diario de Mia en el bolsillo y encontré un armario de llaves tallado a mano en la pared del pasillo. En las casas de campo siempre hay un montón de llaves, para diversos graneros y tractores. Si las examinaba una a una, como ninguna estaba marcada, iba a tardar horas en probarlas todas, así que corrí al cobertizo contiguo a la casa y robé la cizalla de Håkan. Todavía con mis manoplas rojas, sin dejar huellas, me encaminé a toda prisa al refugio subterráneo. Corté el primer candado y abrí la puerta, buscando a tientas la cuerda de la luz. La visión que me esperaba fue tan inquietante que tuve que contener el impulso de echar a correr.

* * *

En el rincón del refugio había una pila de troles, amonto-
nados como cadáveres, horriblemente desfigurados, cor-
tados por la mitad, con los ojos arrancados, decapitados,
destrozados y astillados. Tardé unos segundos en reunir
la fuerza de voluntad necesaria para pasar por encima del
montículo de troles. Al final, pisé las astillas de madera
para llegar a la segunda puerta, cerrada con un segundo
candado. Era distinto del de la puerta exterior, mucho
más duro. Por fin, después de un gran esfuerzo, las hojas
de la herramienta cortaron el acero. Tiré de la segunda
puerta y la abrí.

Dentro había una mesa de plástico. Encima de la mesa,
un estuche de plástico. Dentro del estuche había una cámara de vídeo digital. Miré para ver si había algo en la
memoria. La habían borrado. Había llegado demasiado
tarde. Las respuestas habían desaparecido. En su lugar
sólo había más preguntas. La sala estaba equipada con
enchufes, una fila de cinco. ¿Para qué? Las paredes estaban cubiertas de espuma de poliuretano para insonorizar.
¿Para qué? El suelo estaba impecablemente limpio. ¿Por
qué si el espacio de al lado estaba hecho un desastre?
Antes de que pudiera examinar nada más, oí gritos en la
granja. Era la voz de Håkan.

Dejé la cámara y corrí hacia la puerta exterior; la en-
treabrí y eché un vistazo. El refugio era visible desde la
casa. Estaba atrapada. No había árboles cerca, no había
matorrales ni ningún sitio para esconderse. Vi a Håkan
en el cobertizo. Yo había dejado la puerta abierta como
una tonta y él estaba examinando la propiedad, sin duda
preguntándose si le habían robado. Enseguida se fijaría
en que faltaba la cizalla. Llamaría a la policía. Había muy
poco tiempo. En cuanto Håkan estuvo de espaldas, eché

230

a correr hacia los cultivos, lo más deprisa que pude. Al alcanzar el borde del trigal me lancé al suelo. Esperé entre las espigas, recuperando el aliento. Hasta que encontré el valor para levantar la mirada. Håkan estaba caminando hacia el refugio, a sólo cien metros de distancia. Cuando entró en el refugio, aproveché la oportunidad y me alejé a rastras.

Al alcanzar el borde de nuestra tierra me di cuenta de que por alguna razón me había llevado los dos candados. Decidí enterrarlos profundamente en el suelo, me quité las manoplas, me las guardé en el bolsillo, encima del diario, y volví caminando, sacudiéndome el polvo de la ropa. Recogí la canasta que había dejado junto al huerto ya llena de patatas, y entré en mi casa, diciendo en voz alta que había elegido algunas patatas preciosas para cenar. Sin embargo, como Chris no estaba en casa, no me hizo falta usar mi coartada; si ellos habían usado el salmón como coartada, ¿por qué no podía usar yo las patatas? Me puse a lavarlas y pelarlas, un montón, cuantas más mejor, para poder explicar qué había estado haciendo por la mañana si me lo preguntaban.

Más o menos al cabo de una hora, con un enorme montón de patatas a mi lado, suficiente para diez granjeros hambrientos, oí a Chris en la puerta y me volví, dispuesta a contarle la historia inocente de mi mañana, pero vi la figura alta y solemne del agente Stellan junto a la entrada.

MI MADRE NO había terminado con las manoplas. Las recogió y se las guardó en un bolsillo de los tejanos de manera que sobresalía parte de la tela.

*

EL AGENTE QUERÍA hacerme algunas preguntas y las manoplas seguían en mi bolsillo.

¡Así!

La punta roja del pulgar sobresalía del bolsillo, y debajo estaba el diario robado de Mia. Había enterrado los candados, pero me había olvidado de las manoplas, y era pleno verano, así que no había ninguna razón para que las llevara en el bolsillo. Si las veía me pillarían, porque las manoplas llevarían al diario. Si me pedían que vaciara los bolsillos, iría a la cárcel.

Stellan no hablaba bien inglés. En este caso, necesitaba comunicarse en sueco para estar absolutamente seguro de lo que decía y de lo que le contaban. Le pedí a Chris que esperara mientras hablábamos. Yo traduciría al final. Me senté a la mesa de la cocina con Stellan frente a mí y Chris de pie. En cierto sentido, la situación había tomado la apariencia de un interrogatorio, esos dos hombres contra mí. Chris no estaba a mi lado, sino junto al agente. Pregunté si aquello tenía relación con Mia. Stellan dijo que no, que no se trataba de Mia; en eso fue categórico, y luego explicó que alguien había irrumpido en la granja de Håkan y había cortado los candados del cobertizo de los troles. Creo que dije algo como «Es terrible» antes de preguntar qué se habían llevado, y él me dijo que no se habían llevado nada, que habían cortado los candados pero no faltaba nada salvo los mismos candados. Dije que era curioso, muy curioso, que quizá los ladrones buscaran algo específico, todo con la intención de provocar que Stellan hablara de aquella segunda sala, tan siniestramente limpia como el dormitorio de Mia, pero, en lugar de morder el anzuelo, él se inclinó hacia delante y me dijo que en esa parte de Suecia no había robos. Incidentes como ése eran excepcionalmente raros. No me gustó su manera de mirarme. Me parecía acusatoria, agresiva. Tampoco me gustó la referencia a «esa parte de Suecia», hablando como si él fuera el guardián de aquel reino y yo, una forastera de la que desconfiar, como si yo hubiera llevado el crimen a la región por el simple hecho de ser extranjera, ¡aunque sea sueca de nacimiento! No estaba dispuesta a dejarme intimidar por él. No me importaba su tamaño físico ni su estatus, así que imité su postura y también me incliné hacia delante. Al hacerlo noté el bulto de las manoplas contra el muslo. Le pregunté cómo estaba seguro de que se había cometido un delito cuando no se habían llevado nada. Stellan dijo que claramente había un intruso porque faltaban dos candados. Y contesté, complacida con mi lógica, que el hecho de que algo desapareciera no era prueba de un delito. Una chica joven había desaparecido —una joven hermosa, Mia, había desaparecido—, pero no creían que se hubiera cometido un crimen. ¿Por qué eso debería ser diferente? ¿Por qué había que tomar la desaparición de dos candados más en serio que la de una joven? ¿Por qué el caso de unos candados desaparecidos se convertía, de manera absoluta y decidida, en un delito serio como jamás se había visto por allí? Y el otro caso, una chica desaparecida en plena noche sin dejar ningún rastro, ¿era una cuestión familiar que sólo requería unos minutos de su tiempo de investigación? No lo comprendía, dos candados fáciles de sustituir, que podían comprarse en cualquier sitio, dos candados sin ningún valor que no representaban nada querido, y ellos se comportaban como si debiéramos quedarnos asustados en nuestras casas porque nunca antes había desaparecido un candado en esos parajes. Quizá era cierto, quizá era el sitio más seguro del mundo para los candados, pero no podía ayudarlos con el misterio de los candados desaparecidos, por grave que fuera el caso. Les dije que, si querían mi consejo, ya podían dragar el río o excavar la tierra, que buscaran en los bosques, en casa no teníamos ningún candado desaparecido.

¿Qué iban a hacer? ¿Detenerme?

VI CÓMO MI madre sacaba con delicadeza una caja de cerillas del compartimento más pequeño de la cartera. La apoyó con sumo cuidado en la palma de la mano. Con un movimiento del dedo abrió un lado. Vi un rebozuelo en un lecho de algodón:

—¿Una seta?

—Es sólo la mitad de la prueba.

Mi madre se sentó a mi lado, y fue una de las pocas ocasiones en las que pude verla debatiéndose sobre la mejor forma de presentar su prueba.

\*

TÚ Y YO íbamos muchas veces a buscar rebozuelos cuando eras niño. Éramos un equipo formidable. Te movías muy deprisa entre los árboles y tenías buen ojo para ver dónde crecían. Nos pasábamos el día buscando y no volvíamos a casa hasta que teníamos las canastas bien repletas. Pero cuando los servía sobre una tostada con mantequilla, apenas salteados, no soportabas su sabor. Una vez hasta lloraste. ¡Estabas decepcionado porque no podías decir que te parecían tan deliciosos como a mí! Estabas seguro de que me decepcionarías. De toda la gente del mundo, tú puedes dar fe de mis conocimientos: nunca he cogido una seta que fuera peligrosa.

ASENTÍ CON UNA inclinación de cabeza.

—Nunca, que yo sepa.

Mi madre insistió para que me implicara más:

—¿Te resulta difícil creer que pudiera cometer un error así?

—Sí, me resulta difícil.

*

CUANDO SE MARCHÓ el agente de policía, Chris sugirió que tal vez yo había soportado demasiada presión con los preparativos de nuestros graneros para turistas. Estaba trabajando catorce horas al día, siete días por semana. Dijo que había perdido peso y que necesitaba disfrutar más de la vida en Suecia. Propuso que fuéramos al bosque a pasar un día relajante cogiendo setas, como si la idea acabara de ocurrírsele. No estaba segura de si su propuesta era auténtica, pero la había presentado tan bien que no encontré razón alguna para rechazarla. Le concedí el beneficio de la duda, por supuesto que sí.

Al día siguiente estaba lloviendo. Chris dijo que no importaba, porque no le interesaba cancelar nuestros planes. Como no me molestaba un poco de lluvia, fuimos en bici hacia el norte, a los bosques, al mismo bosque donde estaba la Isla de la Lágrima. Traté de no pensar en el islote ni en las visitas de Chris. Nos apartamos de la carretera y subimos por una pista de tierra. Las zonas de acceso fácil no son buenas. Teníamos que adentrarnos más, alejarnos de los senderos y llegar a partes del bosque que nadie había tocado, a los lugares más remotos. Dejamos las bicicletas a cubierto bajo un árbol, cerca del río. Cogimos las canastas; estaban acolchadas con papel de periódico para que las setas de la primera capa no se aplastaran ni se rompieran. Al cabo de un rato, llegamos a una pendiente de rocas enormes, rocas del tamaño de coches. Algunas estaban completamente cubiertas de musgo. Como dudaba que mucha gente escalara esa pendiente para encontrar setas, señalé la cima y dije que iba a buscar allí. Empecé a escalar sin esperar respuesta. Trepaba por la piedra y de vez en cuando me resbalaba un pie en el musgo. Desde arriba se divisaban miles de árboles: abetos, pinos y abedules blancos hasta donde alcanzaba la vista, sin carreteras, sin gente, sin casas, sin líneas de tendido eléctrico, sólo los bosques como habían sido cuando yo era niña y como seguirían siendo mucho después de mi muerte. Chris me alcanzó y se puso a admirar el paisaje mientras recuperaba el aliento.

Chris nunca se ha tomado lo de coger setas tan en serio como tú o como yo. Es poco entusiasta con el esfuerzo. Le gusta pararse a fumar y charlar. Yo no quería cargar con él. Acordamos reunirnos donde habíamos dejado las bicicletas y fijamos una hora hacia el final del día. Enseguida lo dejé atrás y no tardé en encontrar unos cuantos rebozuelos pequeños en un racimo. Los corté con mi navaja especial en lugar de arrancarlos, para que volvieran a crecer. Al cabo de unos minutos ya llevaba un buen ritmo y avanzaba casi todo el tiempo agachada entre los huecos húmedos y sombríos de donde brotaban. Entonces, debajo de una raíz expuesta de un árbol viejo encontré el cofre del tesoro, veinte o treinta setas juntas, suficientes para que exclamara de gratitud, como si el bosque me hubiera hecho un regalo. No hice ni una pausa para comer, no paré hasta que la canasta estuvo llena a rebosar, como cuando cogíamos setas juntos. Habrías estado orgulloso de mí.

Al final del día, me quedaba una larga caminata de vuelta. Estaba cansada pero feliz, lo más feliz que había estado en mucho tiempo, entregada al recuerdo de la verdadera razón por la que había vuelto a mi país: para vivir sensaciones como ésa. La lluvia fina había seguido cayendo sin parar y al cabo de varias horas tenía el pelo empapado, pero no me importaba. Me lo alisé con las manos y me escurrí toda el agua de lluvia. Estaba segura de que Chris ya llevaría un buen rato sin buscar setas. Estaría junto a las bicicletas, a resguardo, quizá habría encendido una hoguera al lado del río: eso era lo que de verdad esperaba.

Cuando llegué a las bicicletas, no había ninguna hoguera. Chris estaba sentado junto al río, en el tronco de un árbol caído, fumando la hierba de Håkan, de espaldas a mí, con la capucha puesta. Dejé mi cesta junto a la bicicleta, al lado de la suya, que estaba vacía, sin una sola seta, y fui a sentarme con él junto al río. Se volvió y sonrió. Me llevé una sorpresa, porque creía que estaría enfadado. Debía de llevar varias horas esperando. Me dijo que me sentara y se ofreció a ir a buscar una taza de té de nuestro termo. Yo tenía las manos empapadas y los dedos agarrotados. Estaba deseando tomar algo caliente. Pasaron varios minutos y no llegó el té. Al final oí que gritaba mi nombre.

—¿Tilde?

Algo iba mal. Me levanté y vi a Chris de pie junto a las bicicletas, mirando mi canasta. Parecía inquieto. Pensé: «Ahora saltará la trampa.» No tenía ni idea de qué clase de trampa sería, pero sentía que cerraba sus fauces en torno a mí. Mi felicidad había sido autocomplaciente. Asustada, caminé despacio hacia él, sin saber qué esperar. Chris se agachó y levantó mi cesta. En lugar de rebozuelos, estaba llena de esto...

MI MADRE ABRIÓ el otro lado de la caja de cerillas, desvelando una hoja de abedul plateada sobre un lecho de algodón.

*

¡HOJAS, DANIEL!

¡Hojas!

¡La canasta estaba llena de hojas! La mirada de Chris estaba cargada de falsa compasión. Me llevó unos segundos entender las consecuencias. No era ninguna broma. Estaba afirmando que había pasado todo el día recogiendo hojas. Cogí la capa superior de hojas y las aplasté; hundí las manos hasta el fondo. Todos los rebozuelos habían desaparecido. Lancé las hojas al aire. Chris se limitó a quedarse allí mientras caían en torno a nosotros. La situación era ridícula. No podía haber cometido un error tan extraordinario. Entonces recordé mi navaja. Estaba manchada con tallo de rebozuelo. Así que blandí la navaja, simplemente como una prueba. Chris se echó atrás, como si estuviera amenazándolo. Tardé en comprender la naturaleza de la trampa. Sólo quedaba una explicación: Chris había sustituido los rebozuelos por esas hojas. Las había recogido mientras estábamos separados. Sabía que nos separaríamos. Sabía que tendría tiempo para volver y hacer sus preparativos. Mientras yo estaba esperando el té, él dio el cambiazo. Grité, exigí que me dijera dónde estaban las setas. Le palpé los bolsillos. Estaba convencida de que las setas estaban cerca. Quizá había preparado un agujero y las había echado allí y luego las había enterrado, cubriéndolas con tierra suelta. Empecé a cavar, como un perro en busca de un hueso. Cuando levanté la cabeza vi a Chris viniendo hacia mí, con los brazos separados, como para estrangularme. Esta vez usé el cuchillo, di una cuchillada al aire y le dije que retrocediera. Él trataba de tranquilizarme como si yo fuera un caballo asustado, pero el sonido de su voz me puso enferma. Tenía que huir, así que corrí al bosque. Cuando miré atrás, estaba persiguiéndome. Apreté el paso y me dirigí a terreno más alto. En el llano no podía ganarle, pero yo era una ágil escaladora; él fumaba, yo estaba más en forma para largas distancias. Casi me había atrapado. Se estiró y con las yemas de los dedos casi alcanzaba a tocarme el chubasquero. Grité y alcancé la base de la pendiente de rocas. Empecé a subir a cuatro patas. Entonces sentí que me agarraba la pierna y solté una patada y otra y otra hasta que le golpeé en la cara. Con eso gané algo de tiempo. Desde debajo de la pendiente, él gritó mi nombre, esta vez no como una pregunta sino como un estallido de furia.

—¡Tilde!

Mi nombre resonó en el bosque, pero no miré atrás. Llegué a la cima y corrí tan deprisa como pude hacia el bosque y dejé a Chris gritando al pie de la colina.

Al final me derrumbé de agotamiento. Me quedé tumbada bajo un árbol en el musgo húmedo, notando la lluvia fina en la cara, tratando de comprender el alcance completo del plan que habían tramado contra mí. Cuando el cielo se oscureció, oí que gritaban mi nombre, no una sola voz sino varias. Con cautela, seguí el sonido de las voces hasta el risco de rocas y vi los haces de luz de varias linternas que se entrecruzaban entre los árboles. Los conté: uno, dos, tres, cuatro, cinco, seis, siete. Siete haces de luz, siete personas que me buscaban. Era una partida de búsqueda. En cuestión de horas, desde mi pelea con Chris, se había movilizado una partida de búsqueda. Era una reacción exagerada. No había necesidad de reclutar a tanta gente a menos que necesitaras testigos, a menos que necesitaras que quedara constancia oficial de ese incidente manipulado. Chris probablemente había hecho una declaración, les había mostrado las bicicletas, la canasta llena de hojas como si fuera una prueba, les había mostrado el lugar donde yo había blandido el cuchillo ante él. Había sido rápido y listo. Yo había sido temperamental y estúpida.

Considera el carácter de Chris. Puedes dar fe de que siempre ha odiado a las autoridades: rehúye a los médicos y nunca se ha fiado de la policía. Si fuera inocente, me habría buscado él solo. ¿Cuál es la probabilidad de que llamara a la policía para organizar una partida de búsqueda oficial? La probabilidad es nula. No estaba herida ni perdida; soy una persona adulta y no tengo ninguna necesidad de que me ayuden a salir del bosque como a un niño perdido. Sólo me quedaba una opción para reafirmar mi autoridad y probar mi claridad mental. Comenzaría a buscar yo sola el camino de regreso a la granja. Así demostraría que era competente. Hay una frase legal para esto, un término que he oído un montón de veces en las últimas semanas, un término en latín, *non compos mentis*, que no está en su sano juicio. Si me encontraban sola y muerta de frío, vagando por esos bosques, creerían que estaba loca. No estaba perdida, estaba *compos mentis*, y, en cuanto localicé el río, me resultó tan fácil como seguir las aguas rápidas hasta casa.

\* \* \*

Era medianoche cuando llegué a nuestra granja. Había varios coches en el sendero. Mis enemigos me estaban esperando. Reconocí el Saab de Håkan y el coche del agente Stellan. Pero el otro coche era un misterio para mí. Era caro e impresionante. Me superaban en número. Consideré por un instante la idea de huir, por infantil que pareciera. No tenía ningún plan. No llevaba mi cartera ni mi diario. Lo más importante, no podía abandonar mis responsabilidades con respecto a Mia. Si huía, mis enemigos lo usarían para apoyar su tesis. Afirmarían que actuaba de manera errática e ilógica. Al entrar en la granja, me temía una emboscada. Aun así, no estaba preparada para lo que ocurrió a continuación.

El coche caro y misterioso pertenecía a Olle Norling, el célebre doctor. Tal vez hubiéramos coincidido en alguna fiesta, pero hasta ese momento yo no había sido merecedora de su atención; fue la primera ocasión en que hablamos directamente. Chris estaba en el rincón, con una venda en la ceja. Supuse que se debía a la herida que le había hecho al darle una patada en la cabeza cuando trataba de escapar. Ahora formaba parte de las pruebas contra mí, junto con las hojas plateadas de los abedules. Pregunté qué estaba pasando, sin ninguna agresividad. Tenía que mantenerme serena y expresarme bien, sin emotividad. Aquellos hombres iban a usar la emoción para atraparme. Tratarían de provocarme y luego dirían que estaba histérica. No esperé ninguna respuesta; describí nuestra estúpida pequeña discusión en el bosque. Contrariada, había vuelto a casa caminando. Ese resumen liquidaba por completo la cuestión, no había ocurrido nada más extraordinario, y entonces... ¿por qué estaba ahí la policía? ¿Y por qué los agentes no estaban buscando a Mia? ¿Por qué el gran doctor Norling no estaba en su programa de radio y el poderoso Håkan no se ocupaba de su imperio empresarial? ¿Por qué estaban reunidos allí, en nuestra modesta casa, con aquella solemnidad de velatorio?

Las primeras palabras de Norling fueron:
—Estoy preocupado por ti, Tilde.
Hablaba inglés a la perfección. Su suave voz era como un cojín en el que podrías apoyar la cabeza y quedarte dormida con el sonido de sus acusaciones. Pronunció mi nombre como si yo fuera una amiga querida. No era de extrañar que los espectadores lo adoraran. Era capaz de imitar el sonido del afecto genuino de una manera impecable. Tuve que pellizcarme para no creerle. Pero era mentira, el truco de un *showman* profesional.

Al ver a mis enemigos formados contra mí, me di cuenta de la extensión de sus respectivas pericias. Eran los pilares de la comunidad. Y tenían un infiltrado, Chris, un aliado que podría proporcionarles una serie de detalles personales, quizá lo hubiera hecho ya, quizá les hubiera hablado de Freja. La idea me aterrorizó. Sin embargo, lo que me sorprendió más fue la presencia de la caja oxidada en medio de la sala, colocada en una mesa entre los conspiradores, la caja oxidada que había guardado bajo el fregadero meses antes, la caja que había salvado de los poceros, la caja que había encontrado un metro bajo el suelo y que sólo contenía viejas páginas en blanco destruidas por el agua. ¿Por qué esa caja sin valor ocupaba un lugar tan prominente? El doctor Norling se fijó en que estaba mirándola. Levantó la caja y me la ofreció como si fuera un regalo.
—Ábrela para nosotros, Tilde —me ordenó con esa voz suave y amable.
Su manera de pronunciar mi nombre me pareció detestable.
—Ábrela, Tilde.
Así que lo hice.

POR SEGUNDA VEZ, mi madre sacó de la cartera la caja oxidada. La puso en mi regazo.

*

NORLING PREGUNTÓ POR qué creía yo que la caja podía ser importante. Yo no lo sabía. Y se lo dije. No tenía sentido. Norling no me creyó y me preguntó si estaba segura. ¡Menuda pregunta! Por supuesto que estaba segura. Una persona siempre puede estar segura de lo que no sabe. En cambio, puede que no esté segura de lo que sí sabe. Pero yo no tenía ni idea de las razones por las que estos hombres de repente se habían puesto tan serios con un montón de hojas de papel dañadas por el agua, arrugadas y descoloridas y de más de cien años de antigüedad, páginas que estaban completamente en blanco cuando descubrí la caja.

Adelante, abre la caja.

Saca las hojas.

Dales la vuelta.

¿Lo ves?

¡Ya no están en blanco! ¡Están escritas! En una hermosa caligrafía sueca anticuada, en sueco, por supuesto, sueco tradicional, sueco pasado de moda. Estaba anonadada. ¿Era posible que hubiera pasado por alto lo escrito en la parte de atrás, dando por hecho que también estaba en blanco? Había transcurrido tanto tiempo que no podía recordar con claridad si había verificado las páginas de una en una, o no. Norling me pidió que las leyera. Exclamé en inglés:

—¡Esto es un montaje!

No conocía la expresión en sueco. Norling dio un paso adelante para acercarse y preguntó por qué pensaba que era un «montaje», repitiendo el término en inglés antes de traducirlo para el agente Stellan, con una mirada cómplice, como si la frase respaldara su teoría de que mi mente estaba asolada por la paranoia, de que tenía la cabeza saturada de conspiraciones. Afirmé que las hojas estaban en blanco cuando las encontré. No había nada escrito. Norling repitió su petición de que leyera las páginas en voz alta.

Déjame leerte estas páginas, porque ya no entiendes el sueco tan bien como antes. La traducción será aproximada. No está en sueco moderno. Quiero añadir, antes de empezar, que nadie afirma que estas páginas sean auténticas, ni yo ni mis enemigos. Alguien ha escrito estas páginas recientemente, en verano. Son una falsificación. Eso no se discute. La cuestión que has de responder es quién las falsificó y por qué.

MIRÉ DE REOJO el manuscrito, escrito elegantemente en una extraña tinta marrón que daba la impresión de haber fluido de una estilográfica. Mi madre captó mi mirada.

—Pensaba hacerte la pregunta después de terminar de leerte el diario. Como te has adelantado, lo preguntaré ahora.

Me pasó una página:

—¿La letra es mía?

Usando su diario, comparé las dos.

—No soy un experto —dije como preámbulo a mi juicio.

Mi madre desdeñó mi excusa:

—Eres mi hijo. ¿Quién podría ser más experto? ¿Quién conoce mi letra mejor que tú?

No había ninguna similitud entre los dos estilos. Que yo supiera, mi madre no tenía ninguna pluma, y aún era más raro que la usara con tanta fluidez. Ella prefería los bolígrafos de usar y tirar y muchas veces mordía la punta mientras trabajaba en sus cuentas. Y lo más importante, la caligrafía no parecía fruto de una distorsión deliberada o de un intento de camuflaje. No había letras abruptas o erráticas. Aquella escritura poseía una naturaleza propia, completa y consistente. Le dediqué el tiempo necesario, tratando de encontrar alguna conexión, aunque fuera una sola letra. No pude. Mi madre se impacientó:

—¿Esto es mi letra? Porque, si dices que no, entonces has de aceptar que soy víctima de una conspiración.

—Mamá, que yo sepa, no es tu letra.

Mi madre se levantó y dejó las hojas en la mesa de centro. Caminó hasta el cuarto de baño. La seguí:

—¿Mamá?

—No debo llorar. Prometí que no habría lágrimas. Pero estoy muy aliviada. Por esto he venido a casa, Daniel. ¡Por esto he venido a casa!

Mi madre llenó la pila con agua caliente y desenvolvió la pastilla individual de jabón para lavarse las manos y la cara. Se fijó en el montón de toallas limpias y usó la de encima para secarse. Me sonrió como si el mundo se hubiera enderezado. La sonrisa, un recordatorio de su gran capacidad para ser feliz, me pilló por sorpresa. Sin embargo, en ese momento evocó más bien la aparición de un ave rara y exótica, atisbada sólo de manera fugaz.

—Me has quitado un peso de encima —me dijo.

Si se lo había quitado de encima, ahora descansaba en mis espaldas.

Apagó la luz y regresó a la sala principal, tomándome la mano al pasar para llevarme de nuevo a la ventana, donde observamos el sol que terminaba de ocultarse.

\*

ESTAS PÁGINAS SON un engaño elaborado. Su propósito es sugerir que yo soy la autora y que por consiguiente no estoy bien y necesito ayuda. Cuando las lea en voz alta, apreciarás la profundidad de su truco. Son astutas referencias a mi vida. No necesitaré señalártelas, las oirás tú mismo. Pero la letra no se parece a la mía y cuando cuentes ese simple hecho a la policía tendremos pruebas, no sólo una opinión, sino pruebas de la culpabilidad de mis enemigos. Sostienen que estas entradas de diario fueron producto de mi imaginación enferma, que yo creé el diario de un personaje de ficción, una mujer que vivía en mi granja hace más de cien años, en mil ochocientos noventa y nueve, una mujer que sufría la soledad y el aislamiento. Es un ataque audaz y creativo, concederé eso a mis enemigos, mucho más sutil que el truco de las setas en el bosque. Pero no contaron contigo, no contemplaron la posibilidad de que escapara de Suecia y te encontrara, mi precioso hijo, alguien ajeno a los acontecimientos de este verano y capaz de confirmar que ésta no es mi letra y que yo no escribí este diario.

Sin sentarse, mi madre cogió las hojas. Adoptó la pose de un actor que lee el texto de una obra, pero una obra por la que siente poco respeto, comunicando así su desprecio, la distancia que lo separa de las palabras.

1 de diciembre. La vida es solitaria en esta granja. No veo el día en que mi marido regrese de sus viajes. Con suerte, será cualquier día de éstos.

4 de diciembre. No hay suficiente madera seca para otra semana. Tendré que aventurarme al bosque y cortar un poco más, pero el bosque está lejos y el clima es extremadamente frío. Hay mucha nieve acumulada. Racionaré la leña que queda y confiaré en que amainen las nevadas y vuelva mi marido.

7 de diciembre. La necesidad de leña es desesperada y no puede posponerse más. Continúa nevando. Será duro alcanzar el bosque y todavía más regresar con la leña que consiga cortar. Una vez que recoja la leña, la apilaré en mi trineo y la arrastraré hasta aquí. Iré mañana, haga el día

que haga. No tengo elección. No puedo esperar más.

8 de diciembre. Mi primera visita al bosque ha sido un éxito. He arrastrado el trineo vacío por el río helado, porque la nieve es más fina en el hielo que sobre la tierra. Mi avance era lento pero firme. En la linde del bosque, tenía la intención de buscar árboles que hubieran caído durante las tormentas del invierno, porque sería más fácil hacer leña de ellos. Al cabo de un rato he encontrado un árbol caído y lo he cortado lo mejor que he podido. Una vez cargado hasta arriba, el trineo pesaba tanto que no podía tirar de él y me he visto obligada a dejar la mayor parte de la madera. Volveré a por los troncos mañana. Pero estoy contenta y esta noche por primera vez en semanas he disfrutado del calor de mi fuego.

9 de diciembre. Al regresar al bosque para recoger la leña que quedaba, he visto un alce gigante de pie en medio del río helado. Cuando el animal ha oído el sonido de mi trineo en el hielo, se ha dado la vuelta y me ha mirado antes de desaparecer entre los árboles. Mi alegría ha durado hasta que he descubierto que la leña que había cortado había desaparecido. Alguien la había robado. Había huellas en la nieve. Tenía muchísimo frío, así que no debería haberme sorprendido que otra gente estuviera buscando leña, salvo por el hecho de que nuestra granja es solitaria y no hay nadie cerca de nosotros. Además, esas huellas se adentran en el bosque, no vuelven hacia tierra habitable. ¿Podría haber alguien en estos bosques?

\* \* \*

10 de diciembre. Hoy no he visto al alce. He caminado más lejos que antes. Con la nieve tan profunda, encontrar leña caída resulta más difícil, y estaba agotada. He vuelto con muy poca.

11 de diciembre. He visto las huellas otra vez. Aunque se adentraban más en el bosque, he decidido seguirlas, con la esperanza de encontrar mi montón de leña o a la persona que la había robado. Las huellas me han conducido a una isla en medio del lago helado. En esta pequeña isla había una cabaña de madera. Era mucho más pequeña que una casa. No había luz en las ventanas y no estoy segura del propósito de esta cabaña. Fuera estaba la leña que yo había cortado. He llamado a la puerta, pero nadie ha respondido. Al ver que se trataba de mi madera, he cogido toda la que necesitaba. Me he alejado a toda prisa de esa cabaña extraña, porque tenía miedo de que me atraparan.

14 de diciembre. Durante varios días he estado demasiado asustada para volver al bosque por si me topaba con el habitante de esa cabaña. Pero mis reservas de madera se han agotado y me he visto obligada a volver, decidida a recuperar algo más de madera de la cabaña. En caso de necesidad, estaba dispuesta a enfrentarme a la persona que me ha robado la madera. Al alcanzar la isla, he visto luz en la ventana de la cabaña. Había un hombre dentro. Estaba asustada y he comprendido que era peligroso. Me he apresurado a alejarme, arrastrando mi trineo, pero los esquís de acero han hecho ruido al rayar el hielo y al volverme he visto al hombre fuera de la cabaña. Ha empezado a caminar hacia mí. Estaba tan asustada que he abandonado mi trineo y he echa-

do a correr tan deprisa como podía, resbalando en el hielo, sin mirar atrás hasta que he salido del bosque. Ha sido una estupidez. Ahora no tengo madera ni trineo. Estoy desesperada.

17 de diciembre. La granja está congelada. No puedo entrar en calor. ¿Dónde está mi marido? No se sabe nada de él. Estoy sola. Mis dedos se esfuerzan por aguantar esta pluma. Debo recuperar mi trineo. Me enfrentaré al hombre de la cabaña. No tiene derecho a quedarse mi propiedad. ¿Por qué me dejé llevar por el pánico? Debo ser fuerte.

18 de diciembre. He regresado a la isla, y a la cabaña, con el hacha preparada para defenderme si hacía falta. Desde cierta distancia he visto luz en la ventana de la cabaña. Salía humo de la chimenea. Me he dicho a mí misma que tenía que ser valiente. En la punta de la isla he encontrado mi trineo cargado de leña cortada. Parece que me equivocaba con ese hombre. No era mi enemigo. Era mi amigo. He sentido una gran alegría y he decidido darle las gracias por el trabajo que había hecho con tanta amabilidad. Quizá lo único que quería a cambio era mi compañía. Tiene que ser solitario vivir en estos bosques. He llamado a su puerta. Nadie ha respondido. He abierto la puerta. Delante de mí he visto a una mujer deforme, con el vientre hinchado y los brazos delgados como palos. Estaba a punto de gritar cuando me he dado cuenta de que la mujer era mi reflejo en un espejo curvo. ¡Qué extraño tener un espejo así! Pero me esperaban más descubrimientos extraños en esa cabaña. No había ninguna cama. En cambio, había una pila de virutas de madera en el rincón. No había comida en la cabaña ni ninguna

cocina. ¿Qué clase de hogar era? Me he sentido cada vez más incómoda y me he marchado. Ya no quería dar las gracias a ese hombre. De vuelta en la granja, mientras hacía fuego, me he fijado en que todos los troncos que había llevado a casa tenían rostros tallados en ellos. Eran caras grotescas con ojos espantosos y dientes afilados. No podía quedármelos. Me asustaban. Los he arrojado al fuego y se ha formado una pira de caras quemadas. Ha sido un despilfarro. De repente, he sentido un picor terrible en la espalda, como si una criatura me estuviera mordiendo la piel. Me he arrancado la blusa y la he tirado al suelo, pero no ha caído ningún insecto, sólo unas virutas de madera. Las he recogido y las he arrojado al fuego, prometiéndome a mí misma que, por más frío que tuviera, nunca volvería a esa cabaña. Pero me temo que volveré. Me temo que no hay elección. Y tengo miedo de lo que ocurrirá cuando vuelva.

DURANTE SU LECTURA, el desprecio de mi madre por el texto se había ido mitigando. Al final, había quedado atrapada en la historia, incapaz de mantener la distancia que había establecido al principio. Tuve la impresión de que mi madre era consciente de las señales contradictorias que había estado enviando. Hablando ya sin desprecio, devolvió las hojas a la caja:

—Ésta es la última entrada.

Cerró la tapa y me miró.

—¿Qué conclusión sacas?

La pregunta era peligrosa, lo mismo que preguntarme si íbamos a ir a la policía o al médico.

—Es sofisticado.

—Así de serios y decididos son mis enemigos.

—¿Chris podría haber escrito esto?

—No fue tu padre. Fue el doctor Norling. Håkan se lo aconsejó.

—¿Por qué iba a acceder a hacerlo?

—Está implicado.

—¿Implicado en qué?

—Mia es sólo la punta del iceberg.

—¿Vas a explicarme qué quieres decir con eso?

—Muy pronto.

Regresé a su cronología de los hechos:

—¿Qué ocurrió a continuación? Estás en la casa, en el salón. Está el agente, el doctor. Están Chris y Håkan. Te han hecho leer estas páginas delante de ellos. Te están observando. ¿Y entonces?

*

ESTABA ASUSTADA. Pero simulé mantener la calma. Me negué a morder el anzuelo y afirmar que estaba escrito por Håkan. El diario era una trampa. Querían provocarme. Esperaban que me pusiera furiosa y asegurara que lo había escrito uno de ellos. No tenía pruebas de su implicación. Opté por la táctica de parecer desconcertada y un poco estúpida. Dije que estas páginas tenían una percepción fascinante de la vida en esta granja, como si creyera que eran auténticas. Con un bostezo teatral declaré que estaba cansada, que había sido un día largo y que quería dormir. Norling preguntó si estaba dispuesta a visitarlo al día siguiente, en su casa, para charlar —los dos a solas, sin nadie más—, y viendo que era la única forma de desembarazarme de todos, accedí. Estaría encantada de verlo al día siguiente después de una noche de sueño reparador. Con esa promesa se marcharon. Le propuse a Chris que pasara la noche en los futuros alojamientos para invitados, porque no iba a poder dormirme a su lado después de la forma en que se había comportado.

Pero no me fui a dormir. Esperé hasta que se hizo bien tarde, las tres o las cuatro de la madrugada. Salí de la cama y encendí el ordenador para enviarte un mensaje de correo. Sentí tanto pánico al ver la luz brillante de la pantalla del ordenador que no tuve el valor de escribir mucho tiempo. ¡Quería decirte tantas cosas! Fui precavida porque las búsquedas en internet no son seguras, pueden ser monitorizadas, interceptadas, nada es seguro, pueden descubrir cualquier cosa, incluso después de que lo borres, no desaparece, nada desaparece, así que al final me decidí por una sola palabra, tu nombre.

ESTE VERANO NUESTRAS vidas sólo se habían cruzado en contadas ocasiones. Mi padre había aceptado el consejo de Håkan y el doctor Norling mucho antes de informarme de lo que estaba ocurriendo. En este consejo de guerra de hombres reunidos en la granja yo no había tenido ni voz ni voto. Ya fuera porque, como aseguraba mi madre, estaban colaborando para encubrir un crimen o porque yo me había separado de manera tan efectiva de las vidas de mis padres que mi padre me consideraba de escasa utilidad en esa situación. Él hubiera argumentado que yo no tenía nada que ofrecer y hasta habría requerido atención cuando no podía dedicármela. Por consiguiente, creer en la conspiración me halagaba: me absolvía de responsabilidad, había sido excluido por razones retorcidas y no por alguna deficiencia de carácter. Me inquietó plantearme la hipótesis de que mi madre había interpretado mi ausencia como una prueba más de que era víctima de una conspiración. Mi ausencia le ofreció una percha de la que colgar la idea de que esos hombres estaban contra ella por una razón concreta basada en sucesos locales. Hasta ese momento, me había avergonzado de no haber desempeñado ningún papel en los hechos. Pero me equivocaba. Al no estar allí, había desempeñado un papel específico. Si todas las personas que mi madre amaba, tanto de Inglaterra como de Suecia, se hubieran reunido en la granja esa noche, ¿podría haber creído de forma tan concluyente que estábamos todos contra ella? Si hubiera estado allí, con Mark a mi lado, a mi madre no le habría resultado tan fácil incorporar nuestro apoyo a mi padre en un relato, hasta el momento apenas insinuado, pero que parecía referirse a la explotación sexual de una mujer joven y vulnerable. Vi mi nombre con toda claridad en aquel mensaje que no contenía ningún otro texto:

¡Daniel!

Mi reacción a ese mensaje de correo desesperado había sido una autocomplacencia despreocupada. No tenía ni idea de que en la mente de mi madre yo estaba cobrando forma como la alternativa a mi padre, una persona amada que creía en ella. Su conspiración ya había empezado a habitar en mí.

—Mamá, debería haber viajado a Suecia después de ese mensaje.

Mi madre me invitó con un gesto a tomar asiento y obedecí. Se sentó a mi lado.

—Lo hecho, hecho está. Y ahora estoy aquí contigo. Casi hemos llegado al final. Sólo queda una última prueba.

Mi madre abrió su monedero, como si estuviera a punto de darme unos peniques:

—Abre la mano.

Lo hice.

\*

ES UN DIENTE HUMANO. Ningún diente de animal tiene este aspecto. Quemado, negro, no queda carne ni tejido.

Ahora estás a punto de preguntar si creo que es un diente de Mia. Quieres plantear la pregunta porque, si digo que sí, tendrás tu prueba. Estoy loca y has de llevarme al hospital.

Mi respuesta es ésta...

Es un diente de leche, el diente de un niño. Mia tenía dieciséis años, así que no puede ser suyo y yo nunca afirmé que lo fuera.

El diente llegó a mis manos unas pocas horas antes de la valoración del doctor Norling. Mi cita estaba programada para la tarde. Fue él quien eligió la hora, no yo. Ese hecho me pareció irrelevante, pero tuvo una gran importancia, la secuencia de los hechos es crucial, ellos esperaban que esa secuencia me volviera loca.

Con la mañana libre, decidí no trabajar. Necesitaba estar completamente descansada y tener la mente despejada. Si fracasaba en la evaluación del doctor Norling estaría acabada, como investigadora y como persona libre. Mi libertad estaba en juego, y no iba a decidirla un tribunal justo sino uno de mis enemigos. ¿Estaba *compos mentis*? Si no pasaba sus tests, me llevarían desde la casa de la playa al hospital, donde Norling en persona supervisaría mi admisión. No podía saltarme la cita, aunque era evidente que se trataba de una trampa. Hubieran tomado mi ausencia como prueba de locura y hubieran ido a buscarme. Así que decidí acudir a tiempo, puntual, bien vestida. Asistiría y no les daría nada, ésa era la clave, ¡no darles nada! ¡Entrar en su trampa y escabullirme! No hablaría de asesinato ni de conspiración, ni una palabra, y en cambio comentaría mis planes para la granja, la reconversión del granero, la pesca del salmón, los huertos, la mermelada casera... Representaría el papel de una esposa dócil e inofensiva, completamente a gusto con su nueva vida, atribulada, sí, cansada del trabajo duro, desde luego, pero con la expectativa de muchos años felices por delante. Si no les daba nada, ni un ceño fruncido, ni una sola acusación, ni un pensamiento oscuro, entonces, ¿qué podía hacer el doctor?

Mi plan era bueno. Pretendía pasar las siguientes horas evitando a cualquiera que pudiera molestarme. Jugué con la barca. Nadé. Estaba relajada en el embarcadero, con los pies en el agua, cuando, en la distancia, vi volutas de humo negro elevándose al cielo. Era en el bosque. Supe —simplemente lo supe— que el humo procedía de la Isla de la Lágrima.

Me subí a la barca, descalza, y partí corriente arriba, con el motor eléctrico a toda velocidad. Al pasar la granja de Håkan, me fijé en que su barca no estaba en el muelle. Tenía que estar en el río. Quizá ya estaba allí. Seguí a toda marcha, sin apartar la mirada de la columna de humo. Al llegar al bosque, noté un olor químico. No era un incendio natural. Era un fuego de petróleo. Delante de mí, la Isla de la Lágrima estaba en llamas. Al fondo, la cabaña estaba envuelta en llamas el doble de altas que yo. Había brasas chisporroteando en la superficie del río, pero no frené, fijé el rumbo, aceleré y embestí la orilla embarrada de la isla con un ruido sordo. Salté de la barca y me planté al llegar a las llamas, acobardada por la intensidad del fuego. Por suerte, había un cubo en la barca para achicar el agua de lluvia. Lo llené en el río y lancé cubo tras cubo a la base del fuego; salieron columnas de vapor. Enseguida toda la cabaña se derrumbó. Cogí un remo para tirar al río algunas de las planchas que ardían. Salpicaron y chisporrotearon.

Mi conclusión inicial fue obvia. El incendio había empezado por una única razón, para destruir pruebas. Casi con toda seguridad, la gente que lo había provocado estaba en el bosque, contemplando las llamas, y en ese momento me estaban observando.

¡Que me observaran!

No tenía miedo. Con el islote ardiendo, me puse a echar agua con cuidado a las cenizas hasta que la zona se enfrió. En cuanto el agua dejó de convertirse en vapor, rebusqué entre los restos, pasando los dedos por la ceniza y los charcos cubiertos de hollín, el agua negra. Encontré un bulto, el diente que ahora sostienes. Si estuviera loca me habría precipitado a sacar conclusiones espectaculares y habría gritado:

—¡Asesinato! ¡Asesinato!

No lo hice. Me quedé sentada en la Isla de la Lágrima, mirando el diente. Pensé y pensé y pensé, y me pregunté a mí misma qué hacía ese diente allí. En el islote no se había quemado ningún cadáver: ¿dónde estaba el cráneo, los huesos? La idea era ridícula. ¿De dónde había salido ese diente, ese dientecito, ese diente de leche, no un diente de Mia sino el diente de un niño pequeño? Fue entonces cuando me di cuenta de que el verdadero propósito del fuego no era destruir pruebas, sino destruirme a mí. Habían colocado ese diente allí, posiblemente junto con varios más, un puñado de dientes para asegurarse de que encontraba al menos uno. Mis enemigos habían colocado esas pruebas asombrosas y provocativas antes de prender fuego a la isla.

Considera la secuencia. ¿Por qué en ese momento? ¿Por qué provocar un incendio ese día, por la mañana? ¿Por qué no esperar hasta que estuviera en la casa de Norling, junto al mar, lejos? No habría visto el humo y no habría podido hacer nada. Como intento de destruir pruebas, el fuego no tiene sentido. El hallazgo del diente fue demasiado fácil. El propósito era perturbarme antes del examen de Norling. Querían que entrara en la casa de Norling apestando a humo y ceniza, con el pelo alborotado y cubierto de hollín, con ese diente ennegrecido en la mano, querían que declarara que el diente negro era una prueba de asesinato, que gritara:

—¡Asesinato! ¡Asesinato!

Una simple prueba de laboratorio revelaría que el diente pertenecía a alguna niña, a una niña que estaría sana y salva en otra granja. Lo habría llevado a la isla para enseñárselo a una amiga o cualquier otra mentira. ¿En qué lugar quedaría yo entonces? ¿Qué podría decir? Me enviarían directamente al psiquiátrico.

Cerré la mano y maldije a mis enemigos escondidos entre los árboles. No era la loca que pensaban que era.

¡No estoy loca!

Pero ya habían obtenido una pequeña victoria. Iba a llegar tarde a mi cita con el doctor. Me apresuré a subir otra vez a la barca, y entonces me di cuenta de que me había quemado el lateral de un pie con las ascuas calientes. La piel se estaba llenando de ampollas. No importaba. No tenía tiempo que perder.

Regresé a la granja tan deprisa como pude, tarde para mi cita, me desnudé, dejando a un lado mi ropa, que apestaba a humo, y nadé en el río para lavarme apresuradamente. Corrí desnuda hasta la casa, porque no podía volver a ponerme esa ropa. Me vestí con ropa limpia y escondí el diente chamuscado en mi cartera.

Chris estaba de pie junto a la furgoneta blanca con sus mejores galas. ¿Cuándo has visto a tu padre vestido con otra cosa que vaqueros y un suéter? La razón era evidente. Estaba preparado para su papel en el hospital, para su aparición ante médicos y enfermeras, el marido amante y fiel, que quería mostrar su mejor aspecto, o sea, su aspecto más convincente. Habían desaparecido las camisetas que apestaban a marihuana. Habían desaparecido las botas feas y sucias. Igual que un atracador puede pedir prestado un traje que no le queda bien para una vista en un tribunal, Chris había sacado la ropa que no se pone normalmente. No mencionó el humo en el cielo, no me preguntó adónde había ido, no sacó a relucir el hecho de que había cogido la barca. Me examinó con atención, decepcionado de encontrarme *compos mentis*. Se ofreció a llevarme, pero yo desconfié. Esperaba que hubiera otro incidente, algo aterrador colocado en el asiento, algo que me conmocionara. Así que rechacé su ofrecimiento. Dije que teníamos poca gasolina, lo cual era verdad, poco dinero, cierto también. Estaba más que contenta de ir en bici y mencioné algunos pequeños detalles que había que atender en la granja como si fuera inevitable que regresara pronto: la vida continuaría, ése no era el final. Se había vestido con sus mejores galas para nada. ¡No habría visita al psiquiátrico ese día!

Al salir de la granja en mi bicicleta, me colgué la cartera al hombro, negándome a abandonarla para que ellos la examinaran. Hasta me atreví a darme la vuelta y, cogiéndole gusto al engaño, le dije adiós a Chris con la mano de manera despreocupada y añadiendo un falso:

—¡Te quiero!

PREGUNTÉ:

—Mamá, ¿ya no quieres a papá?

Sin detenerse a reflexionar, ella negó con la cabeza:

—No.

—¿No?

—No.

—De todas las cosas que me has dicho hoy, la idea de que no quieras a papá me resulta la más difícil de creer.

Mi madre asintió, como si este sentimentalismo fuera de esperar por mi parte.

—Daniel, no se trata de lo que tú quieres que sea cierto. Quería envejecer en esa granja con tu padre. Quería construir el hogar que había soñado desde niña. Quería que esa casa fuera nuestro rinconcito familiar en el mundo y que fuera tan especial que empezaras a visitarnos otra vez como no has hecho durante mucho tiempo.

No percibí ningún ataque intencionado en su comentario final, sólo una descripción fáctica de su sueño.

—¿Papá no quería lo mismo? —pregunté.

—Tal vez en algún momento. Pero la tentación existe. Y lo tentaron.

—Mamá, tú misma lo has dicho. Tú y papá erais un equipo inquebrantable. Eso no puede haberse evaporado en un verano. Me niego a creerlo.

266

Tenía miedo de haberme pasado de la raya. Para mi sorpresa, mi madre no parecía enfadada.

—Me alegro de que estés defendiéndolo. Yo también lo defendí en mi cabeza durante meses y meses. Amaba al hombre que conoces como tu padre. Pero no amo al hombre que descubrí en Suecia. Nunca podría amarlo.

—¿Crees que estuvo implicado en el asesinato de Mia?

Había insistido demasiado.

—Sin contexto, las conclusiones suenan descabelladas. Por eso te he pedido que no te adelantaras. Deja que te lo cuente a mi manera.

Era tarde y el hotel pronto presentaría un último servicio: traerían hielo a la habitación y se ofrecerían a abrir la cama. Le dije a mi madre:

—Voy a poner un cartel en la puerta para que nadie interrumpa.

Ella me siguió cuando estaba colgando el cartel en el pomo. Examinó el pasillo y volvió a la habitación.

—Estabas a punto de mantener tu encuentro con el doctor Norling —dije.

De pie en medio de la habitación, mi madre cerró los ojos, como si proyectara sus pensamientos otra vez a ese momento. Elegí sentarme en el borde de la cama, con la sensación de que era improbable que mi madre se sentara de nuevo. Mientras esperaba, no pude evitar rememorar los tiempos en que mi madre me leía un cuento a la hora de dormir. Abrió los ojos.

*

AUNQUE LLEGABA TARDE, pedaleé despacio, respirando hondo y deseando recuperar parte de la calma de primera hora de la mañana. Mi plan era bueno. Sólo tenía que fin-

267

gir, sonreír, hablar como una mujer de campo satisfecha y trabajadora, hablar de mis esperanzas y sueños, explicar cuánto amaba aquellas tierras y señalar lo amable que era la gente. Si me ceñía al plan, no me pasaría nada.

El doctor Norling vive al lado del mar, en una casa que queda casi en la orilla misma, entre dunas y arbustos, en el tramo de costa desolada donde yo solía ir a correr. No sé cómo había logrado construir su extravagante casa en el litoral protegido, y además la casa intimidaba tanto que la gente no se sentía cómoda al pasar por allí. Era evidente que la casa debía tener protectores; casi te decía «no te acerques», porque sólo podía haberse conseguido un permiso de construcción mediante corrupción y conexiones íntimas con el poder. La gente normal no vive en casas como ésa. Al acercarme al terreno, aminoré el paso, pero no había necesidad porque la verja se abrió automáticamente antes de que pudiera bajar de la bici. Norling me había visto llegar. Mi confianza se tambaleó. ¿De verdad podría representar el papel de esposa confiada y morderme la lengua? No estaba segura.

Junto a la casa apoyé la pata de la bicicleta en la gravilla y esperé. No había timbre al que llamar, sólo dos puertas gigantes, puertas de madera enormes, como de castillo, el doble de altas que una persona. Se abrieron las dos al mismo tiempo, majestuosamente, y salió él, el famoso y respetado doctor Olle Norling. Iba vestido de manera informal. Llevaba la camisa sin abrochar hasta arriba, una artimaña para dar a entender que yo no tenía nada que temer de esa cita. Yo le di la vuelta a esa señal e interpreté exactamente lo contrario. ¡Tenía todo que temer! Mientras que Chris había sido ciego a mis lesiones, Norling se fijó de inmediato en mi caminar torpe. Me preguntó si me pasaba algo, pero le aseguré que no era nada, una torcedura, creo que ésa fue la mentira que le conté, porque no quería mencionar el incendio bajo ningún concepto. Seguí diciéndome a mí misma: «¡Cíñete al plan!»

Estaba decidida a no dejarme impresionar, una tontería de decisión, y de todos modos, fracasé. La casa era magnífica, pero nada opulenta, no se trataba de esa riqueza chabacana que desprecias con una mirada de soslayo. Tenía un estilo sencillo, minimalista, si puedes aplicar la palabra «minimalista» cuando te enfrentas a esos ventanales enormes, ventanas catedralicias que traían el mar y la playa a la casa. Hasta me pregunté por qué estaba tan asombrada si yo tenía exactamente la misma vista cuando iba en bici por el camino de la costa. Pero aquello era diferente, las ventanas enmarcaban el mar como si fuera una obra de arte privada, como una forma de poseer lo que no se puede poseer, de convertir en privado lo que debe ser público: esa visión era el poder, y aunque no era un día soleado ni había un cielo azul deslumbrante, sólo un mar gris plano, puede que llegara a ahogar un grito, no por la belleza sino por el poder, el poder de enmarcar el mar. Muy pocas personas en este mundo tienen ese poder. Norling era una de ellas.

Había otro hombre presente, un mayordomo con librea, ridículo si no hubiera sido tan solemne. Era atractivo, de treinta y tantos años, e iba peinado con raya a un lado, como un mayordomo de la Inglaterra de los años treinta, un mayordomo rubio que me habló en tono deferente, preguntándome si deseaba beber alguna cosa. Yo dije que no, demasiado abruptamente, a la defensiva, temiendo que pudieran echar algo en la bebida. A Norling no se le pasó nada por alto y de inmediato pidió una botella de agua y dos vasos, pero especificando que la botella de agua tenía que estar sin abrir, con el precinto intacto, y que no pusiera hielo en los vasos. Había esperado que me llevara a un cuarto pequeño, a algún sitio íntimo y serio, pero me acompañó afuera, a la terraza, a la enorme tribuna que se extendía sobre las dunas de arena. Allí me enfrenté a mi primer test, el primero de tres. Sacó una cerilla y encendió fuego en un artefacto moderno de gas, un tambor de cobre que estaba rodeado de asientos acolchados. Las llamas prendieron y Norling me señaló las sillas que las rodeaban, invitándome a sentarme junto al fuego. Aceptarás que era una referencia al incendio de la Isla de la Lágrima, porque no había ninguna otra razón lógica para encender fuego en un día de verano. Quería que yo viera el fuego y sacara el diente ennegrecido, quería que me pusiera a dar saltos gritando:

—¡Asesinato, asesinato!

Pero no lo hice. Me ceñí al plan. Tomé asiento, notando el calor en la cara por segunda vez ese día. Me obligué a sonreír y comenté que era agradable, muy agradable. Me prometí no reaccionar. No había forma de que me pillara, no había nada que pudiera decir o hacer, se habían equivocado al juzgar mi mente, no soy tan frágil, no soy tan fácil de manipular. Habían apostado a que el diente me volvería loca. En cambio, con la cabeza clara, actué de manera recatada y educada y lo felicité por la exquisitez de su casa.

Entonces el doctor me preguntó si prefería hablar en inglés. Håkan tenía que haberle dicho cuánto me irritaba ese insulto, pero ya había caído con ese truco antes y no iba a caer otra vez. Sonreí, reí y dije que era muy amable por su parte que me ofreciera elegir el idioma, pero que era tan sueca como él, que nuestros pasaportes eran iguales y que sería extraño comunicarse en inglés, tan extraño como dos suecos que se hablaran en latín. Entonces hizo un gesto hacia los asientos vacíos en torno al fuego y me dijo que había celebrado muchas fiestas allí. Pensé: «Seguro que sí, doctor, seguro que sí.»

\* \* \*

Sintiendo la derrota, Norling probó un segundo test, el test número dos, más artero que el fuego todavía. Se ofreció a mostrarme la vista a través de unos prismáticos instalados en la terraza. Me aseguró que me permitirían estudiar los barcos del mar. Yo no estaba de humor, pero acepté. Acerqué un ojo a la lente, lista para decir qué agradable, qué agradable, pero me encontré con una vista magnífica del faro abandonado, el viejo faro de piedra donde Mia había esperado, vestida con ropa nupcial blanca, el faro donde ella había colgado las flores en la puerta para señalar a un observador que estaba dentro. Esas flores seguían allí, mustias, muertas y negras, como las que se ven junto a una carretera donde ha habido un accidente. Norling había apuntado previamente los prismáticos, había elegido esa vista. La provocación era inteligente y poderosa. Yo moví los prismáticos para buscar el lugar en la playa donde me había ocultado detrás de un arbusto, y lo encontré. Podría haberme visto desde allí, y por eso no se presentó ese día. Lentamente, me enderecé, luchando por atenerme al plan, decidida a no mostrar ninguna reacción. Me preguntó qué pensaba. Dije que la vista me parecía reveladora, muy reveladora.

Sus dos tests habían fallado. Decepcionado, Norling abruptamente decidió mostrarme el interior de la casa. Pulsó un botón que en un instante apagó las llamas en el tambor de cobre, como un brujo harto de su propio hechizo, y me condujo por una serie de pasillos, más allá de los ventanales, hasta llegar a un estudio. No era una habitación destinada a la investigación intensiva, no era un estudio verdadero, desordenado, con papeles y notas y libros con páginas dobladas. Era un estudio de diseño, de los que se construyen con presupuesto ilimitado. Los libros eran tan hermosos como la vista, estanterías de suelo a techo con escaleras antiguas de biblioteca para alcanzar el estante más alto. Al primer vistazo me fijé en que había libros en varios idiomas. A saber si los había leído todos o no había leído ninguno; de hecho, esos libros no eran para leer, sino para dejarte boquiabierto, propaganda de la mente de Norling. Consideré la implicación del faro. Hasta entonces había considerado a Norling un discípulo de Håkan, pero quizá lo había juzgado mal, quizá Håkan era el subordinado. Norling me pidió que tomara asiento, había varios para elegir, y pensé en cuál ocupar, evaluando la altura y el ángulo de reclinación, porque no quería estar recostada o en una posición de debilidad. En ese momento vi en una mesa de centro, cuidadosamente situada en el medio de la sala, una de las pruebas. Es una de las que ya has visto, una prueba de mi cartera. ¿Puedes adivinar cuál era, puedes adivinar qué tenía ese hombre en exposición en su tercer y definitivo acto de provocación?

PENSÉ EN LOS objetos que había visto y me arriesgué:

—¿La cita bíblica de la granja del ermitaño?

Mi madre estaba complacida. Buscó en la cartera y puso la cita en la cama, a mi lado:

—La robé. Pero no a Ulf, ¡a Norling!

—¿Cómo es que la tenía el doctor?

*

¡EXACTAMENTE! ALLÍ ESTABA, ¡en su mesa! Extendida, la cita, con el misterioso mensaje codificado, bordado en los días anteriores a que ella se ahorcara en la pocilga que ya no existe, ante una piara de público. Agarré la tela, olvidando mi promesa de permanecer en calma, y me volví hacia Norling con los puños apretados y exigiendo saber quién se la había dado. Norling sacó partido de su ventaja y se regodeó en mi respuesta emocional. Su voz suave se endureció como si me agarrara del cuello, aseguró que Chris le había hablado de mi fascinación por esas palabras, que le había contado que yo había escrito esas líneas muchos centenares de veces, que las murmuraba, que las entonaba como una oración. Norling preguntó qué significaban esas palabras para mí, incitándome a contarle lo que pensaba que estaba ocurriendo en ese tranquilo rincón de Suecia.

—Habla conmigo, Tilde, habla conmigo.

Su voz era seductora, y tenía razón, yo deseaba contar la verdad más que nada en el mundo, aunque sabía que era una trampa. Al notar que mi voluntad flaqueaba, cerré los ojos y me recordé que no debía hablar, sino ceñirme a mi plan.

Norling cogió la botella de agua. Me sirvió un vaso. Acepté mansamente el agua, aunque me preocupaba que pudiera haber usado productos químicos que alteran la mente, incoloros, insípidos, alguna sustancia que podría hacerme hablar e incriminarme. Tenía tanta sed que me llevé el vaso a los labios y bebí. Al cabo de unos segundos sentí un impulso de hablar instantáneo y abrumador, no una compulsión que me saliera de dentro, sino un deseo artificial, estimulado químicamente. Se me ocurrió la idea de que la sala estaba repleta de cámaras de vídeo, cámaras minúsculas del tamaño de un botón ocultas en tapas de bolígrafos. A pesar de mis temores, el impulso de hablar se hizo cada vez más fuerte. Traté de morderme la lengua, pero no sirvió. Si no podía controlar ese impulso podría, al menos, hablar de cosas que no me harían daño, una descripción de mi huerto, que era el huerto más grande que había plantado nunca, que producía lechugas, zanahorias, rabanitos, cebollas rojas y blancas, cebollinos y hierbas aromáticas, albahaca, romero y tomillo. Debí de estar hablando cinco, diez, veinte minutos seguidos, no lo sé, pero, cuando me volví, Norling seguía sentado exactamente en la misma posición, en ese exquisito sofá de piel, dándome la impresión de que estaría encantado de esperar eternamente. Mis defensas se derrumbaron.

Se lo conté todo.

MI MADRE SACÓ un recorte de periódico de su diario, el segundo que me había mostrado hasta el momento. Lo colocó limpiamente en mi regazo. Estaba sacado del *Hallands Nyheter*, con fecha de abril, sólo unas semanas después de que mis padres llegaran a Suecia.

\*

NO HACE FALTA que te lo traduzca. Es un estudio crítico del sistema de adopción que se plantea si debe llevarse a cabo una revisión de procedimientos tras el suicidio de una niña. La niña había nacido en Angola, el mismo país donde adoptaron a Mia, y la habían llevado a Suecia cuando sólo tenía seis meses. A los trece se suicidó con la pistola de su padre adoptivo. El periodista comenta las dificultades de crecer siendo una niña negra en la Suecia rural remota. El artículo causó sensación. Cuando llamé al periodista para preguntarle por el artículo, se negó a hablar, diciendo que no quería hacer más comentarios. Parecía asustado. Tenía derecho a estarlo. Este texto toca sólo la superficie de un escándalo mucho más profundo.

275

PESE A LA aversión de mi madre a las conclusiones, ya era hora de preguntarlo:

—Mamá, ¿cuál es ese escándalo?

—Tienes que ser capaz de verlo.

Mi madre había mantenido en todo momento un control firme sobre su relato, un control preciso y enérgico, y, sin embargo, me daba la impresión de que en el momento de llegar a las conclusiones, seguramente la parte más importante, ella iba a preferir presentarlas sin forma, como un *kit* de modelismo que tienes que montar. Por más culpable que me sintiera por mi falta de implicación durante el verano, o durante los últimos años, no podía colaborar en sus acusaciones:

—La policía va a plantear preguntas directas. ¿Qué ocurrió? ¿Quién estuvo implicado? No puedes limitarte a insinuar. No puedes pedirles que deduzcan. Ellos no estaban allí. Yo no estaba allí.

Mi madre habló despacio y con meticulosidad:

—Abusando de las niñas. Abusando de las niñas adoptadas. El sistema de adopción se ha corrompido. Estas niñas son vulnerables. Las perciben como una propiedad.

—¿Incluida Mia?

—Sobre todo Mia.

—¿Por eso la asesinaron?

—Era fuerte, Daniel. Iba a ponerlos en evidencia. Iba a salvar a otras niñas de tener que experimentar el dolor que ella había soportado. Sabía que si no plantaba cara volvería a ocurrir. Y su historia sería la historia de otras niñas y niños.

—¿Quién la mató?

—Uno de los hombres de mi lista, quizá Håkan. Era su hija, su problema, y debía de sentirse obligado a ocuparse de ello. O podría haber sido alguno de los otros: un encuentro que salió mal, alguien se obsesionó con ella. No lo sé.

—¿El cadáver?

—No puedo excavar en los bosques ni dragar los ríos. Por eso necesitamos que investigue la policía.

—Pero el escándalo no afectaba sólo a Mia.

—No a todas las adopciones, ni siquiera a la mayoría, pero sí a una minoría, una minoría significativa. Antes te he mostrado un mapa de Suecia. Los casos no se limitan a un pueblo o ciudad. Se extienden por un área muy grande. El periodista tenía razón: las estadísticas no mienten. El índice de fracasos era demasiado elevado. Mira los números, los números no mienten.

Me recosté en la cama y crucé las piernas mientras leía el artículo con mi limitado sueco. Bajo presión, mi madre había planteado su acusación en forma de resumen. Existía un círculo de pedofilia ligado al sistema de adopción. Había una conspiración para encubrirlo. El artículo confirmaba la existencia de un problema con la integración y enumeraba varios ejemplos de fracaso, incluida una vida perdida. Pregunté:

—¿Crees que la conspiración implica a muchos hombres de los que hablabas (el agente de policía, el alcalde), aunque no hayan adoptado niños?

—Había fiestas. Así es como se implicó tu padre. Lo invitaron a una. Eso es un hecho. No sé qué ocurría en esas fiestas, así que es una especulación. Algunas se celebraban en la casa de la playa de Norling. Otras se celebraban detrás de esa segunda puerta con candado. Había bebida. Tomaban drogas. Presentaban a alguna de las niñas.

—No puedo comentar nada de los demás, porque no los conozco. Pero conozco a papá.

—Crees que lo conoces. Pero no.

Mi madre había conectado una serie de puntos, algunos de los cuales, estaba de acuerdo, eran altamente sugerentes e inquietantes. No obstante, las líneas que había trazado entre ellos eran suyas. Traté de juntar los hilos, examinando cada uno en busca de un argumento que pudiera contradecirse con claridad o alguno que no pudiera ser descartado como una conjetura.

—¿Y la mujer que se suicidó en el granero? —pregunté.

—Probablemente descubrió la verdad. ¡Tuvo que hacerlo! A eso se refería su mensaje: «Porque mi lucha es contra la carne y la sangre, contra los gobernantes, contra las autoridades, contra los poderes de este mundo oscuro y contra las fuerzas del mal en este reino terrenal.» Quizá su marido estaba implicado. Ella no era fuerte como Mia. Murió de vergüenza.

—No puedes estar segura de eso.

—Todo lo que te he contado se relaciona con esta conspiración. ¿Por qué nos llevaron a ese lugar? Cecilia lo sabía. Pero era demasiado frágil para combatirlo. Ella comprendió que sólo alguien de fuera podía exponer la verdad.

—Mamá, no estoy diciendo que te equivoques. También me resulta imposible decir que tienes razón. Cecilia nunca te dijo eso.

Su respuesta fue extrañamente abstracta:

\*

278

TE HE DICHO antes que no hay nada tan peligroso como ser deseado. Añadiré esto: no hay ningún lugar tan peligroso como el espacio entre puertas cerradas. La gente siempre encontrará una forma de hacer que sus deseos se cumplan. Si no existe una opción legal, recurrirán a formas ilegales. Håkan y los demás crearon una organización compleja para satisfacer sus necesidades. Explotaron a Mia. No estoy segura de cuántos lo hicieron. No era una hija. Era un activo. Era una propiedad. Ahora, por favor, Daniel, vamos a la policía.

MI MADRE DOBLÓ la tela bordada y la guardó en la cartera. Estaba lista para irse. Coloqué una mano sobre la suya:

—Siéntate conmigo, mamá.

No sin cierta reticencia, se sentó en la cama. Era tan ligera y pequeña que el colchón sólo necesitó una leve adaptación al peso de su cuerpo. Los dos estábamos mirando al frente, como dos niños que simulan volar en una alfombra mágica. Mi madre parecía cansada y dejó caer la mirada hacia la alfombra mullida. Dirigiéndome a su nuca, dije:

—¿Qué pasó después? ¿Le contaste tu teoría al doctor Norling?

—Sí.

—¿Afirmaste que estaba implicado?

—Sí.

—¿Qué dijo?

\*

NO DIJO NADA. Seguí allí sentada y él se quedó mirándome fijamente, inexpresivo. La culpa fue mía. Le conté mal la historia. Empecé con mis conclusiones, las presenté en forma de resumen, sin detalles ni contexto. He aprendido de esos errores, y por eso he sido mucho más concienzuda al hablar contigo, comenzando por el principio, por mi llegada a Suecia, siguiendo la cronología de los hechos, sin permitirme saltar adelante aunque tú me pidieras respuestas rápidas.

Mientras yo hablaba, el mayordomo rubio había entrado en la habitación y se había colocado detrás de mí. Lo habían llamado de alguna manera, quizá con un botón de alarma, porque Norling no había dicho ni una palabra. Pregunté si podía ir al cuarto de baño, tímidamente al principio, como una alumna que se lo pide al maestro, luego con más firmeza, necesitaba ir al baño y no podían negármelo. Norling se levantó y accedió a mi petición; eran sus primeras palabras después de mi acusación. Hizo un gesto al mayordomo para que me mostrara el camino. Dije que no era necesario, pero Norling no me hizo caso y sostuvo la puerta del estudio abierta. Seguí al mayordomo, observando sus brazos musculosos. De repente me pregunté si no sería un celador del hospital, preparado con drogas y cuerdas. Me escoltó al cuarto de baño sin permitir que me desviara, y cuando cerré la puerta me miró a los ojos con compasión. ¿O era desprecio? ¿Compasión o desprecio? A veces resulta difícil distinguirlos.

Cerré la puerta detrás de mí y analicé mi situación. En lugar de no decir nada, había hablado demasiado. Mi única opción era escapar. Examiné la ventana, pero, como todo lo demás en esa casa, tenía un diseño especial y no se abría. El grueso cristal esmerilado no podía romperse con facilidad, desde luego no sin hacer un montón de ruido. No había escapatoria. Aún tenía en mis manos la cita bordada. La doblé con cuidado y me la guardé en la cartera. Era una de las pruebas más importantes que había conseguido y no tenía ninguna intención de devolverla. No quedaba más opción que salir del cuarto de baño y encontrar otra escapatoria. Contaba con que los dos hombres estuvieran allí, esperando, con los brazos extendidos. Sin embargo, el pasillo estaba vacío. Miré a un lado y los vi conversando fuera del estudio. Me planteé correr hacia el otro lado y buscar otra salida, pero Norling levantó la cabeza y me vio. Caminé hacia él. Pensaba limitarme a explicar que estaba cansada y que me gustaría irme a casa. No tenían ningún poder legal. No podían detenerme. Planteé el reto: quería irme.

¡Me voy!

Norling lo consideró. Asintió y se ofreció a llevarme en coche. ¿Tan fácil iba a ser? Decliné su propuesta, asegurando que me apetecía tomar el aire y prefería ir en bici. Norling protestó con educación y me recordó que acababa de decir que estaba cansada. Me atuve a mi decisión, casi incapaz de creer que mi dura prueba fuera a terminar.

Aunque no estaban abiertas, caminé hacia las puertas de roble gigantescas, esperando que esos hombres saltaran sobre mí o que me clavaran una aguja, pero el criado pulsó un botón y las puertas se abrieron. Salí y noté la brisa marina. Era libre. De alguna manera había sobrevivido. Me apresuré a bajar los escalones y montarme en mi bicicleta.

Cuando ya estaba en la senda costera, pedaleando deprisa, miré atrás. El lujoso coche de Norling estaba saliendo de su discreto garaje igual que una araña emerge de un agujero. Iba a seguirme. Volví a mirar al frente y, sin hacer caso del dolor de mis ampollas, pisé con fuerza los pedales y aceleré. El coche de Norling podría haberme adelantado, pero estaba acompañándome al pueblo. Crucé el puente pedaleando al máximo y giré bruscamente hacia la senda para bicicletas que discurría junto al río, mirando por encima del hombro mientras Norling se veía obligado a continuar por la carretera principal. Al final me libré de él, aunque fuera temporalmente, porque no me cabía duda de que se dirigía a la granja. Tal vez el doctor necesitara el consentimiento de Chris para llevarme al hospital. Frené derrapando y me pregunté por qué volvía a la granja, ¿qué seguridad iba a encontrar allí? Mi plan había fracasado, lo había contado todo. Las cosas no podían continuar con normalidad, no había vuelta atrás a la vida en la granja, nuestro sueño había terminado, la granja, el granero, la pesca de salmón, todo había terminado. Había estado mintiéndome a mí misma, simulando de alguna manera que las dos vidas podían coexistir, pero eso era imposible. O negaba los hechos o los investigaba, no había ningún punto intermedio y yo ya había escogido.

Estaba sola. Necesitaba un aliado. La única persona que se me ocurrió, como tú estabas en Londres, la única persona que podría escucharme con justicia, alejada de los sucesos de esta comunidad, era mi padre.

LA ELECCIÓN DE mi madre me sorprendió:

—Llevabas cincuenta años sin ver a tu padre. Ni siquiera sabía que estabas en Suecia.

—No acudía a él porque tuviéramos una relación estrecha. Acudía a él por su carácter.

—¿En función de qué? ¿Del hombre al que conocías de niña?

—No habría cambiado.

—Según tú, papá ha cambiado. Y en el curso de sólo un verano.

—Chris es diferente.

—¿Diferente en qué?

—Es débil.

Considerando que mi padre había sido acusado de los crímenes sexuales más graves, no estoy seguro de por qué ese insulto me pareció particularmente hiriente. Quizá era la impresión de que, por encima de todos los vicios, lo que más despreciaba mi madre era la debilidad. Y quizá porque, si mi padre era débil, seguramente también lo era yo.

—¿Tu padre es fuerte?

—Es incorruptible. No bebe. No fuma. Era un político local. Aunque pueda parecer un chiste, en su parte del país eso significaba que era escrupuloso y sumamente respetado. Su imagen y reputación lo eran todo. No importaba que estuviéramos distanciados. Él se pondría del lado de la justicia.

—Mamá, él creía que mataste a Freja.

—Sí.

—¿Por qué ibas a volver a él cuando estabas buscando a alguien que te creyera? ¡Te marchaste porque no te creía!

Para no tener que hablar con la cara vuelta hacia mí, mi madre se sentó igual que yo, con las piernas cruzadas en la cama, de manera que nos quedamos mirándonos, con las rodillas tocándose, como dos amigos adolescentes que desnudan sus almas.

—Tienes razón en cuestionar la decisión —dijo—. Pero en este caso nadie me acusaba de nada. Se trataba de los crímenes de otras personas. Y, a diferencia de la última vez, contaba con pruebas y hechos, fechas y nombres. Le estaba pidiendo que fuera objetivo.

Me atreví con una provocación:

—Para mí, esto sólo puede tener sentido si aceptas que valoró correctamente los hechos del verano de mil novecientos sesenta y tres. Acertó entonces. ¿Y por eso creías que volvería a acertar?

Mi madre levantó la mirada al techo.

—¡Tú también crees que maté a Freja!

—No, mamá. Pero, si tu padre estaba equivocado, ¿por qué acudir a él en ese momento?

Los ojos de mi madre se llenaron de lágrimas.

—¡Porque quería darle una segunda oportunidad!

Como las razones eran emocionales, dejé de poner trabas y limité la presión a unos cuantos conceptos que me permitieran entender la logística. Quizá, durante el verano, se habían comunicado de alguna forma que yo desconocía:

—¿Cuándo fue la última vez que estuviste en contacto con él?

—Me escribió cuando murió mi madre.

Hacía unos diez años. Recordé a mi madre leyendo la carta en la mesa de la cocina, rodeada por los restos del desayuno. Yo estaba en la facultad. Era el trimestre de verano. Mi madre, preocupada de que la noticia me distrajera antes de mis exámenes, trató de esconder la carta, pero yo miré por encima de su hombro, vi que estaba en sueco y pregunté. La noticia me había parecido muy alejada de nuestras vidas. Mi abuela nunca nos había visitado, ni se había mantenido en contacto. Era una desconocida para nosotros. Habían enviado la carta después del funeral, sin dar a mi madre ninguna oportunidad de regresar y asistir. Como aquélla fue la última comunicación, pregunté:

—¿Cómo podías estar segura de la dirección?

—Nunca se mudaría. Construyó esa granja con sus propias manos. Morirá allí.

—¿Telefoneaste antes?

DECIDÍ NO HACERLO. Es más difícil cerrarle la puerta en las narices a alguien que colgarle el teléfono. Bueno, ya ves que yo también tenía mis dudas. Desde luego, no podía ir en bicicleta hasta allí. Mi única opción era robar nuestra furgoneta y cruzar buena parte de Suecia. Abandoné mi bicicleta en los campos y me acerqué a la granja a través de los cultivos por si acaso estaban vigilando la carretera. Si has dudado de mí antes, cuando te he dicho que Norling estaba siguiéndome, te equivocabas. Su coche estaba en la granja, aparcado en el sendero: eso no me sorprendió. El problema era que estaba aparcado delante de nuestra furgoneta. No había salida. No podía aceptar que ése fuera el final. Estaba dispuesta a ponerme al volante del vehículo y salir a golpetazos, empujando el coche de Norling hasta la carretera.

Miré al interior por la ventana y vi a Norling con Chris. No había rastro de Håkan, pero no tardaría en llegar.

No necesitaba entrar porque tenía las llaves en la cartera. Corrí todo lo deprisa que pude hasta la furgoneta, abrí la puerta, subí y cerré de un portazo. Arranqué el motor y la vieja furgoneta se estremeció ruidosamente. Chris salió corriendo de la casa. Cuando di marcha atrás, pegó un puñetazo en la puerta y trató de entrar. No le hice caso, puse la primera y aceleré hacia el coche de Norling. En el último segundo cambié de idea y esquivé el vehículo: de otro modo habrían llamado a la policía y me habrían acusado de daños voluntarios. Así que me metí en el huerto, mi precioso huerto, aplastando cebollas y calabazas, meses de trabajo. Atravesé el seto y salí a la carretera. La furgoneta había perdido velocidad y se había parado en medio de la carretera. Chris corría hacia mí por el huerto destrozado. Lo vi en los retrovisores. La visión fue descorazonadora, pero ese sueño había acabado, la granja había acabado. Cuando Chris alcanzó la furgoneta, aceleré.

Era inevitable que me persiguieran con sus coches de lujo, subiendo y bajando a toda velocidad por estrechos caminos de campo. Estaban decididos a darme caza y una furgoneta blanca sería fácil de localizar, así que conduje deprisa, peligrosamente deprisa, eligiendo caminos al azar.

En cuanto estuve a salvo, saqué un mapa de Suecia para buscar una ruta a la granja de mi padre. Calculé que tardaría seis horas. Fue un viaje agotador. La furgoneta es difícil de conducir, es pesada y cuesta controlarla. El clima cambió bruscamente; desapareció el sol y empezaron los chaparrones. Crucé fronteras regionales, dejé atrás Halland y entré en Västergötland, donde tuve que parar a llenar el depósito. En la estación de servicio, el hombre del mostrador me preguntó si estaba bien. El tono de amabilidad casi me hizo llorar. Le dije que estaba mejor que bien. Estaba excitada, en una gran aventura, la última aventura de mi vida. Llevaba viajando muchos meses, por eso parecía decaída, pero casi estaba en casa.

En el cuarto de baño de la estación de servicio examiné mi reflejo en el espejo y tuve que reconocer que había perdido mucho peso en las últimas semanas y que había descuidado mi aspecto. Las mujeres son tratadas con suspicacia si descuidan su aspecto, más que los hombres. El aspecto es importante cuando tratas de convencer a la gente de tu cordura. Me lavé la cara con el jabón rosa del dispensador, me peiné con la mano, alisando las greñas, y me froté las uñas para mejorar mi aspecto en la medida de lo posible, pensando en mi padre, un hombre que insistía en la higiene. El hecho de que viviéramos en el campo no significaba que tuviéramos que vivir como cerdos, eso es lo que solía decir.

La última luz del día se estaba disipando y sería complicado orientarse siendo un extranjero en tierra desconocida, sin más ayuda que un mapa. Pero ése era mi hogar. No era una extranjera allí. Por mucho que hubieran pasado cincuenta años, el campo no había cambiado. Reconocí los puntos de referencia como si fueran marcas de nacimiento: los puentes, las granjas de las grandes familias de la región, los ríos y los bosques, las pintorescas poblaciones locales que de niña me parecían metrópolis, donde había tiendas exóticas, unos grandes almacenes de tres plantas, plazas llenas, boutiques caras donde los sibaritas compraban perfume francés y tiendas de tabaco oscuras donde los hombres se aprovisionaban de cigarros y tabaco de mascar. Esta vez, al pasar vi un pueblo dormido a las diez, un único bar medio clandestino con una fachada avergonzada para complacer a la poca gente que no se iba a acostar cuando se ponía el sol.

\* \* \*

Enfilé la carretera rural donde, tantos años atrás, dejé mi bicicleta en los campos y me subí a un autobús, y desanduve mi ruta de huida, pasando por los prados de flores silvestres de mi padre antes de torcer hacia su casa. Estaba igual, la casita roja, construida por mi padre con sus propias manos antes de que yo naciera, flanqueada por el tradicional mástil, con estanques y arbustos de grosellas en la parte de atrás y una sola luz tenue encima de la puerta. Los moscones y mosquitos se arremolinaban en torno a esa luz, la única en kilómetros a la redonda.

Bajé de la furgoneta y esperé. No hacía falta llamar, porque en esas zonas remotas el sonido de un coche que pasa es lo bastante inusual para que la gente salga, y mi padre seguramente había oído acercarse la furgoneta. Estaría esperando junto a la ventana, mirando la carretera para ver qué dirección tomaría el vehículo, asombrado de ver que iba hacia la casa, más asombrado aún al ver que el visitante inesperado se detenía ante su puerta a esas horas de la noche.

Cuando se abrió la puerta me entraron ganas de salir corriendo. ¿Había cometido un enorme error de juicio al ir allí? Mi padre iba de traje. Siempre vestía con traje y chaleco en casa. A menos que estuviera trabajando en el campo, nunca llevaba ropa cómoda. Podría incluso haber reconocido el traje, marrón y de tela basta. Pero sus trajes siempre habían parecido iguales: pesados, incómodos, ropa que pica, ropa pía para un alma pía. Todo era familiar salvo el deterioro, eso era nuevo. Los arbustos de grosellas habían crecido mucho, menos uno que había muerto. Los estanques ya no eran transparentes, había algas densas que estrangulaban los nenúfares. La pintura del granero estaba desconchada. La maquinaria agrícola había empezado a oxidarse. En contraste con lo que lo rodeaba, mi padre parecía en excelente estado, todavía tieso y fuerte a los ochenta y cinco años, viejo pero no frágil ni débil, sino vivo, increíblemente vivo, vigoroso y espabilado. Tenía el pelo blanco y bien cortado. Había ido a una barbería del pueblo. Cuidaba de sí mismo, llevaba esencia de limas, la única fragancia que había usado en su vida. Dijo mi nombre:

—Tilde.

Ningún atisbo de asombro o sorpresa, sólo mi nombre, el nombre que él había elegido, pronunciado como una declaración pesada, un hecho que no le proporcionaba satisfacción. Traté de imitar el sonido, pero no logré eliminar el asombro de mi voz.

—¡Padre!

Me había marchado de esa granja en una bicicleta y cincuenta años después regresaba en una furgoneta. Expliqué que no estaba ahí para discutir ni pelear, no estaba allí para causar problemas.

—Soy viejo —dijo.

Yo reí y dije:

—Yo también soy vieja.

Al menos, teníamos eso en común.

El interior de la granja era la Suecia de la década de mil novecientos sesenta, preservada de manera imperfecta, como un tarro de mermelada al fondo de la despensa, con puntos de moho. La acumulación de mugre me entristeció. Mi padre siempre había estado obsesionado con la higiene y la presentación inmaculada. Pero la encargada de mantener la casa limpia era mi madre. Él nunca movió un dedo en ese sentido. Desde la muerte de mi madre, él no había asumido sus tareas. El resultado era que, mientras mi padre se cuidaba con esmero, en torno a él la granja estaba mugrienta. En el cuarto de baño, la alcachofa de la ducha estaba oxidada, la lechada estaba negra, el desagüe atascado con pelos, y había un pequeño fragmento de excremento flotando en el inodoro. ¡Y el olor! Era lo mismo, un edificio en medio del campo con el aire más limpio del mundo, y, sin embargo, dentro el aire olía húmedo y rancio, porque las ventanas tienen triple acristalado y cierres para impedir que entre el frío del invierno. Mi padre nunca abría las ventanas, ni siquiera en verano. La casa era un espacio cerrado, la puerta nunca se abría de par en par para dejar pasar un soplo de aire fresco. Mira, mi padre odiaba las moscas. Cincuenta años más tarde todavía había cintas de papel matamoscas en todas las habitaciones, algunas gruesas con moscas muertas o agonizantes, otras nuevas; y mi padre no podía sentarse si había una mosca en la casa, la perseguía hasta que la mataba, una tras otra. Por eso nunca se abrían las ventanas durante más tiempo del necesario y, si querías aire fresco, tenías que salir de casa. Ese olor, fuera cual fuese su origen —cinta matamoscas y muebles viejos y calefacción eléctrica—, ese olor, para mí, significaba desgracia. Empecé a inquietarme cuando nos sentamos en el salón, respirando ese olor, junto a un televisor que debieron de comprar poco después de que yo me fugara: un enorme cubo negro con dos antenas de acero que sobresalían, como la cabeza descomunal de un insecto, con un solo ojo curvado, casi con certeza el primer y único televisor que había comprado.

No daba la sensación de que lleváramos cincuenta años sin vernos. No necesitábamos hablar de los años que nos habíamos perdido. No eran relevantes. Él no hizo preguntas. No preguntó sobre ti. No preguntó por Chris. Lo comprendí. Algunas heridas no se pueden sanar. Yo lo había humillado al fugarme. Era un hombre orgulloso. Los artículos de periódico descoloridos sobre su miel blanca seguían en la pared. Mi conducta había sido una tacha en su reputación, o si no una tacha, al menos había planteado un interrogante, había sido padre de una hija trastornada. Yo no había querido desilusionarlo al huir.

Lo de Freja no fue culpa suya. Ninguna de esas cuestiones podía discutirse. Me tocaba dar explicaciones.

¿Por qué estaba allí?

No era para una charla superficial. Ni para hacer ver que podíamos cambiar el pasado. Necesitaba su ayuda con el presente. Empecé a describirle los sucesos de este verano. Lo conté con menos detalles de los que te he dado a ti hoy. Aun así, lo hice mejor que con el doctor Norling. Empecé por el principio, no con mis conclusiones. Traté de dar algunos detalles y contexto, pero no me lo tomé con la calma suficiente, era tarde, había conducido seis horas y no estaba concentrada, daba saltos, comprimiendo meses en minutos. Al cometer esos errores aprendí lecciones vitales sobre cómo había que contar la historia para que se creyera. Hoy he puesto en práctica esas lecciones. Los resúmenes no son buenos. Sin pruebas, mis palabras parecían vagas, imprecisas. Fue entonces cuando me di cuenta de que tenía que estructurar mi hipótesis en torno a las pruebas que llevaba en la cartera, y también usar las notas de mi diario para apoyar mis palabras, para darles entidad. Necesitaba una cronología. Necesitaba contexto. Y cifras cuando fuera posible. Todo el mundo confía en una cifra.

No tardé más de una hora en llegar a mi acusación de que Mia había sido asesinada para tapar delitos sexuales que salpicaban al gobierno local y la policía. Al final, mi padre se levantó. No dijo nada sobre los hechos o la acusación, ni una palabra de apoyo o de ataque. Dijo que podía dormir en mi vieja habitación y que hablaríamos al día siguiente, cuando hubiera descansado. Acepté que dormir parecía una buena idea. Estaba exhausta. Necesitaba empezar de nuevo con la mente despejada. Contaría mi historia mejor al día siguiente. Explicaría que había pruebas. Tendría una segunda oportunidad. Y él también.

* * *

Habían redecorado mi dormitorio, sin dejar ningún rastro de mí. No me importaban los cambios, porque la gente sigue adelante, incluso los padres pasan página. Además, mi padre me explicó que después de mi marcha la habitación se había utilizado como dormitorio de invitados. Estaba disponible para la parroquia, que a menudo enviaba visitantes que se alojaban en la casa, en ocasiones durante semanas. Mi padre casi nunca estaba solo. Bien por él, pensé. No le deseo la soledad a nadie.

Me tumbé en la cama, completamente vestida, decidida a asegurarme de que mi padre no llamaría a Chris mientras yo dormía. Mi padre no me había creído, eso lo sentí. No soy tonta. Si había una reacción que conocía muy bien era la incredulidad de mi padre. Después de una hora de estar tumbada en la cama me trasladé al salón junto al único teléfono de la casa, esperando ver a mi padre levantándose de la cama por la noche para hacer la llamada. Supongo que en aquella silla, junto al teléfono, en la oscuridad, cerré los ojos unos minutos, porque recuerdo que soñé con Freja.

Al amanecer no había rastro de mi padre. No había hecho la llamada telefónica. Me había equivocado. ¡No me había traicionado! No había mentido al decirme que hablaríamos en el desayuno, quizá pretendía sonsacarme detalles que había omitido. Era un día nuevo en nuestra relación.

Entré en la cocina. Había tazas de café en el armario que no estaban bien lavadas. Puse a hervir una olla de agua con la intención de lavar todas las tazas y platos, restregar el fregadero, lavar el suelo, tirar la cinta matamoscas de la repisa de la ventana y cambiar ese olor. Mientras hacía limpieza llamé a mi padre y le pregunté si quería tomar el café en la cama. No hubo respuesta. Llamé a la puerta. No hubo respuesta. Era tarde para la gente de campo y él siempre se despertaba al amanecer. Traté de abrir su habitación y descubrí que estaba cerrada con llave.

Desde el exterior de la granja golpeé en el cristal de la ventana de mi padre. Las cortinas estaban echadas. No sabía si estaba herido o enfermo y pasé unos minutos interminables yendo de la ventana a la puerta, gritando su nombre, hasta que oí el ruido de un coche. Me quedé de pie en el porche con una mano sobre los ojos, protegiéndome del sol que se levantaba. El doctor Norling se acercaba a la granja con su coche.

Seguro que Chris había adivinado mi plan y había llamado antes de que yo llegara. Mi padre le había devuelto la llamada al oír la furgoneta para decirle que viniera por la mañana, que me mantendría allí, traicionándome antes de escuchar ni una palabra, creyendo a mi marido antes que a mí, a un hombre al que nunca había visto. Podría haber echado a correr, supongo, o saltado a la furgoneta y escapar. No lo hice. Me senté al borde del estanque y me quité los zapatos y calcetines. Hundí los pies en el agua y observé que se formaban grilletes de algas en torno a mis tobillos.

Cuando llegaron casi no dijimos nada. Me trataron como a una niña. Yo fui dócil y obediente. Me pusieron en la parte de atrás del coche, atándome las manos por si los golpeaba durante el viaje o trataba de saltar mientras conducían.

Norling me llevó a casa. Chris nos siguió en la furgoneta. Dijo que sería demasiado triste conducir conmigo como prisionera. No volví a ver a mi padre. No salió de la habitación cerrada. Había decidido que mis lágrimas por Mia no eran más que la culpa reconstituida de mi implicación en la muerte de Freja. Estoy segura de que es eso lo que creía, que todo era la locura de mi propia creación, la locura de una asesina imaginando otro asesinato, incapaz de aceptar mi propia culpa al ahogar a Freja en el lago, sosteniendo su cabeza debajo del agua hasta que no pudo hablar más. Él todavía lo creía. Habían pasado cincuenta años y seguía considerándome una asesina.

MI MADRE CERRÓ su diario y lo puso en la cama delante de mí:

—Te lo doy.

Estaba renunciando a la posesión de su prueba más valiosa, sus notas y recortes, sus fotografías y mapas, me lo confiaba todo: almas gemelas que comparten un diario secreto. Me pregunté si también a ella se le había ocurrido esa idea. ¿Había estado buscando un aliado, un término que sonaba estratégico? ¿O tal vez algo más emotivo, un confidente? Recordé la descripción que mi madre había hecho del tiempo que había pasado con Freja en el bosque, intercambiando historias, prometiéndose amistad eterna, creyendo en la existencia de troles simplemente porque la otra lo decía. Puse una mano plana sobre el diario como para impedir que sus secretos salieran en tromba.

—¿Y el psiquiátrico de Suecia?

—Daniel, acabaría con mi vida antes que volver a un sitio así.

Abrí el diario por una página al azar, sin leerlo, limitándome a pasar la yema de un dedo por las notas escarpadas. Llegué a la conclusión de que la amenaza era real, mi madre se plantearía el suicidio si en última instancia fracasaba en sus intentos con la justicia. La idea excedía mi comprensión. No fui capaz de elaborar ninguna respuesta. Mi madre se explicó:

—El edificio estaba limpio. Los doctores eran amables. La comida que me daban era aceptable. Pero ser una persona a la que nadie cree, una persona a la que no se escucha, una mujer considerada incapaz... Yo nunca he sido esa mujer. Nunca lo sería. Si me ponen en esa situación otra vez, demostraré que soy capaz de quitarme la vida.

—Mamá, a mí nunca me permitirías hablar así.

Ella negó con la cabeza.

—En un sitio así, yo no sería tu madre.

—¿Yo seguiría siendo tu hijo si me internaran?

—Por supuesto.

—¿Qué harías si nuestra situación fuera a la inversa?

—Te creería.

Dejé el diario. Tomé la mano de mi madre y la coloqué hacia arriba, como si fuera a leérsela, trazando las líneas con mi dedo:

—Háblame del hospital.

—No quiero hablar de ese sitio.

No le hice caso.

—¿Te llevaron allí directamente?

*

NO, ME LLEVARON a la granja. Chris había convencido al doctor Norling de que probara un tratamiento en casa. No creas que fue un acto de amabilidad. Necesitaban que pareciera que el hospital era la última opción y que lo habían intentado todo. De lo contrario, habría parecido sospechoso. La granja se había transformado en una prisión. Sólo Chris tenía las llaves. El ordenador estaba desconectado, así que no podía escribirte. No tenía acceso al teléfono. Me echaban toxinas en la comida. No querían

297

matarme, sino volverme loca con hongos psicodélicos. Querían que gritara que oía voces en mi cabeza, que delirara con visiones descabelladas, que afirmara que el suelo de nuestra granja estaba salpicado de blanco con los huesos molidos de niños, que señalara hacia los árboles distantes con una mano temblorosa y declarara que había peligrosos troles observándonos. Me negué a comer nada que no estuviera precintado. Aun así, hay formas de esquivar eso, jeringuillas que atraviesan el embalaje. Se me puso la lengua negra. Se me pusieron las encías negras. Me costaba respirar. Se me pusieron los labios azules.

Un día, cuando Chris estaba comprando, me dediqué a estudiar las pruebas que había recopilado. Y entonces volvió y me pilló por sorpresa. Perdió los estribos, me atacó y lanzó la cita bordada al fuego. Yo la rescaté y la salvé justo a tiempo, sujetándola con las tenazas cuando todavía estaba ardiendo. Fue entonces cuando decidió que tenía que internarme. Existía el riesgo de que incendiara la casa, eso es lo que dijo.

Él y el doctor Norling me llevaron al psiquiátrico. Fue un plan inteligente. Una vez que te han ingresado en un psiquiátrico, tu credibilidad queda destruida. No importa que te den el alta al día siguiente. No importa que los médicos declaren que tu mente está bien. Un abogado siempre podrá preguntar, delante de un juez y un jurado, si has estado en un psiquiátrico. Dicho esto, la estancia en el hospital resultó una bendición. Antes de que me ingresaran, estaba destrozada. La segunda traición de mi padre me había dejado vacía. Mi lucha había concluido. Creía que nunca más volvería a tener la fortaleza suficiente para convencer a otra persona. Esa noche, el doctor me contó el relato de mi infancia que le había explicado Chris, dando a entender que había participado en la muerte de Freja. Me sentí tan ultrajada que pasé toda la noche escribiendo un relato sincero, el testimonio que has leído. Bastó para que los doctores me dejaran marchar. Su seguridad profesional me reanimó. Había sido una tonta sentimental al recurrir a mi padre, buscando segundas oportunidades. Era contigo con quien tenía que hablar, mi hijo, mi precioso hijo. Tú escucharías. Tú serías justo. Tú eras la persona que necesitaba. En cuanto me di cuenta de eso, fui feliz como no lo había sido en meses.

Tomé un taxi desde el hospital. Todo lo que necesitaba estaba en mi cartera: pasaporte y una tarjeta de débito. No me importaba cuánto costara. Compré un billete para el primer vuelo que salía de Suecia. Esta vez te contaría la historia como es debido, apoyándome en pruebas. Esta vez se la contaría a alguien que siempre me ha querido.

SOLTÉ LA MANO de mi madre.
     —Mamá, ¿confías en mí?
     —Te quiero mucho.
     —Pero ¿confías en mí?
     Ella se lo pensó un rato, y entonces sonrió.

Una tormenta de nieve había azotado el sur de Suecia, retrasando los vuelos, y cuando mi avión aterrizó en el aeropuerto Landvetter de Göteborg ya era casi medianoche. El piloto anunció a los agarrotados e irritables pasajeros que hacía un frío inusual para mediados de diciembre, incluso según los criterios suecos. La temperatura era de quince bajo cero y la nieve seguía cayendo pausadamente. Por suerte, el paisaje calmó los nervios crispados de muchos de los que iban a bordo. Hasta la atareada azafata se tomó un momento para disfrutar de la vista. Era el último vuelo del día. El aeropuerto se había quedado casi vacío y sólo había una persona en el control de pasaportes. Cuando me dejaron pasar, mi equipaje ya estaba en la cinta. Al salir de la aduana me encontré con familias y parejas que acababan de reunirse. Verlas me recordó la última vez que había estado en la zona de llegadas de un aeropuerto, y la tristeza me pilló con la guardia baja.

Habían pasado cuatro meses desde que internaron a mi madre en un hospital psiquiátrico del norte de Londres. No podía afirmarse que estuvieran tratándola en modo alguno. Mi madre se negaba a tomar la medicación. En cuanto comprendió que los doctores no iban a darle el alta, dejó de hablar con ellos. Por lo tanto, no estaba recibiendo

303

ninguna terapia significativa. Recientemente, había empezado a saltarse comidas, convencida de que los platos que le servían contenían antipsicóticos. Desconfiaba del agua del grifo. De vez en cuando bebía zumo embotellado, pero sólo si el precinto estaba intacto. Se deshidrataba a menudo. Sus síntomas físicos, tan inquietantes cuando fui a buscarla al aeropuerto en verano, se estaban agudizando. Semana tras semana, se le tensaba más la piel en torno al cráneo, como si su cuerpo estuviera retirándose del mundo. Mi madre se estaba muriendo.

Aunque nunca había dudado de los detalles del relato de mi madre, sí cuestionaba sus interpretaciones de los hechos. No fuimos a la policía. Me preocupaba que eso pudiera tener consecuencias graves para la libertad de mi madre si las acusaciones no se sostenían, si los agentes llamaban a la policía sueca y les decían que no se había producido ningún asesinato. Yo había decidido que los tres, mi padre incluido, habláramos con un doctor, una figura independiente que no pudiera ser acusada de corrupción. Al final, mi solución, el hospital, había logrado justamente el resultado que trataba de evitar, la reclusión.

Durante el trayecto nocturno por Londres, mi madre me había sujetado la mano. Ella daba por hecho que yo había pedido un coche del hotel para que nos llevara a una comisaría, y aunque no le mentí, tampoco la corregí. No fue una cuestión de cobardía, sino una medida práctica. Me había hablado con entusiasmo de sus sueños para el futuro: los dos pasaríamos más tiempo juntos y volveríamos a estar unidos. Confiaba tanto en mí que, cuando el coche finalmente se detuvo delante del hospital, no fue capaz de vislumbrar que la había traicionado. Le dijo al conductor que se había equivocado de dirección. Sospechaba de todo el mundo, pero había confiado en mí. Al comprender que no se trataba de un error, todo su cuerpo empezó a temblar de angustia. Yo, que había sido su salvador y su apoyo, la última persona a la que podía recurrir, había terminado comportándome como todos los demás; primero su marido, después su padre y por último su hijo. Ante semejante mazazo, su resistencia fue extraordinaria. Era un contratiempo, nada más. Yo ya no era su aliado. Ya no era su hijo. No echó a correr ni se dejó llevar por el pánico. Imaginé sus cavilaciones. Ya había convencido a los doctores en Suecia, podía hacer lo mismo en Londres. Si trataba de huir, la atraparían, declararían su incapacidad mental y la encerrarían para siempre. Me soltó la mano y me quitó la cartera, desposeyéndome de sus pruebas y su diario. Se echó la correa al hombro y bajó con calma del coche, con la cabeza alta. Estaba lista para defender su caso, para construir una nueva lealtad. No pude menos que admirar su fortaleza mientras ella valoraba fríamente el psiquiátrico. Me mostró más valentía en una mirada ponderada de la que yo había mostrado en toda mi vida.

Durante el proceso de admisión, se negó a mirarme. Me vi obligado a mencionar las amenazas de suicidio y lloré al hacerlo. Ante mi exhibición emocional, ella levantó desdeñosamente la mirada al techo. En su mente yo estaba haciendo teatro y, para colmo, del malo. «Lágrimas de cocodrilo» y «falsa pena», como ella había descrito antes. Era como si oyera los pensamientos en su cerebro: «¿Quién iba a decir que era un mentiroso tan convincente?»

Mi madre tenía razón, yo había aprendido a mentir, pero no en ese caso. Cuando los médicos la acompañaron a la sala, no se despidió de mí. En aquel pasillo de blancura absoluta, le dije que la vería pronto. No se volvió.

Fuera del hospital, me senté a esperar a mi padre en un murete de ladrillo, con las piernas colgando sobre la placa de la calle. Llegó en taxi, desorientado y exhausto. Al verlo de cerca, me di cuenta de lo perdido que estaba, incompleto sin mi madre. Cuando me abrazó, temí que fuera a derrumbarse. Lo acompañaba el doctor Norling. Noté su fragancia delicada. Su forma de vestir impecable me recordó a un dandi de una época pasada. Se disculpó por no haber informado al personal del psiquiátrico sueco de que mi madre podía infligirse daño a sí misma o a otros. Había omitido esa información a instancias de mi padre, que, con la mejor intención, quería restar importancia al estado de mi madre para que permaneciera en el psiquiátrico el menor tiempo posible. Como consecuencia, el personal había subestimado su perfil de riesgo, un término que oiría una y otra vez. Cuando mi madre había amenazado con tomar medidas legales, la habían dejado marchar. No tenían base para retenerla. Técnicamente, se trataba de una admisión voluntaria. Ella se había comportado bien y su relato escrito del pasado tenía coherencia. Norling había viajado a Inglaterra para enmendar sus errores. Yo sentía que le preocupaba su reputación por encima de todo, pero no podía aventurar ningún motivo más oscuro. Habló con los médicos ingleses con entusiasmo, como si actuara para ellos. No me cayó bien, a pesar de que había hecho mucho por ayudar. La descripción de mi madre era precisa: vanidoso y pretencioso, pero me parecía improbable que fuera un villano.

El hospital estaba limpio. Los médicos y enfermeras eran amables y estaban entregados a su trabajo. Había una sala de visitas donde mi madre muchas veces se sentaba en la repisa de una ventana que no se abría y no podía romperse, y se quedaba mirando el exterior. Por encima de la alambrada que marcaba el perímetro del recinto, tenía vistas a un parque. Desde allí no se veía la zona de juegos infantiles, pero durante el verano se oían a menudo las risas de los niños. Al llegar el invierno había quedado en silencio. Mi madre ni se daba la vuelta cuando yo entraba en la sala de visitas. Se negaba a mirarme, así como a hablar conmigo o con mi padre. Una vez que nos marchábamos, explicaba a las enfermeras que nuestras visitas estaban motivadas por el deseo de asegurarnos de que no se diera crédito a sus acusaciones. No sabía qué teoría había creado para explicar mi implicación. Despreciaba los antipsicóticos, porque consideraba que la medicación era un reconocimiento de que los sucesos del verano no habían ocurrido como ella los había descrito. Equiparaba tomar las pastillas con una traición a los niños adoptados que necesitaban su ayuda. Los doctores no podían obligarla a medicarse. Necesitaban el consentimiento de mi madre. Ella no aceptaba que estaba enferma. Un muro rodeaba su mente y no podíamos derribarlo. Inicialmente, en terapia, mostró las pruebas y repitió sus acusaciones. Después se refugió en el silencio. Si encontraba una cara nueva, ya fuera un miembro del personal o un paciente, mi madre contaba su historia otra vez. Su relato se hacía cada vez más largo. Su eficacia narrativa había mejorado, como si estuviera en el hospital sólo porque no había situado adecuadamente una escena o caracterizado bien a alguno de sus sospechosos. Sin excepción, los otros pacientes la creyeron. Algunos se me acercaban durante mis visitas y me reprendían por no resolver el caso del asesinato de Mia.

Pasaron días y semanas de este modo. En ocasiones iba a verla solo, en otras con mi padre, alguna vez con Mark. Él siempre esperaba fuera. Le parecía indecoroso ver a mi madre en ese estado antes de que ella conociera su identidad o supiera por qué estaba allí. Al principio éramos optimistas. Mi madre mejoraría y eso nos haría más fuertes. Seríamos una familia más unida, las brechas entre nosotros se cerrarían. Pero, a ojos de mi madre, mi traición no tenía vuelta atrás. El carácter irrevocable de esa postura poco a poco había ido calando en mí. Sentía una especie de luto.

* * *

Un día, a finales de otoño, mientras paseaba por la sala de visitas, inquieto por el cambio de estación y la falta de progresos, dije impulsivamente:

—Voy a ir a Suecia. Descubriré la verdad por mí mismo.

Fue la única vez que mi madre reaccionó. Se volvió y me miró a la cara para evaluar mi declaración. Durante unos segundos, percibí en su mirada la misma expresión que cuando me había visto en el aeropuerto: quedaba esperanza. Durante unos segundos fui su hijo otra vez. Se llevó un dedo a los labios, presionando contra ellos como si me hiciera un gesto para que me quedara en silencio. Me agaché a su lado y le pregunté:

—¿Qué significa eso?

Separó ligeramente los labios, lista para hablar. Vi la punta negra de su lengua, pero de repente su expresión cambió. Desestimó la posibilidad de que mi pregunta fuese sincera. Cerró la boca.

—Mamá, por favor. Habla conmigo.

No lo hizo. Era un recordatorio de que, por más enferma que estuviera, aún conservaba una percepción aguda. Yo no me había planteado en serio la idea de ir a Suecia cuando la solté. Mi prioridad hasta ese día habían sido los doctores, la terapia y el tratamiento.

Después, discutí la idea con mi padre y con Mark. Su presentación no había tenido nada de espectacular y se había producido en las circunstancias más tristes. Se habían estrechado la mano, como si acabaran de alcanzar un acuerdo comercial. Mi padre le dio las gracias por su ayuda. Cuando estuvimos solos, mi padre se disculpó por si alguna vez había dado la impresión de que no iba a aceptarme como era. Su disculpa me resultó insoportable y me disculpé también yo. Mi padre estaba perplejo, no

308

por la revelación en sí, sino por los años de secreto, tal como yo había imaginado. A pesar de la tristeza, por fin había conocido a Mark y yo podía dejar de mentir. Pero ninguno de nosotros era capaz de celebrarlo sin mamá. Era imposible imaginar una celebración familiar sin ella. Ni Mark ni mi padre pensaban que ir a Suecia fuera buena idea. No había ningún misterio que desentrañar. Mia había sido una adolescente infeliz que había huido de casa. Si iba a Suecia, quedaría atrapado en una búsqueda imposible que sólo serviría para distraerme del problema real: tratar de convencer a mi madre de que aceptara comenzar con la medicación y la terapia. Peor todavía, el viaje alimentaría sus delirios en lugar de cuestionarlos y podría hacer más mal que bien. Abandoné la idea. O al menos la eliminé de la conversación, porque había empezado a estudiar sueco otra vez: pasaba muchas horas leyendo mis viejos libros de texto y repasando listas de vocabulario, desempolvando un idioma que de niño había hablado con fluidez.

Cuando se acercaba la noche más oscura del año, los médicos mencionaron la posibilidad de alimentar a mi madre por vía intravenosa y nos hicieron un resumen de las cuestiones legales y las implicaciones morales. Fue en ese momento cuando declaré abiertamente mi intención de viajar a Suecia. Mark lo vio como una negación, una reacción típica en mí en muchos sentidos, una forma de huir de los problemas, una vía de escape. Mi padre estaba tan consternado por el deterioro de la salud de mi madre que ya no se oponía a mi idea. Estaba dispuesto a probar cualquier cosa. Mi plan consistía en descubrir qué había ocurrido con Mia. Fuera cual fuese la verdad, existía una posibilidad de conectar con mi madre otra vez si volvía con información fresca. Aportar pruebas nuevas sería la única provocación a la que ella podía responder. Estaba convencido. Aunque Mark no estaba de acuerdo, en cuanto vio que me había decidido, dejó de poner pegas y me prestó el dinero para el viaje. En un principio, me negué a aceptarlo y le dije que lo pediría al banco, pero la idea molestó a Mark hasta tal punto que me tragué el orgullo. No tenía ningún trabajo en perspectiva. La compañía de diseño que me empleaba estaba al borde de la bancarrota. Llevaba meses sin trabajar en ningún proyecto. Estaba pelado. Y en mis momentos más depresivos, me preguntaba si no estaría huyendo.

Calculé que si racionaba el dinero tendría suficiente para sobrevivir tres semanas con la máxima frugalidad. Mark no podía tomarse vacaciones, pero tenía intención de viajar en Navidad si yo no había regresado para entonces. Supo ocultar sus dudas. Su mente era racional y disciplinada. Él se ocupaba de cuestiones que podían ponerse a prueba ante un tribunal de justicia; yo actuaba por sentimientos. Mi instinto me decía que había algo de verdad en el relato de mi madre.

Salí del aeropuerto y, en la noche helada, contemplé el largo viaje que tenía por delante. Mi coche de alquiler era un elegante y potente cuatro por cuatro que Mark había elegido para que pudiera hacer frente a las inclemencias del clima. Yo no tenía coche en Londres y al volante de ese vehículo magnífico me sentía como un impostor. Pero estaba agradecido por la elección de Mark. Las condiciones eran duras. No habían retirado del todo la nieve en las autopistas. Como medida temporal, habían despejado un solo carril, que quedaba encajonado por la nieve caída durante el día. Me vi obligado a conducir despacio, parando en varias estaciones de servicio a comprar café, regaliz salado y perritos calientes con mostaza dulce. A las cuatro de la madrugada, salí por fin de la autopista y seguí estrechas carreteras rurales hasta que el navegador anunció que había llegado a mi destino.

El sendero a la granja estaba cubierto de nieve. No tenía ninguna intención de despejarlo. Di marcha atrás y aceleré por la nieve alta hasta las rodillas, oyendo cómo se compactaba bajo los neumáticos. Bajé del coche y miré la casa cerrada. Después de tantas promesas incumplidas, había llegado por fin. Una cuña de nieve hacía equilibrios en el tejado de paja y amenazaba con derrumbarse en el borde. Un roble se acurrucaba contra la casa de doscientos años, como si los dos disfrutaran de una lealtad antigua. La nieve se veía inmaculada. La amenaza que mi madre había percibido en ese paisaje estaba ausente o al menos yo no la percibía. La extraordinaria calma que a ella le había resultado sofocante me pareció maravillosa, la amplitud de esa parte del mundo, todo lo contrario de opresiva, y sólo las luces rojas distantes de las turbinas eólicas —ojos de rata, como las había llamado mi madre— me impidieron descartar por completo la reconstrucción de pesadilla que ella había hecho de ese paisaje.

Al mirar alrededor, enseguida identifiqué varios lugares que ella había mencionado en su relato: el granero reconvertido para alojar unos huéspedes que nunca llegaron, la edificación anexa de piedra donde habían colgado el cerdo muerto. Adiviné dónde estaba el huerto, oculto bajo la nieve, igual que los daños que mi madre había causado al escapar sin miramientos en la furgoneta. Sólo el boquete en el seto revelaba el trauma de ese día.

En el interior de la casa había pruebas de una salida apresurada. Una taza de té llena en la mesa de la cocina. La superficie se había congelado. Rompí la fina capa de hielo amarronado con un dedo y revolví el líquido de debajo. Me llevé la punta del dedo a los labios para probar el té. No llevaba leche y lo habían endulzado con miel. Ninguno de mis padres tomaba el té así. Aceptando que era una deducción trivial, de repente me sentí abatido ante mis posibilidades. El viaje era un gesto grandilocuente, una extravagancia que ocultaba la impotencia y la desesperación.

A pesar de que había sido un día muy largo, no podía irme a dormir enseguida. Hacía demasiado frío. Mi mente estaba demasiado activa. Encendí un fuego en la magnífica cocina económica de hierro forjado, el corazón de acero de la granja. Las junturas sonaron cuando se calentó el metal. Sentado delante del fuego, vi un rostro demoníaco grabado en la madera. Cogí las tenazas y saqué el tronco, sólo para descubrir que había confundido un nudo retorcido con una nariz.

Con la esperanza de apaciguar mis pensamientos, revisé los estantes en busca de un libro para leer y encontré la biblia de mi madre. Pasé a Efesios capítulo 6, versículo 12. La página no estaba marcada. Al devolver la biblia a su sitio, vi la colección de cuentos de troles que mi madre me había leído de niño, el libro descatalogado que sólo tenía una ilustración de un trol acechando en el bosque. Habían pasado muchos años desde la última vez que había visto ese volumen y, con un arrebato de cariño, hojeé los cuentos junto al fuego. A pesar de todo el tiempo transcurrido, me sabía las historias de memoria, y al empezar a leer oí la voz de mi madre. Me entristeció demasiado y lo dejé a un lado. Extendí las manos delante de las llamas y me pregunté, sinceramente, qué éxito esperaba conseguir.

Por la mañana, me desperté desplomado delante de las brasas convertidas en ceniza. Me costó levantarme, porque el cuerpo se había amoldado a la forma de la silla. El brillo de la nieve me deslumbró cuando miré por la ventana. Después de ducharme, imaginando que me caía agua turbia por la espalda, preparé un café fuerte. No había comida a excepción de centenares de tarros de pepinillos en vinagre y mermelada casera que mis padres habían almacenado para el largo invierno. Me senté a la mesa de la cocina a comer una deliciosa mermelada de moras que resbalaba de la cuchara. Saqué de mi bolsa una libreta en blanco y un lápiz con la punta bien afilada, las herramientas de un investigador, y los miré con escepticismo. Escribí la fecha en la parte superior de la primera página.

Era obvio que debía empezar con Håkan. Mi padre había llamado a su amigo con antelación para informarle de mis intenciones, y éste sólo le había dicho que no había noticias de Mia, ningún progreso, y que yo no conseguiría nada yendo a Suecia. Mi padre había tomado recientemente la decisión de vender la granja. Apenas le quedaban unos pocos miles de libras y estaba viviendo en el estudio del apartamento de Mark. No tenía planes y sólo lo sostenía la esperanza de que mi madre mejorara. Cuando ella empeoró, también él se debilitó. Formaban un equipo inquebrantable, unidos incluso en su deterioro. Aunque yo tenía muchas inquietudes respecto a la venta de la granja, reconocía que eran vagas y de naturaleza supersticiosa. No tenía ninguna base para oponerme desde una perspectiva práctica. Para mis padres, la casa era un escenario de angustia: lo sentí intensamente bajo esos techos de madera viejos. Håkan mantenía su generosa tasación, cuando podría haber rebajado la oferta para aprovecharse de nuestra situación desesperada. Era un vencedor amable. En enero, la granja sería suya.

No quería reunirme con Håkan en el estado de inquietud y pesimismo en el que me hallaba. Mi instinto me decía que confiara en el relato que mi madre había hecho de su carácter, sobre todo por la habitual ceguera de mi padre ante los defectos de la gente. Era perfectamente posible que Håkan hubiera sido amable con mi padre y horrible con mi madre. No me cabía duda de que ese hombre formidable me consideraría insignificante, intrascendente. Aun así, sentía curiosidad por saber qué pensaba él de mi objetivo. Decidí retrasar nuestro encuentro echando un vistazo a la ciudad y haciendo la compra. Guardaba bonitos recuerdos de haber comprado con mi madre en tiendas suecas y me encantaban muchas de las comidas populares que no podía hallar en Londres. Estaba convencido de que la seguridad en mí mismo aumentaría cuando hubiera comido bien, llenado la despensa y convertido la casa en una base más acogedora.

Con el maletero del coche lleno de provisiones, di un paseo por el centro de la ciudad, a lo largo de la avenida principal que había mencionado mi madre. Las velas de Adviento eléctricas se encendieron automáticamente en los escaparates en cuanto empezó a anochecer. Hice una pausa delante de la cafetería llamada Ritz, donde mi madre había hablado con Mia. Sin saber muy bien por qué, entré y examiné la vitrina de pasteles y los sándwiches con capas de langostinos, rodajas de huevo y montones de ensalada de remolacha. La mujer de detrás del mostrador me miró de pies a cabeza, sin hacer el menor intento de ocultar su interés en mi apariencia. Yo no contaba con un gran repertorio de ropa de abrigo, la verdad. Para protegerme de temperaturas de quince bajo cero por primera vez en mi vida, había improvisado con capas de prendas que no combinaban y una trenca de pana que había encontrado en una tienda de segunda mano y que no se parecía en nada a las chaquetas de nieve de marca y de alta tecnología que llevaba la mayoría de la gente. Simulé no darme cuenta de que estaba inspeccionándome y elegí una botella de agua mineral, un sándwich de queso y, en un capricho, el mismo pastel que mi madre había compartido con Mia, una tarta princesa, esponjosa y con una gruesa capa de nata y cobertura de mazapán verde. Los primeros bocados fueron deliciosos, pero enseguida me pareció excesiva —la textura demasiado blanda, como comer nieve endulzada— y la dejé a un lado, con la esperanza de que la dueña

314

no se ofendiera. Me recosté en la silla y vi el cartel de búsqueda de Mia clavado en el tablón de anuncios. Otros carteles y tarjetas habían empezado a invadir el perímetro, evidenciando que era una noticia vieja. Me levanté, me acerqué al tablón y estudié el cartel atentamente. Había etiquetas perforadas con el teléfono de Håkan, preparadas para ser arrancadas. No se habían llevado ninguna.

Cuando me di la vuelta, la mujer de detrás del mostrador estaba mirándome. Con certeza irracional supe que iba a llamar a Håkan en cuanto me marchara del café. Era la clase de afirmación que mi madre había hecho repetidas veces y que yo había puesto en entredicho. No era más que una sensación, pero hubiera apostado cualquier cosa a que no me equivocaba. Recogí mi trenca de pana y resistí el deseo de soltar un «Vete a la mierda» al salir del local. Me puse la capucha con un punto de desafío.

Eran sólo las cuatro de la tarde cuando llegué a la granja, pero la luz solar ya había desaparecido. Me habían advertido de los efectos deprimentes de la oscuridad del invierno, sobre todo estando solo en una zona remota. Por ese motivo había comprado un buen número de velas. Su luz era más agradable que la de las bombillas eléctricas. Al abrir el maletero, me detuve. A mi lado vi una línea de pisadas en la nieve, huellas profundas que salían de los campos. Dejé la compra y las seguí hasta la puerta principal. Habían pegado un sobre en el marco de madera.

## *Daniel*

Me guardé el sobre en el bolsillo, volví al coche y empecé a meter las bolsas en casa. Con una taza de té y varias velas ardiendo a mi alrededor, abrí el sobre. Dentro había una tarjeta de color crema, con elfos de Navidad en los márgenes. Era de Håkan. Me invitaba a tomar una copa de ponche en su casa esa noche.

315

Me debatí, sin saber qué ponerme, igual que le había ocurrido a mi madre, y al final me decidí por ropa elegante. Decidí no llevar la libreta y el lápiz: no era un reportero de camino a una entrevista, y hasta me pregunté si no había sido absurdo llevarlos a Suecia. Salí pronto, porque quería llegar a tiempo y no estaba seguro de cuánto tendría que caminar. Al llegar a la enorme pocilga que marcaba el desvío, examiné el inhóspito edificio industrial que mi madre había descrito. Todo parecía tranquilo bajo la nieve, pero el olor era desagradable y no me entretuve. Cuando avanzaba ya por el largo sendero meticulosamente despejado de nieve, me di cuenta de que debería haber llevado un regalo. Pensé en volver a la granja, pero no tenía nada que ofrecer. No podía convertir una de las conservas de mi madre en un obsequio.

La casa de Håkan tenía un aspecto acogedor. Había velas de Adviento eléctricas en todas las ventanas y, por encima de ellas, cortinas de encaje decoradas con motivos navideños: elfos envolviendo regalos, elfos inclinados sobre cuencos de gachas. Sentí que me relajaba, pero combatí esa sensación. Me sacudí la nieve de las botas y llamé a la puerta. Abrió Håkan. Me sacaba casi una cabeza y era muy ancho de espaldas. Sonrió y me estrechó la mano, haciéndome percibir la fuerza de su apretón. Mientras yo dejaba las botas en el recibidor, me habló en inglés. Aunque mi sueco no era fluido, le dije con educación que prefería hablar en sueco. Supongo que ésa era mi versión de un fuerte apretón de manos. Sin mostrar ninguna reacción, Håkan tomó mi trenca de pana y la sostuvo a la luz para examinarla brevemente antes de colgarla.

Nos sentamos en el salón, junto a un árbol elegantemente decorado. De las ramas colgaban telas con panes de jengibre bordados. En lo alto del árbol, en lugar de un ángel, había una estrella de cartón. Las luces eléctricas estaban envueltas en una pelusa como de algodón que transformaba la luz severa de la bombilla en un brillo difuso. El soporte del árbol estaba tallado a mano: tres caras de trol cuidadosamente cinceladas, cuyas barbillas con verrugas se extendían para formar las patas. Al lado había varios regalos envueltos en papel dorado brillante con lazos de seda roja.

—Son para Mia —dijo Håkan.

Todos los elementos que componían la sala eran espléndidos, pero por alguna razón era como encontrarse dentro de la descripción de una escena navideña perfecta más que en una casa real.

Pese a que llevaba varios minutos hablando con Håkan, Elise, su mujer, sólo apareció para servirnos ponche. Me saludó con una inclinación de cabeza cuando salió de la cocina con una bandeja en la que llevaba dos copas ornamentadas, un cuenco de almendras laminadas y pasas, y una jarra de ponche humeante. Sin decir nada, depositó unas cuantas almendras y pasas en el fondo de mi copa, la llenó con el ponche y me la ofreció. Yo cogí la copa y le di las gracias. Me pareció extraño que evitara el contacto visual y que en lugar de unirse a nosotros regresara a la cocina en cuanto terminó de servir.

Håkan tocó mi copa y propuso un brindis:
—Esperemos que tu madre se recupere pronto.
—Y que Mia vuelva pronto a casa —respondí con un toque de provocación.
—El ponche es una antigua receta de la familia —dijo Håkan sin hacer caso de mi comentario—. La gente me la pide cada año, pero nunca la damos. Es una combinación secreta de especias y diferentes tipos de alcohol, no sólo vino. Así que ten cuidado, esto sube.

Sentí que el líquido me calentaba el estómago. Aunque la prudencia me decía que no debería tomar más de un trago, enseguida me terminé toda la copa. Las almendras laminadas y las pasas formaron un mantillo dulce y delicioso. Mientras barajaba la idea de sacarlo con el dedo, me fijé en que en la bandeja había cucharitas de madera que tenían exactamente ese propósito.

—Venir a Suecia es un gesto emotivo —señaló Håkan—. Quizá el gesto de por sí baste para ayudar a la pobre Tilde, pero, en términos prácticos, no entiendo qué crees que vas a lograr.

Su referencia a mi madre como «la pobre Tilde» me irritó, y estaba seguro de que ésa era su intención.

—Espero aportar una nueva mirada a los hechos.

Håkan cogió la jarra y llenó mi copa.

—Este viaje no me beneficia en nada.

Tomé un sorbo de mi segunda copa de ponche. Quería verlo reaccionar a la pregunta, aunque ya conocía la respuesta.

—¿Hay alguna noticia de Mia?

Negó con la cabeza.

—Ninguna.

Dejó caer un brazo al lado de su sillón y rozó con los dedos el papel dorado del regalo que tenía más cerca. Aunque apenas lo había rozado, el regalo se movió, y me dio por pensar que estaba vacío, que no era más que una caja envuelta en papel brillante. Sentí su silencio como un desafío. ¿Cruzaría la línea e insistiría en un tema que claramente él no quería discutir? Acepté el reto y dije:

—Tienes que estar preocupado. Es muy joven.

Håkan se terminó la copa, pero no volvió a llenarla, señalando así su deseo de que me marchara pronto.

—¿Joven? Yo empecé a trabajar en esta granja a los nueve años.

Fue una respuesta curiosa.

En el momento de despedirnos, decidí de repente visitar el refugio subterráneo donde Håkan tallaba sus troles. Después de oír que la puerta se cerraba detrás de mí, subí por el sendero, pero, en cuanto me perdí de vista, di media vuelta y caminé agachado a través de campos cubiertos de nieve para llegar sin ser visto hasta el lateral de la casa, debajo de la cocina. Permanecí allí un minuto o dos, intentando escuchar la conversación de Håkan y Elise. Las ventanas de triple acristalamiento impedían que saliera sonido alguno. Renuncié a oír nada y me apresuré a llegar al refugio. La puerta exterior estaba cerrada. Habían comprado un candado nuevo. Era grueso, con un arco duro forrado de goma, imposible de romper para un fisgón aficionado. Me alejé de allí y regresé a casa a través de los campos y la nieve. Inquieto, miré atrás hacia la granja de Håkan y lo vi en la ventana del dormitorio. Velas eléctricas parpadeaban en torno a su cintura. No sabía si me había visto o no.

A la mañana siguiente, me desperté cuando aún estaba oscuro, con la intención de sacar el máximo partido a las pocas horas de luz solar. Rodeado de velas, desayuné yogur de leche agria con semillas de calabaza, rodajas de manzana y canela en polvo. Me abrigué bien y salí de la casa. La nieve me llegaba a las rodillas. Al avistar el río, descubrí que se había congelado por completo. Mi padre, en su prisa por abandonar la granja, se había olvidado de la barca, que había que dejar en tierra durante el invierno. Estaba enclaustrada en el río, con la hélice incrustada en hielo y el casco sometido a tanta tensión que ya se veían claramente varias fisuras. En primavera, el hielo se fundiría y la barca haría aguas y se hundiría. Mi padre me había contado que la anciana Cecilia no la había comprado para recabar pruebas, sino porque sufría demencia. Según Håkan, había perdido la razón y había días en los que creía que era una mujer joven con muchos años de felicidad por delante.

Bajé del embarcadero a la barca. Tal como había descrito mi madre, el motor estaba equipado con un monitor LCD.

Pero estaba apagado: no quedaba nada de carga, ni siquiera la suficiente para que se encendiera la pantalla. Mis pensamientos vagaron al fragmento de hielo que mi madre había encontrado en la branquia del salmón. No se había equivocado, esa tarde había palpado hielo. Mi padre había comprado el salmón, pero no lo había hecho por el motivo que ella sospechaba. Ya no había salmones en el río. El salto construido para salvar la pintoresca presa de la estación hidroeléctrica había fracasado. Estaba mal diseñado. Los salmones ya no migraban corriente arriba, no había ningún pez magnífico que pescar, sólo anguilas escurridizas y lucios agresivos. Mi padre, en un apuro y entusiasmado por el precio de ganga de la granja, había asegurado a mi madre que era un buen río. Los numerosos libros de pesca que declaraban las excelencias de aquellas aguas se habían escrito antes de la construcción de la estación hidroeléctrica. Al darse cuenta de su error demasiado tarde, mi padre había tratado de ocultarlo, preocupado por la tensión adicional que una revelación así habría causado a mi madre poco después de los problemas con el pozo. Fue un error de cálculo motivado por las mejores intenciones. Håkan había pagado el salmón, seleccionando uno de un pescadero local, un impostor pescado en aguas noruegas.

Lancé un terrón congelado al hielo con la intención de juzgar el grosor. Incapaz de llegar a ninguna conclusión, saqué las piernas por la borda de la barca y traté de comprobarlo con un pie. El hielo no se tensó. Planté el otro pie y me levanté, listo para saltar a la barca si el hielo se rompía. La capa era profunda y fuerte. Empecé una larga caminata hacia la Isla de la Lágrima.

Mi avance cauteloso por el río congelado fue lento. Tardé tres horas en alcanzar la linde del bosque y lamenté no haber llevado comida ni una bebida caliente. En el vértice del bosque hice una breve pausa, de pie ante el mismo paisaje que se veía en los libros de troles de mi madre, eterno y mítico. El cielo era de un blanco apagado y una niebla helada flotaba entre los árboles. En algunos lugares, el río se dividía en torno a las rocas y el hielo adoptaba formas extrañas, remolinos y salpicaduras congeladas en movimiento. La nieve estaba surcada de huellas de animales; algunos daban pasos largos, tan largos como podría darlos un alce. Quizá mi madre se había encontrado uno en el agua, quizá le había pasado tan cerca que incluso podría haber estirado un brazo para tocar su pelaje. Desde luego, la Isla de la Lágrima era un lugar real. Agarré la misma rama que había captado la atención de mi madre, vi el tronco rayado donde habían amarrado las barcas visitantes.

Empecé a explorar el islote, apartando la nieve para encontrar tocones de madera ennegrecida donde el fuego había ardido. Mi padre me había explicado que era un lugar muy conocido donde los adolescentes pasaban el rato y fumaban hierba. El fuego no había sido accidental. Lo había iniciado mi madre. Habían encontrado una lata de combustible en la barca. La ropa que ella había abandonado en la orilla apestaba a petróleo. En cuanto al diente de leche, el diente ennegrecido —su asombrosa prueba final—, había salido de su propia boca. Era el diente de leche de mi madre, guardado, junto con otros recuerdos de su infancia, en una caja de música de madera labrada. Mi padre creía que probablemente había lanzado al fuego toda la caja. Y la había visto arder desde tan cerca que se le ampolló la piel. Todo desapareció salvo el diente, que pasó de blanco a negro.

Esa noche, en la granja, estudié el correo atrasado. Entre la publicidad y unas pocas facturas impagadas, encontré un par de entradas para el festival de Santa Lucía que iba a celebrarse en la ciudad, un festival de luz en la noche más oscura del año, el contrapunto a las celebraciones del *midsommar*. Era típico de mi madre haber comprado las entradas con tanta antelación. Era organizada y metódica, y lo que es más importante, le hubiera aterrorizado perdérselo. Toda la ciudad estaría allí, incluidos muchos de los sospechosos de mi madre.

En preparación de la fiesta, pasé los siguientes días buscando información sobre Mia. Hablé con los maestros de la escuela, con los dependientes de las tiendas del paseo y hasta con transeúntes desconocidos. A la gente le desconcertaba mi interés. Muchos sabían de mi madre. Su historia se había susurrado en toda la ciudad. Aun así, no podían entender que yo anduviera preguntando por la hija de otra persona. Mis esfuerzos eran de aficionado en todos los sentidos. En un momento dado, llegué a ofrecer mi entrada sobrante del festival de Santa Lucía a cambio de información. Daba una imagen penosa, sin ninguna autoridad, una figura tan ridícula como desesperada. Mi cita más prometedora había sido con el agente Stellan en la adormilada comisaría. Al contrario que a mi madre, me hizo esperar y sólo aceptó hablar conmigo al salir de la oficina para coger el coche, repitiendo sin rodeos la afirmación de Håkan de que no había noticias. También había hecho una visita a Ulf con la esperanza de tener más éxito con el ermitaño amable. Me abrió la puerta, pero no me invitó a pasar, y sólo conseguí echar un vistazo al lugar donde debería haber colgado la última cita que había bordado su mujer.

Esa noche, cuando lo llamé, mi padre me informó de que mi madre se había desmayado por deshidratación. Los médicos afirmaban que, bajo la Ley de Capacidad Mental, ella no tenía derecho a rechazar alimento líquido o sólido. Si tomaban la decisión de inyectarle suero fisiológico y ella se lo arrancaba del brazo, la atarían. Después hablé con Mark, pero él se quedó casi todo el tiempo en silencio. Esperaba que yo tomara la decisión de volver a casa sin que me lo pidiera.

Al borde de la rendición, anoté los horarios de posibles vuelos de regreso a Londres. Esa tarde llamaron a la puerta. Era el doctor Norling. El encanto y la elocuencia habían desaparecido, aunque la delicada fragancia a madera de sándalo permanecía. Fue brusco hasta el extremo de la grosería y me anunció que no podía quedarse mucho rato.

—No deberías haber venido. No conseguirás nada. Tilde necesita regresar a la realidad. No necesita más fantasía. —Señaló mi libreta vacía en la mesa—. Eso es fantasía. —Y añadió—: Lo sabes, ¿no?

Había una leve amenaza en su pregunta, como si estuviera cuestionando mi cordura, de tal palo tal astilla. Ése fue el momento en que decidí quedarme.

Si mi madre no se hubiera marchado de Suecia, Santa Lucía seguramente habría sido un acontecimiento clave en su cronología, pues prometía, en su opinión, algún incidente de gran importancia. Yo tenía intención de llegar pronto, con la esperanza de seleccionar un asiento en la parte de atrás y observar a la sociedad local al entrar. Quería tratar de imaginar qué relaciones hubieran provocado una reacción de mi madre.

La iglesia estaba en una plaza histórica, el punto más antiguo y más elevado de la ciudad, en una pequeña colina. Con sus muros de piedra blanca y una torre alta también blanca, el templo parecía alzarse desde la nieve más como un fenómeno natural que como una construcción humana. La mujer de la taquilla, poniendo en duda que yo, un desconocido, pudiera poseer una entrada válida, me dijo que estaba todo vendido. Cuando saqué la entrada, la examinó con cuidado antes de dejarme pasar con recelo.

* * *

Dentro no había luz eléctrica, sólo el destello de un millar de velas que iluminaban muros decorados con escenas bíblicas pintadas en planchas de madera arrancadas de los cascos de viejas barcas de pesca. El folleto que había cogido en la entrada me informó de que esa iglesia había sido en otro tiempo el lugar al que acudían las mujeres, los hijos y las hijas a rezar por el buen retorno de sus maridos y padres del mar tormentoso; el lugar perfecto para rezar por el retorno de una hija desaparecida o, en mi caso, de una madre presente y desaparecida al mismo tiempo.

En mi regazo, oculto dentro de la hoja de cantos, tenía una recreación de la lista de sospechosos de mi madre. El alcalde fue el primer sospechoso en llegar, con la intención, como buen político que era, de recibir y saludar a los asistentes. Me vio, pero me rehuyó deliberadamente: la única grieta en su por lo demás incesante jocosidad. Los asientos de la primera fila estaban reservados y el alcalde ocupó su lugar. En los sitios restantes se sentaron, entre otros, el agente Stellan y el doctor. La iglesia estaba llena cuando entró Håkan, acompañado por su mujer. Noté cómo disfrutaba de que todas las miradas lo siguieran a su espacio reservado.

Una vez que estas figuras prominentes de la sociedad se hubieron sentado, comenzó la ceremonia. Una procesión de hombres y mujeres jóvenes vestidos de blanco nupcial recorrió el pasillo. Los hombres sostenían estrellas doradas en palos, las mujeres llevaban velas, y todos cantaban mientras caminaban despacio y se reunían en filas en la parte delantera de la iglesia. La muchacha que iba en cabeza llevaba una serie de velas montadas en un aro de acero, una corona de llamas en el pelo rubio de la Santa de la Luz, un papel que Mia había representado en la ceremonia del año anterior. La ceremonia duró una hora. Los feligreses dieron gracias por la luz y el calor no sólo como ideas abstractas sino como una necesidad imperiosa, algo querido que se echaba de menos. Aunque se trataba de una oportunidad obvia, no se hizo ninguna mención a Mia. La omisión fue llamativa. Sin lugar a dudas, no era fruto de un descuido, sino de un cálculo deliberado; alguien había propuesto no sacar el tema y el sacerdote había accedido. No llegaba a la categoría de prueba, pero desentonaba, en especial con Håkan sentado en primera fila, y sobre todo porque Mia había sido la última en representar el papel de Santa Lucía.

Después de la ceremonia, esperé fuera junto a la fila de linternas titilantes colocadas en la nieve, ansioso por hablar con Håkan. Lo veía, a través de las puertas de la iglesia, conversando con miembros de la comunidad, estrechando manos, más como un hombre de Estado que como un ciudadano ordinario. En cuanto reparó en mí, se detuvo un instante, demasiado consciente de sus reacciones para ir más allá de la mera pausa. Finalmente, salió con su mujer. Al acercarme a ellos, Håkan se volvió hacia Elise y le dijo que se adelantara al banquete privado. Ella me miró, y tal vez fuera mi imaginación, pero algo percibí en esa mirada que no era compasión ni hostilidad, sino algo más... remordimiento o culpa. Tal vez me equivocara, porque la mirada sólo duró un instante, y Elise se alejó enseguida por el camino iluminado por las velas.

La cortesía de Håkan no me sonó convincente:
—Espero que hayas disfrutado del servicio.
—Mucho. Es una iglesia preciosa. Pero me ha sorprendido que no rezáramos por el regreso de tu hija, sana y salva.

—Yo sí he rezado, Daniel. Rezo por ella todos los días.

Håkan se había unido a mis padres al negarse a abreviar mi nombre, convirtiéndolo en Dan. Mientras luchaba contra la reacción instintiva que suele llevarme a rehuir los conflictos, recordé algo que me había dicho mi madre.

—Me cuesta entender cómo se marchó Mia de casa. No conducía. No se llevó su bicicleta. No podía irse a pie. No había transporte público. Ahora que estoy aquí entiendo lo aislados que estamos.

Håkan dio un paso a un lado, hacia la nieve, aportando más intimidad a nuestra conversación. Bajó la voz.

—Tu padre y yo nos hicimos amigos durante el verano. Estaba preocupado por ti. ¿Te molesta que te diga esto?

No era suficiente con que Håkan me atacara. Quería mi permiso para hacerlo.

—Adelante.

—Según él, tu profesión no iba a ninguna parte. Después de las oportunidades que se te dieron, oportunidades que ellos no tuvieron, no fuiste capaz de pensar por ti mismo y seguiste sus pasos, tomaste el camino más fácil posible. Tu padre se preguntaba si tu fracaso era la razón por la que te habías separado de tu familia. Casi nunca telefoneabas. Nunca los visitaste. Cuando oía a Chris repitiendo tus excusas, pensé: ese hombre está mintiendo. No quiere venir. Chris estaba dolido por tu ausencia. Tilde también. No podían comprender qué habían hecho mal. Temían la posibilidad de que no vinieras en todo el año. Pero la parte que me resultaba más difícil de creer es que estuvieras convencido de que eran ricos. ¿Puede ser cierto?

Estaba avergonzado y consideré dar una respuesta restringida, defendiéndome, pero al final opté por reconocerlo sin más.

—Es cierto.

—¿Cómo es eso? Yo supe que pasaban apuros en cuanto llegaron. Por eso siempre invitaba a tu padre cuando bebíamos juntos, por eso cuando los invitábamos a fiestas nunca les pedíamos que trajeran nada caro, como salmón o carne.

En medio de mi humillación, se resolvió el misterio de por qué había pedido a mi madre que llevara ensalada de patatas. Era un acto de caridad, con un toque de condescendencia. Håkan hizo una pausa para valorar mi reacción. Yo fui incapaz de protestar. Dando por terminado su ataque, Håkan pasó a argumentar su defensa.

—Nadie está más inquieto por Mia que yo. He hecho todo lo que se esperaba de mí. Que un hombre que no movió un dedo por sus padres cuestione públicamente mi papel, que me cuestione alguien que ni siquiera era consciente de que su madre gritaba «asesinato» a cada sombra, bueno, me resulta ofensivo. Estás entristeciendo a mi mujer. Estás insultando a mis amigos.

—No pretendía insultar.

Al ponerse los guantes, Håkan tenía la actitud de un hombre decepcionado de que la pelea hubiera sido tan desequilibrada. Pero, antes de que se marchara, me apresuré a añadir:

—Lo único que quiero son algunas respuestas, no para mí, sino para mi madre, y ahora mismo, a pesar de tus esfuerzos, no las hay. Ni siquiera sabemos cómo se marchó Mia de la granja.

Quizá Håkan vio en mí un destello de la fe de mi madre, porque fue el único momento en que lo vi perder el control de sus palabras.

—Ni siquiera te diste cuenta de que tus padres estaban en la ruina. ¿De qué vas a servir? Esta visita no tiene nada que ver con ayudar a tu madre y desde luego tampoco con ayudarme a mí. Te sientes culpable. Estás tratando de sentirte mejor contigo mismo. Pero no te voy a permitir que lo hagas entrometiéndote en mi vida, en mi comunidad, insinuando que hemos hecho algo inapropiado. ¡No lo admito!

Håkan recuperó la compostura antes de remover el cuchillo en la herida.

—A diferencia de mucha gente de aquí, yo no creo que perder el juicio sea una vergüenza. Y a lo mejor ella no lo sabe, pero me cae bien Tilde. Era fuerte. Su problema es que era demasiado fuerte. No debería haberme combatido tanto. No tenía ninguna razón para hacerlo. Se le metió en la cabeza que era su enemigo. Podría haber sido un amigo. Veo a tu madre en tu cara, pero no veo nada de su fortaleza. Chris y Tilde te han educado para ser débil. Los niños se malcrían cuando se les consiente demasiado. Vete a casa, Daniel.

Con eso, me dejó plantado en la nieve.

Mientras circulaba de regreso a la granja, Håkan no me inspiraba rabia. Sus comentarios no habían sido injustos. Sin embargo, se equivocaba en un punto importante. A mí no me movía la culpa. Mi tarea no carecía de sentido. Había respuestas en Suecia.

En la granja me dediqué a buscar las palabras que mi madre había escrito en las paredes. No las había visto en ningún sitio durante la semana que llevaba allí. Al final, buscando a fondo, me di cuenta de que había un armario cambiado de lugar. Había pequeños arañazos en el suelo de madera en torno a la base de las patas. Al tirar de él, me decepcionó ver sólo una palabra:

¡Freja!

Un nombre, rodeado por espacio en blanco, igual que el mensaje que me había enviado a mí.

¡Daniel!

Ya había discutido con mi padre la cuestión de la caligrafía de mi madre al tratar de determinar quién había escrito el diario perdido, el inquietante diario encontrado en una caja de acero oxidado. Él me había explicado que mi madre era ambidiestra. En verano, la había pillado, a altas horas de la noche, escribiendo en los viejos papeles encontrados bajo tierra. Había compuesto el diario de ficción con una elegante tinta marrón y usando la mano izquierda.

Cogí el teléfono y llamé a mi padre. Le sorprendió que llamara tan tarde. Sin ninguna de las cortesías habituales, le pregunté:

—Papá, ¿por qué moviste el armario para tapar lo escrito en la pared? ¿Por qué no querías que nadie lo viera?

No contestó. Continué:

—No recogiste la granja. Dejaste que la barca se congelara en el río. Y en cambio tuviste tiempo para tapar una palabra.

No contestó.

—Papá —dije—, cuando telefoneaste desde Suecia para explicarme que mamá estaba enferma dijiste que había muchas cosas que yo no sabía. Dijiste que mamá podía ponerse violenta. Pero ella no se puso violenta en verano. Y no le hizo daño a nadie. ¿A qué te estabas refiriendo?

Silencio otra vez, así que pregunté:

—Papá, ¿mamá mató a Freja?

Por fin contestó:

—No lo sé.

Y añadió, en un hilo de voz:

—Pero, si lo hizo, explicaría muchas cosas.

Incapaz de dormir, me levanté de la cama y me vestí. Preparé un termo de café caliente y en las brasas de la cocina económica calenté un bollo relleno con varias rodajas gruesas de queso fresco sueco, dejando que se fundiera. Preparé una bolsa pequeña con una muda de ropa, la libreta y el lápiz. Los llevaba más como mascotas, como símbolos de mi intención, que como elementos a los que dar un uso práctico. Me marché de la granja en la noche más oscura del año y me dirigí hacia el norte y el este, hacia el gran lago donde mi madre había nadado y donde se había ahogado Freja. Durante gran parte del viaje, no vi ningún otro coche en la carretera. Cuando llegué a la granja de mi abuelo, estaba amaneciendo y el cielo parecía dividido a partes iguales entre la noche y el día.

Si mi madre había descrito bien la vida en esa granja, mi abuelo ya habría oído el coche que se acercaba. Sólo tuve que llamar una vez a la puerta para que me abriera, como si hubiera estado esperando al otro lado. Fue así como nos vimos por primera vez. Tenía el pelo de un color interesante, el pelo de un brujo apuesto, pero al engominárselo le habían quedado unos mechones grasientos y desiguales. A las ocho de la mañana ya iba vestido con traje y chaleco negros, camisa gris y corbata también negra: atuendo de funeral. Me invadió un deseo inapropiado de abrazarlo, como si se tratara de una reunión familiar. Era un desconocido al que no había visto en toda mi vida, y sin embargo seguía siendo familia y la familia siempre había sido preciosa para mí. ¿Cómo podía no tenerle cariño? Fueran cuales fuesen los problemas del pasado, quería que formara parte de nuestro pequeño círculo. En ese momento lo necesitaba. Con mi madre en el hospital, era nuestra única conexión con el pasado. Tal vez fuera por mi pinta de extranjero o porque le resulté familiar —quizá, como había dicho Håkan, yo tuviera rasgos de mi madre—, pero el caso es que supo quién era yo. Me habló en sueco.

—Vienes buscando respuestas. Aquí no hay ninguna. Salvo la que ya sabes que es cierta. La pequeña Tilde está enferma. Siempre ha estado enferma. Me temo que siempre estará enferma.

La había llamado «pequeña Tilde» sin desprecio ni afecto. Había una neutralidad calculada en su voz. Sus frases eran pulidas, como preparadas de antemano, pronunciadas con enorme equilibrio y seriedad, carentes de cualquier emoción.

Entré en la casa de mi abuelo, construida con sus propias manos cuando era más joven que yo. Tenía una sola planta. No había ninguna escalera ni ningún sótano; era anticuada y sorprendentemente pequeña, teniendo en cuenta el terreno que poseía. La decoración no había cambiado en varias décadas. En la sala, reparé en el olor al que se había referido mi madre. Ella lo había llamado el olor de la tristeza: aire rancio chamuscado por calentadores eléctricos decrépitos y cintas matamoscas ya curvadas por el tiempo. Mientras mi abuelo preparaba café, me quedé solo y estudié las paredes, los premios por su miel blanca de prados silvestres, las fotografías de él y mi abuela. Ella era robusta y vestía con sencillez; me recordó a la mujer de Håkan. En cuanto a mi abuelo, evidentemente siempre se había sentido orgulloso de su apariencia. Llevaba buena ropa, hecha a medida. Sin duda alguna, había sido atractivo, e inmensamente serio. No sonreía en ninguna imagen, ni siquiera cuando le entregaban un trofeo: un padre severo y un político local recto. No había fotos de mi madre en las paredes. Ni rastro de ella en toda la casa.

Cuando mi abuelo regresó con el café y dos galletas de jengibre, cada una en un plato separado, olí su colonia de esencia de limas por primera vez y me pregunté si se la había puesto mientras esperaba a que hirviera el café. Me contó que iban a llegar invitados de la iglesia para alojarse en la habitación libre, de modo que, por desgracia, no podía dedicarme más de una hora. Era mentira, una mentira concebida en la cocina para limitar el tiempo que podía hablar con él. Yo no tenía derecho a enfadarme. Me había presentado sin avisar y de forma inesperada. No obstante, me dolió que estableciera un tiempo límite, me dolió el rechazo. Sonreí.

—Está bien.

Mientras mi abuelo servía el café, ofrecí un breve relato de mi vida a modo de presentación, con la esperanza de que algo despertara su interés. Él cogió su galleta de jengibre, la partió limpiamente en dos y colocó ambas mitades junto a su café. Dio un sorbo de la taza y se comió la mitad de la galleta.

—¿Cómo está Tilde ahora?

No estaba interesado en mí. No tenía sentido perder el tiempo en tratar de construir una relación. Éramos desconocidos. Pues qué bien.

—Está muy enferma. —Como él no podía mostrar emoción, decidí atenerme a los hechos—. Es importante que descubra lo que ocurrió en el verano de mil novecientos sesenta y tres.

—¿Por qué?

—Los doctores creen que podría facilitar el tratamiento.

—No veo cómo.

—Bueno, yo no soy médico...

Se encogió de hombros.

—El verano del sesenta y tres... —Suspiró—. Tu madre se enamoró. No debería hablar de amor, sino de lujuria. El hombre tenía diez años más que ella, trabajaba en una granja cercana, era un jornalero de la ciudad. La pequeña Tilde ni siquiera había cumplido los dieciséis. Se descubrió la relación. Hubo un escándalo...

Me eché hacia delante en la silla y levanté la mano para interrumpir, como había hecho cuando mi madre me estaba contando su versión de los hechos. Había oído la historia antes. Pero la protagonista era Freja. Quizá mi abuelo se había confundido con los nombres.

—Querrás decir que Freja se enamoró del jornalero...

Mi abuelo se puso alerta de repente. Hasta el momento se había dirigido a mí con un hastío melancólico, pero ya no.

—¿Freja?

—Sí, mi madre me contó que Freja se había enamorado del jornalero. Freja, la chica de la granja vecina, la chica de ciudad. El objeto del escándalo fue Freja, no mi madre.

Mi abuelo estaba inquieto. Se frotó el rostro, repitiendo el nombre:

—Freja.

—Era la mejor amiga de mi madre. Una vez se fugaron juntas.

El nombre significaba algo para él. No fui capaz de saber qué.

—No puedo recordar los nombres de sus amigas.

El comentario me pareció extraordinario.

—¡Tienes que recordarlo! ¡Freja se ahogó en el lago! Mi madre nunca superó la idea de que tú la creyeras responsable de la muerte de Freja. Por eso se marchó. Por eso estoy aquí.

Mi abuelo miró al techo con el ceño fruncido, como si una mosca hubiera captado su atención.

—Tilde está enferma —dijo—. No puedo desenredar sus historias para ti. No voy a sentarme aquí a tratar de dar sentido a sus desvaríos. Ya lo he hecho demasiadas veces en mi vida. Es una mentirosa. O fantasiosa, elige. Se cree sus propias historias. Por eso está enferma.

Estaba confundido, en parte por la vehemencia de su reacción, sobre todo por la inconsistencia.

—No debería haberte interrumpido —dije—. Por favor, termina de contar lo que ocurrió.

Mi petición sólo lo tranquilizó en parte, pero concluyó su resumen con nuevos bríos.

—Tu madre tenía la cabeza llena de sueños. Imaginaba que viviría feliz para siempre en una granja, con su amante, los dos solos. ¡Al cuerno las reglas de la sociedad y la decencia! El jornalero le había contado sus mentiras románticas para convencerla de que se acostara con él, y ella se las había creído. Era ingenua. Hubo que poner fin a la aventura y despedir al jornalero. Tilde trató de suicidarse en el lago. La rescataron del agua y pasó muchas semanas en cama. Su cuerpo se recuperó, pero su mente no. La rehuían. Era una desclasada. En la escuela, las amigas le dieron la espalda. Los maestros cotilleaban sobre ella. ¿Qué esperaba? Me avergonzó terriblemente. Fue una deshonra. Dejé de lado mis sueños de presentarme a un puesto en el gobierno nacional. El escándalo arruinó mis ambiciones. ¿Quién votaría a un político con una hija así? Si no puedo educar a mi propia hija, ¿qué derecho tengo a legislar para los demás? Me costaba perdonarla. Por eso se marchó. Es demasiado tarde para lamentarse. Considérate afortunado de que haya sufrido una crisis este verano y no antes, cuando eras niño. Era sólo cuestión de tiempo.

Me pareció extraordinario que mi madre me hubiera educado con tanto amor y afecto: no podía haber aprendido esos sentimientos de él.

Aunque llevábamos sólo cuarenta minutos de la hora concedida, mi abuelo se levantó y puso fin a la charla:

—Tendrás que disculparme. Mis invitados están a punto de llegar.

En la penumbra del pasillo, me hizo un gesto para que esperara. En un escritorio, mojó la punta de una pluma en un tarro de tinta y escribió su número de teléfono en una tarjeta.

—Por favor, no vuelvas sin ser invitado. Si tienes preguntas, llama. Es triste que deba ser así. Somos familia. Y sin embargo nunca hemos sido familia. Ahora Tilde y yo llevamos vidas separadas. Ella lo eligió así y tiene que vivir con la decisión. Como hijo suyo, tú también debes hacerlo.

Al salir, caminé hasta mi coche y me volví para echar una última mirada a la granja. Mi abuelo estaba en la ventana. Dejó caer la cortina: una declaración del carácter definitivo de su adiós. Quería que comprendiera que nunca más volveríamos a vernos. Saqué las llaves y entonces me fijé en que me había manchado el dedo de tinta al coger la tarjeta. A la luz del día vi que la tinta no era negra, sino de un marrón claro.


Me alojé en el único lugar disponible, una casa de huéspedes regida por una familia en una población cercana. Me senté en la cama y estudié la mancha de tinta marrón en mi pulgar. Después de ducharme y tomar una comida fría de ensalada de patatas, pan de centeno y jamón, llamé a mi padre. Él no sabía nada de la supuesta aventura de mi madre con el joven jornalero. Como yo, puso en duda la memoria de mi abuelo, reiterando que la aventura había sido de Freja. Le pregunté el nombre de la vieja escuela de mi madre.

El edificio de la escuela, situada en el límite del pueblo, parecía nuevo. Seguramente habían demolido el inmueble antiguo. Me dio miedo que hubiera pasado demasiado tiempo. La jornada escolar había terminado y no había niños por allí. Empujé la puerta, esperando que estuviera cerrada, pero se abrió. Una vez dentro, vagué por los pasillos, sintiéndome como un intruso, sin saber muy bien si debería anunciarme. Oí cantar y subí por la escalera, buscando el origen del sonido. Dos profesoras estaban dirigiendo una actividad extraescolar, un ensayo de canto con un pequeño grupo de estudiantes. Llamé a la puerta. Expliqué con rapidez que venía de Inglaterra y que buscaba información relacionada con mi madre, que había asistido a esa escuela cincuenta años atrás. Las maestras eran jóvenes y sólo llevaban unos años en el centro. Me contaron que no estaba autorizado a acceder a los registros de la escuela y que por lo tanto no podían hacer nada para ayudarme. Me quedé en el umbral, abatido, sin la menor idea de cómo superar el obstáculo. Una de las mujeres se compadeció de mí.

—Hay una maestra de esa época. Ahora está jubilada, claro, pero puede que recuerde a tu madre y esté dispuesta a hablar contigo.

La profesora se llamaba Caren.

Caren vivía en un pueblo tan pequeño que supuse que no tendría más de un centenar de casas, una sola tienda y una iglesia. Llamé a la puerta y me sentí aliviado al ver que me abrían. La maestra jubilada llevaba zapatillas de punto. La casa olía a pan con especias recién horneado. En cuanto mencioné a mi madre, Caren reaccionó.

—¿A qué ha venido?

Le dije que necesitaría tiempo para explicarlo. Me pidió que le enseñara una fotografía de mi madre. Saqué el móvil, donde encontré una fotografía tomada en primavera, antes de que se marchara a Suecia. Caren se puso las gafas y estudió la cara de mi madre antes de decir:

—Ha ocurrido algo.

—Sí.

No parecía sorprendida.

La casa estaba caldeada, pero, a diferencia de la calefacción eléctrica de la granja de mi abuelo, allí el calor procedía de un fuego de leña en el salón y resultaba agradable. Las decoraciones navideñas estaban hechas a mano. No había ningún adorno en la casa de mi abuelo, ni siquiera una vela de Adviento en la ventana. Y lo que más contrastaba con la casa de mi abuelo: había fotos de los hijos y nietos de Caren en las paredes. Ella me contó que su marido había fallecido el pasado año, pero, a pesar de eso, era un hogar lleno de vida y amor.

Caren me preparó una taza de té negro endulzado con miel. Se negó a hablar mientras preparaba el té y me obligó a ser paciente. Nos sentamos junto al fuego. Del fondillo de mis pantalones, húmedos por la nieve, salía vapor. Con tono de maestra, Caren me indicó que no me diera prisa, que se lo contara todo en el orden debido. Sus normas me recordaron las reglas de narración de mi madre.

Le expuse la historia de mi madre. Al final, con los pantalones ya secos, expliqué que había viajado para poner a prueba mi teoría de que la muerte de Freja, accidental o no, podría ser un suceso decisivo en la causa de la enfermedad de mi madre. Caren miró al fuego al hablar:

—Tilde amaba el campo más que ningún otro alumno que haya tenido. Era mucho más feliz jugando en un árbol que en clase. Cruzaba los lagos nadando. Recogía semillas y bayas. Los animales la adoraban. Pero no tenía facilidad para hacer amistades.

Pregunté:

—¿Salvo con Freja?

Caren apartó la mirada del fuego y la clavó en mí.

—Nunca hubo ninguna Freja.


Regresé a la granja de mi abuelo bajo la luna llena y aparqué un poco lejos para que no se oyera el ruido del motor. Caminé a través de campos cubiertos de nieve hasta llegar a una arboleda cercana a la casa, el lugar donde mi madre había construido un refugio y donde, según me había contado, ella y Freja habían pasado mucho tiempo juntas. Alrededor de un centenar de pinos crecían entre rocas cubiertas de musgo, un rincón de naturaleza silvestre que se resistía al cultivo. Y aunque mi madre había descrito que se subía a un árbol y veía la granja de Freja, no había ninguna construcción cerca. Decidí trepar de todos modos y ver el mundo como lo había visto ella. Las ramas de uno de los pinos crecían en perpendicular al tronco, como peldaños de una escalera, y eso me permitió alcanzar dos tercios de su altura antes de que se tornaran demasiado frágiles. Subido allí, admirando el paisaje, vi que me había equivocado. Había una construcción cerca, mucho más pequeña que una casa de campo, camuflada bajo una gruesa capa de nieve. Desde muy arriba vi el borde del tejado: una muesca negra en el manto de nieve.

Al bajar, la edificación se perdió de vista otra vez. Caminé más o menos en esa dirección y no tardé en distinguir, detrás de montones de nieve, unos muros de madera. Era una construcción en madera de abedul. Por su tamaño, supuse que servía de cobertizo o taller, y probablemente habría un camino de tierra que conducía a la casa de mi abuelo. En la puerta había un cierre, con un candado oxidado. Desatornillé el gozne de la madera con el borde de mi llavero, liberé el candado y entré.

Después de encontrar la cabaña a la luz de la luna llena, por primera vez necesité la linterna. Justo delante vi un reflejo distorsionado de mí mismo. Mi estómago parecía hinchado, deformado por la curvatura de un contenedor de acero gigante. Allí era donde mi abuelo recolectaba su miel blanca. Era un espacio funcional. El único elemento decorativo era un sofisticado reloj de cuco en la pared. Ya no marcaba la hora correcta. Jugué con él hasta que el mecanismo cobró vida. Tenía dos puertas, una por encima de la esfera del reloj y la otra por debajo. Cuando sonó la hora, las puertas se abrieron al mismo tiempo y salieron dos figuras de madera, una masculina y otra femenina. El hombre estaba arriba. Miró hacia abajo a la mujer de madera y ella levantó la cabeza hacia él. Instintivamente añadí el diálogo.

¡Hola, ahí arriba!

¡Hola, ahí abajo!

La pareja regresó al interior del reloj y la cabaña quedó en silencio otra vez.

Al otro lado del tambor de acero, colgado de una percha, vi el traje de apicultor de mi abuelo, la ropa protectora que se ponía para extraer la miel de las colmenas. Estaba hecha de una tela blanca, como de cuero. Dejé la linterna en el suelo y me puse esa indumentaria: los pantalones, la parte superior y los guantes. Me coloqué el casco, que tenía una red negra protectora, y volví a examinar mi reflejo distorsionado. Ante mí tenía el trol que había descrito mi madre, con piel gruesa como la de un dinosaurio, manos pálidas y palmeadas, dedos extendidos y, en lugar de una cara, un solo ojo negro enorme que me miraba y me miraba sin parpadear jamás.

Me quité esa ropa y me fijé en una segunda puerta cerrada. Renunciando al sigilo, pateé la puerta con la suela de mi pesada bota hasta que la madera se fracturó. Entré y, al encender la luz, me encontré con un suelo cubierto de virutas de madera. Había sierras y escoplos: era el lugar donde mi abuelo reparaba y restauraba las colmenas. También era el lugar donde hacía relojes de cuco. Había varios relojes incompletos en el suelo y una pila de figuras de madera a medio terminar. Las caras sobresalían de planchas de madera. Cogí una y pasé un dedo por la nariz larga y curvada. Unas cuantas de aquellas figuras representaban criaturas fantásticas, que exhibían una imaginación que nunca habría asociado con mi abuelo. Ése era un espacio para ser creativo, donde mi abuelo podía cerrar la puerta al mundo y expresarse. Me agaché y recogí una tosca viruta espiral de madera. No sé cuánto tiempo llevaba mi abuelo en el umbral, observándome. En lo más profundo, yo había sabido que vendría, quizá tirar la puerta abajo a patadas había sido una forma de llamarlo, de atraerlo para que viniera a la granja. Con un paso deliberadamente lento, terminé mi examen del taller, imaginando que él había recurrido al miedo en ocasiones anteriores, cuando llevaba allí a mi madre, sólo que esta vez no tendría el miedo a su disposición. Cuando oí que cerraba la puerta exterior, aplasté la viruta de madera en la mano.

Me volví y lo enfoqué con la linterna. Mi abuelo movió la mano para protegerse de la luz. Bajé la linterna. Incluso en plena noche, al oír que yo estaba fuera, se había puesto un traje.

—Traías a mi madre aquí —dije—. Salvo que no era Tilde, le pusiste otro nombre. La llamabas Freja.

—No.

Iba a negarlo. Sentí un destello de rabia y ya estaba a punto de mostrarle las pruebas, cuando él añadió:

—El nombre lo eligió ella. Lo leyó en un libro. Le gustaba cómo sonaba.

Era un detalle asombroso que insinuaba complicidad. Hice una pausa, reevaluando a ese hombre formidable. Había marcado su estrategia como un político experto. No iba a negar las acusaciones, sino que, de un modo mucho más sutil, pretendía transferir parte de la responsabilidad a mi madre. Yo no estaba dispuesto a permitirlo.

—Le contaste una historia, tu historia. Tú serías su marido. Le ordenaste que desempeñara el papel de tu mujer. Este lugar, dijiste, sería vuestra granja.

Esperé a que hablara, pero no dijo nada. Quería saber cuánto había descubierto.

—Tilde se quedó embarazada. De ti.

La maestra, Caren, me había hablado de la desgracia que había sufrido mi madre por su embarazo. Aunque había sido amable con Tilde, muchos otros no lo fueron. Tan eficaces habían sido las mentiras de mi abuelo que Caren todavía las creía; seguía pensando que había sido culpa del jornalero.

—Culpaste a un jornalero local. Perdió su trabajo. Eres un hombre importante. La gente creyó todas tus mentiras. Se convirtieron en la verdad.

—Siguen siéndolo. Pregunta a cualquiera lo bastante mayor, y repetirá la historia.

El poder de cometer un crimen y el poder de salirse con la suya, y aunque me repugnaba pensar que él todavía gozara con el recuerdo del primer crimen, era evidente que sí se regodeaba con el crédito que le concedían.

—¿Mi madre habló con tu esposa? ¿O lo intentó? ¿Y ella se negó a creerla?

Mi abuelo negó con la cabeza.

—No, mi mujer creyó a Tilde. Pero la odió por contarle la verdad. Prefería mis mentiras. Tardó un poco más que el resto, pero al final aprendió a olvidar la verdad. Algo que Tilde también debería haber aprendido. Mi mujer y yo continuamos viviendo en esta granja, felizmente casados, queridos por todos los que nos rodeaban, durante más de sesenta años.

—¿Qué ocurrió con el bebé?

En cuanto planteé la pregunta se me ocurrió la respuesta. Por fin comprendía el deseo abrumador de mi madre de proteger a Mia, una hija adoptada.

—La dimos en adopción.

Pregunté:

—¿Y ahora qué, abuelo?

Me quedé mirándolo mientras él se llevaba un dedo a los labios, el gesto que mi madre me había mostrado en el hospital, la pista que me había pedido que buscara. No significaba silencio: significaba que estaba absorto en sus pensamientos. Me pregunté si también se llevaba un dedo a los labios al concebir los diversos elementos de su escenario fingido, señalando alguna nueva ficción que pronto impondría a mi madre. Por esta razón ella había llegado a temer ese gesto. Finalmente, mi abuelo apartó el dedo de la boca, metió las manos en los bolsillos y adoptó el aspecto de un hombre tranquilo.

—¿Ahora? Ahora nada. Tilde está en un psiquiátrico. Nadie creerá ni una palabra de lo que dice. Está enferma. Siempre estará enferma. Habla de troles y otras sandeces. Este asunto ha terminado. Terminó hace muchísimo tiempo.

Consideraba una victoria la hospitalización de mi madre, porque le proporcionaba la certeza de que nunca quedaría en evidencia. ¿Qué podía hacer yo? No había ido allí a buscar venganza, sino información. Algunas ideas violentas cruzaron por mi mente como fogonazos, pero no eran reales. Eran sólo ideas, y encima ideas infantiles empeñadas en encontrar una solución, cuando en realidad yo no tenía ya ningún poder. Mi único objetivo era ayudar a mi madre. No me motivaba la venganza ni me correspondía a mí reclamarla.

Al acercarme a la puerta, se me ocurrió que podría ser útil conocer un detalle más.

—¿Qué nombre tenías tú? Ella era Freja. ¿Y tú eras...?

—Daniel.

La respuesta me pilló por sorpresa. Me quedé callado, mirándolo a los ojos mientras él continuaba:

—Tilde le puso ese nombre a su único hijo. Pienses lo que pienses de mí, tuvo que disfrutar un poco del tiempo que pasó aquí.

Era una mentira, una improvisación despiadada, un atisbo de su crueldad y su creatividad, porque la crueldad también puede ser creativa. Mi abuelo era un narrador magistral. Primero contaba historias por puro deseo y luego como forma de garantizar su salvación.

Sentado en mi coche, con la cabeza apoyada en el volante, me dije que debía alejarme, arrancar el motor y marcharme, pero al cerrar los ojos vi el diente quemado, un resto de la infancia de mi madre que no podía destruirse por más que ella lo intentara. Bajé del coche y fui a sacar el bidón de gasolina de reserva del maletero.

Me apresuré a volver sobre mis huellas en la nieve hasta la cabaña de abedul, sin dar tiempo a que se me disipara el valor. Puse manos a la obra con rapidez y empecé a quitar la nieve del tejado con un palo. Convencido de que mi abuelo regresaría en cualquier momento, vertí la gasolina sobre las virutas de madera y los relojes de cuco, sobre las herramientas y el banco de trabajo, sobre la ropa de apicultor y bajo el tambor de acero. Me planté en el umbral, con las manos temblando mientras intentaba encender una cerilla. Finalmente, sosteniendo la cerilla encendida, me pregunté si estaba haciendo lo correcto y si conseguiría algo. La llama descendió hacia la punta de mi dedo. Pero no me decidí. Me chamusqué la piel y dejé caer la cerilla inofensivamente en la nieve.

—Dámelas.

Mi abuelo estaba a mi lado, con la mano extendida. No comprendí su propuesta. Repitió la orden.

—Dámelas.

Le di la caja de cerillas. Él encendió una limpiamente, a la primera, y la sostuvo a la altura de los ojos.

—Crees que soy un monstruo. Mira a tu alrededor. Aquí no hay nada. ¿Qué otra cosa podía hacer con una esposa frígida? Fui un buen padre durante catorce años. Y uno malo durante dos.

Mi madre había descrito a Freja como una mujer, no como una niña. En el umbral de la edad adulta, con

343

pechos desarrollados y conciencia de su sexualidad, había atraído a mi abuelo. Y había atribuido la culpa de esa atracción a sus propias transformaciones. Al describir la imaginaria maldad de mi padre, afirmaba que él había cambiado, que se había convertido en otra persona, abruptamente, en el curso de un verano tan solo, igual que su padre había hecho en el verano de 1963.

Con un movimiento brusco de la muñeca, mi abuelo lanzó la cerilla al cobertizo. Las llamas de gasolina se extendieron con rapidez. Lo primero en arder fueron las astillas y las virutas, luego las caras de madera a medio terminar. La ropa protectora, encerada, se fundió lentamente; la piel del trol ardió, verde y azul. Al crecer las llamas, el tambor de metal se combó y se desplomó. No tardaron en prenderse las paredes y el tejado. Nos vimos obligados a dar un paso atrás para apartarnos del calor intenso. Una columna de humo tapó las estrellas.

—¿Vendrá alguien? —pregunté.

Mi abuelo negó con la cabeza.

—No vendrá nadie.

Cuando se derrumbó el tejado, mi abuelo dijo:

—Dejé de hacer miel hace mucho tiempo. Los clientes siempre preferían la miel amarilla. Mi miel blanca tenía un gusto delicado. Tomarla con té o con pan era un desperdicio. La gente compraba un tarro por la novedad y lo dejaba en la despensa sin tocarlo. Me partía el corazón. Tilde comprendía mi dolor mejor que nadie. Ella siempre la tomaba sola para apreciarla mejor, y enumeraba las flores que podía percibir.

Nos quedamos junto al fuego, abuelo y nieto, calentados por las llamas. Sería la vez que más tiempo pasábamos juntos. Al final, la nieve fundida extinguió las llamas. Sin una palabra de despedida, mi abuelo regresó a su casa, solo, al olor de calentadores eléctricos y cintas matamoscas, y por mucho que hablara sobre su final feliz, yo no me lo creía.

Mientras me alejaba de la granja en el coche, imaginé a mi madre en su juventud, pedaleando por esa carretera a toda velocidad, con las monedas que había ahorrado en el bolsillo. Pasé junto a la parada de autobús, visible en kilómetros a la redonda. Mi madre había esperado junto a un solitario poste metálico con un horario, en un lugar donde casi no pasaban autobuses en todo el día. Imaginé el alivio que tuvo que sentir al pagar el billete y sentarse, al fondo, mirando por el parabrisas trasero para ver si la seguían. Se había llevado consigo una caja de música llena de pequeñas cosas, entre ellas un diente, recuerdos de ese lugar, recuerdos de esos catorce años felices y la más triste de las historias sobre los otros dos.

Seguí la misma ruta que había tomado su autobús para salir de la región, la carretera principal hacia el sur. Pasé una señal que marcaba el final de la provincia. Detrás de ella había un saliente rocoso de unos treinta metros de altura, con árboles en la cima. Entre la vegetación, al borde de la roca más alta, vi un alce magnífico. Frené bruscamente y aparqué el coche. La mayor parte de la circunferencia de ese saliente rocoso era empinada, pero encontré un punto por donde podía trepar por las rocas hacia la cumbre. El alce estaba en lo alto. La criatura no se movió ni siquiera cuando yo me acercaba con torpeza. Le toqué el lomo, el cuello, las astas. El alce estaba esculpido en acero, con las patas fijadas a la roca mediante robustos tornillos y la cabeza alta para abarcar esa tierra con una mirada protectora.

Conduje toda la noche, deteniéndome con frecuencia para lavarme la cara con nieve y mantenerme alerta. Cuando llegué a la granja ya había amanecido. Era demasiado pronto para llamar a Londres, y además, no había dormido y no creía que pudiera ofrecerle a mi padre más que un resumen. Decidí acostarme unas cuantas horas antes de llamar. Cuando me desperté, había dormido de manera ininterrumpida un día entero. Había vuelto a nevar. Mis huellas de la semana anterior se habían llenado. Sintiéndome como si me despertara de la hibernación, encendí un fuego y calenté gachas en la cocina económica. Las especié con una pizca de clavo en polvo. Hice la llamada a las once de la mañana; no sé por qué esperé hasta que fue la hora exacta. Mi padre guardó silencio durante la mayor parte de mi relato. Quizá estuviera llorando. No estoy seguro. No hacía ningún sonido. Se me ocurrió que yo no había llorado, ni expresado ninguna emoción, a menos que verter gasolina sobre la cabaña de abedul pudiera considerarse expresión de algo. Cuando hablé con Mark, me pidió que confirmara que el fuego lo había encendido mi abuelo; entendí que estaba construyendo mi defensa en silencio. Después de oír los detalles de lo ocurrido, me preguntó:

—¿Cómo estás?

Lo único que sentía en ese momento era la certeza de que mis descubrimientos no estaban completos. El resquicio en mis averiguaciones era como un diente caído en mi boca, un espacio de encía al que mi lengua no podía adaptarse. A oídos de Mark, mi respuesta no coincidió con su pregunta:

—No estoy listo para volver a casa.

—Pero ¿tienes las respuestas?

—No.

Me devolvió la palabra con un empujoncito, tratando de comprender.

—¿No?

—No creo que la conexión entre los dos veranos exista sólo en la mente de mi madre. Algo ocurrió aquí, algo real. Estoy seguro.

La mente racional de Mark no podía dar el salto. Mi afirmación no estaba corroborada y parecía ir en dirección contraria a lo que había descubierto. No obstante, él ya no daba la impresión de querer contradecirme. Confió en mi afirmación de que los dos veranos formaban un círculo. Uno abría el otro.

Conduje junto a las playas turísticas; mi destino era el páramo costero donde mi madre había ido a correr regularmente. Cargado con una pequeña mochila, me puse a caminar a través de zarzas y dunas, bien envuelto en la ropa para protegerme de un cortante viento de mar. Llevaba subida la capucha de mi trenca de pana, atada en torno al cuello para que no se me bajara. Finalmente, con los ojos llorosos, vi la punta de un viejo faro.

Las olas habían cubierto las rocas con una película de hielo. En ocasiones resbalaban tanto que avanzaba a gatas. Congelado y magullado, llegué a la puerta donde Mia había colgado sus flores. No había flores esta vez, sólo un arco de carámbanos donde el mar había salpicado. Golpeé la puerta con el hombro, y los carámbanos cayeron a mi alrededor y se destrozaron en las rocas.

Dentro había colillas de cigarrillo y latas de cerveza. Igual que en la Isla de la Lágrima, los adolescentes se habían adueñado de ese espacio alejado de las miradas de los adultos. Yo había estado allí antes, en mi primera semana, y no había encontrado nada. Pero algo me había llamado la atención. El suelo estaba sucio —el faro estaba abandonado—, pero las paredes interiores estaban recién pintadas.

Saqué el termo de la mochila. Me serví un café caliente y lo sostuve entre las manos para entrar en calor. Mi plan era eliminar la capa superior de pintura y exponer lo que hubiera debajo. Había explicado mi proyecto en una ferretería lejana, donde, como no iba a contar con una toma de corriente, me habían recomendado un decapante químico. Después de tomarme el café, reanimado, busqué en varias zonas al mismo tiempo y dejé expuestos algunos fragmentos de un mural. Un sitio en particular captó mi atención, un fragmento de colores brillantes, un ramo de flores estivales. Me concentré en la zona de las flores y poco a poco fue quedando a la vista una pintura de Mia vestida en el blanco del *midsommar*. Había flores en el pelo, así como a sus pies. Con las prisas, dañé la pintura. Pese a que distaba mucho de ser un trabajo de restauración profesional, me bastó para formarme una idea de la calidad artística excepcional del mural. Aunque había visto su foto en el cartel que informaba de su desaparición, ese mural me dio la primera sensación real de Mia como persona. Era orgullosa y fuerte, también soñadora, con la cabeza alta mientras caminaba por el bosque.

Recordé la huida de Mia en medio de la noche, y mi madre estaba en lo cierto, no tenía sentido, a menos que Mia hubiera contado con ayuda. Alguien la recogió: un amante. Yo apostaba por la persona que la había pintado en las paredes del faro. Repasando el relato de mi madre, se me ocurrió que el amante de Mia podría ser el hombre que había soltado los insultos racistas en la primera fiesta del *midsommar*, descrito como un joven de pelo largo y pendiente. ¿Por qué iba a llegar al extremo de usar un lenguaje racista? Sus comentarios estaban destinados a despistar a Håkan. Mia había salido corriendo de la tienda no porque se sintiera insultada —porque ella sabía que el racismo de su novio era un engaño necesario—, sino porque estaba furiosa con la interferencia de Håkan. El hecho de que ese hombre estuviera trabajando como temporero durante la afluencia turística del verano sugería que era estudiante.

\* \* \*

Mark tenía un amigo que trabajaba en una galería contemporánea en el este de Londres. En connivencia con él, usando su dirección de correo, envié un mensaje a todas las universidades y escuelas de arte de Suecia, adjuntando fotos del mural del faro abandonado. Explicaba que a la galería le gustaría conocer al artista responsable. Los resultados fueron llegando con cuentagotas a lo largo de varios días.

Todos fueron negativos, hasta que llegó un mensaje de correo de un profesor del Konstfack, el colegio universitario de artes y oficios y diseño, la mayor facultad de bellas artes de Suecia, situada justo al sur de la capital. El profesor estaba seguro de que el mural era obra de uno de sus antiguos estudiantes. El artista se había graduado recientemente. Si el académico hubiera sido suspicaz se habría preguntado cómo una galería privada de Londres conocía un faro abandonado en el sur de Suecia, pero yo había calculado que el halago y la excitación generados por el mensaje de correo se impondrían a las dudas. Se acordó una reunión en Estocolmo. El artista se llamaba Anders.

Viajé en coche la noche anterior y me instalé en la habitación más barata de un hotel espléndido cercano a la costa. Pasé la mayor parte de la noche repasando mi papel, leyendo perfiles de nuevos artistas oscuros. A la mañana siguiente, esperé en el vestíbulo, de cara a la puerta principal. Anders llegó temprano. Era alto y atractivo. Iba vestido con tejanos negros ajustados y camisa también negra. Llevaba un pendiente en la oreja y un portafolio bajo el brazo. Charlamos de su arte durante un rato. Mi aprecio de su talento era genuino. Sin embargo, conté muchas mentiras sobre mí mismo, maravillándome del talento para el engaño que había cultivado a lo largo de los años. Pero algo había cambiado. Odié cada mentira que dije. Sólo la perspectiva del fracaso me impedía decir la verdad. Mia podría no querer que la encontraran. Anders podría largarse si me arriesgaba a decir la verdad.

Seguí en mi papel y fui avanzando con paso firme hasta el momento de solicitar ver las obras reales, las pinturas demasiado grandes para que Anders las trajera al hotel. Había supuesto que el chico no podría costearse un estudio. Pintaría en casa, y si Mia se había fugado con él también estaría allí o habría algún indicio de ella. La trampa funcionó. Anders explicó tímidamente que teníamos que ir a su apartamento. Se disculpó al informar de que quedaba muy lejos del centro, porque no podía permitirse los altos precios de Estocolmo.

—El hotel puede poner un coche —dije.

Al pagar nuestros cafés con un billete de cien coronas, me fijé en que en el billete no aparecía el rostro de un inventor ni de un político, sino una abeja de miel. Anders ya se estaba levantando de la mesa cuando le dije en sueco:

—Espera.

Recordé la superficie suave de la nieve en la granja y mi esperanza de un nuevo comienzo. No construiría ese descubrimiento a hombros de una mentira.

Empecé mi historia pidiendo a Anders que me escuchara hasta el final sin marcharse. Aceptó, confundido por mi cambio de tono. Vi que su rabia crecía al revelar cómo le había engañado. Me di cuenta de que estaba tentado de marcharse, pero, al ser un hombre de palabra, no se levantó. Su rabia se mezcló con tristeza cuando resumí la relación de mi madre con Mia y lo acontecido después de la marcha de la joven. Al final de mi relato, la rabia casi se había disipado. Sólo le quedó la decepción al darse cuenta de que todavía no había sido descubierto como artista. Le aseguré, como profano, que mi aprecio era genuino, como también lo era el del propietario de la galería cuya dirección de correo había utilizado. Finalmente, pregunté si podía hablar con Mia. Me dijo que esperara en el vestíbulo. Iba a hacer una llamada. Es curioso que ni siquiera se me pasara por la cabeza que tal vez no volviera. Cerré los ojos y esperé, sintiéndome aliviado a pesar del riesgo que acababa de correr.

Llegamos a un bloque de pisos alejado del centro de la ciudad. Anders murmuró:

—Los artistas deberían vivir en la pobreza.

Era romántico, tenía la clase de temperamento capaz de inspirar a una chica a fugarse de casa. Subimos uno detrás del otro por las escaleras heladas de hormigón, porque sólo habían echado arenilla en la parte central de la escalera y el ascensor no funcionaba. Al llegar al último piso, Anders sacó las llaves. Bromeó diciendo que era el propietario del ático y me hizo pasar. Dijo, esta vez en sueco:

—Mia llegará enseguida.

Esperé en el salón, rodeado de pinturas. Poseían muy pocos muebles. No había televisor, sólo una pequeña radio conectada a un enchufe en la pared. Anders empezó a pintar para pasar el rato. Al cabo de treinta minutos, oí una llave en la puerta. Salí al pasillo y vi a Mia por primera vez. Aparentaba más de dieciséis años e iba muy abrigada para protegerse del frío. Noté que buscaba rasgos de mi madre en mí. Cerró la puerta y se quitó la bufanda. Al desabrocharse el abrigo, vi que estaba embarazada. Estuve a punto de preguntarle quién era el padre, pero me contuve a tiempo.

Nos sentamos los tres en la pequeña cocina. El suelo de linóleo crujió bajo nuestras sillas. Tomamos té negro endulzado con azúcar; supuse que la miel era un lujo demasiado caro. A punto de oír la verdad de lo ocurrido durante el verano, me asusté al pensar que mi madre simplemente podría haberse equivocado.

—No me fugué —dijo Mia—. Håkan me pidió que me marchara. Cuando le conté que estaba embarazada, lo arregló todo para un aborto. Si quería quedarme en la granja, si quería seguir siendo su hija, debía comportarme de un modo que él considerara aceptable. Dijo que le preocupaba mi futuro. Y era cierto. Pero sobre todo le preocupaba mi reputación. Ya no era la clase de hija que él quería, sino una desgracia. No sabía qué hacer. Anders y yo no tenemos mucho dinero. No somos estúpidos. ¿Podíamos ser padres? Casi cedí, casi acepté abortar. Una noche, vi a tu madre caminando por nuestro campo. No sabía qué estaba haciendo ahí. Pero recordé nuestras largas charlas. Ella era muy diferente de todos los demás. Me había contado que dejó la granja de sus padres cuando sólo tenía dieciséis años. Se había ido sin nada, y había llegado a Inglaterra y allí había creado un negocio y una familia. Pensé: «Esta mujer es admirable.» Era muy fuerte. Todos se inclinan ante Håkan, pero ella no. Él la odiaba por eso. Le dije a Håkan que, si no podía quedarme el bebé, me marcharía. En parte pensaba que él cambiaría de opinión cuando viera que hablaba en serio. Pero aceptó. Ni siquiera habló con Elise. Ella era mi madre y no tuvo ni voz ni voto en mi futuro. Se enfadó. Me escribe todas las semanas. También me visita a menudo, y cuando lo hace llena la nevera de comida. Me echa mucho de menos. Y yo a ella.

La voz de Mia se quebró de emoción. Quería a Elise de verdad.

—Es una buena persona. Siempre fue amable. Pero nunca se enfrentará a él. Es su sirviente. Y yo no quería ser como ella.

Pregunté si Mia había destrozado los troles de madera de Håkan por rabia. Ella negó con la cabeza. Por deducción sólo podía haber sido otra persona.

—Entonces fue Elise.

Mia sonrió ante la idea de su madre empuñando un hacha para acabar con los troles de Håkan y dijo:

—Tal vez, algún día, lo dejará plantado.

Pregunté por la borrachera de Mia en la segunda fiesta del *midsommar*. Ella negó con la cabeza. Parecía borracha porque ese día había descubierto que estaba embarazada. Estaba aturdida. Los diez días siguientes los pasó como prisionera en la granja, los peores diez días de su vida. Una vez tomada su decisión, Håkan había urdido un plan. Quería que desapareciera. No quería dar explicaciones a la comunidad local. No podía encajar la vergüenza.

—Se le ocurrió fingir un plan de fuga —dijo Mia— para poder presentarse como una víctima.

Mi madre tenía razón en ambos casos. Para escapar de una granja remota necesitabas un plan, pero el plan no había sido de Mia, sino de Håkan. Y había existido una conspiración. Al agente Stellan le habían dicho que Mia no era una persona desaparecida. Nadie estaba buscándola. Habían colgado los carteles sólo en lugares donde no servían para nada. Håkan transfería dinero a la cuenta de Mia al final de cada mes. Pagaba el apartamento. Podía visitarla cuando quisiera. Hasta la fecha no lo había hecho.

Al final de su relato, pregunté si había habido algún elemento de riesgo. Mi madre había llegado a la convicción de que Mia estaba en peligro. En este punto crucial, Mia negó con la cabeza.

—Håkan nunca me tocó, nunca me pegó, nunca me puso la mano encima, no era así. Ni siquiera me levantó la voz. Si quería un conjunto de ropa nuevo, me lo compraba ese mismo día. Me daba todo lo que quería. Me llamó malcriada. Tenía razón. Estaba malcriada. Pero él no me quería. No creo que entienda el amor. Para él, el amor es control. Controlaba mis pertenencias. Encontró mi diario dentro del espejo que Anders había tallado para mí. Volvió a dejarlo allí para que yo siguiera escribiendo y él pudiera leerlo. Cuando me di cuenta de lo que estaba haciendo, lo rompí y volví a dejarlo en su sitio. Se enfadó, como si el diario le perteneciera.

Pregunté por el suicidio de Anne-Marie y el ermitaño del campo. Mia se encogió de hombros.

—No la conocía bien. Era amiga de Cecilia, la mujer que le vendió la granja a tu madre, y Cecilia culpó a Håkan de su suicidio, pero no sé por qué. Es posible que Anne-Marie se acostara con Håkan. No es ningún secreto que Håkan tiene aventuras. Para él, una mujer casada es un objetivo legítimo. Elise lo sabía. Anne-Marie era muy devota, cuando estaba sobria. Habrás visto todas esas citas bíblicas, ¿verdad? Pero nadie flirteaba más que ella cuando bebía. Lo hacía delante de su marido, lo torturaba con eso, siempre pensaba que era un gigantón estúpido. Era horrible con él cuando bebía y le remordía la conciencia cuando estaba sobria. En el fondo era una mujer muy triste.

—¿Por qué tiene Håkan tanto interés en nuestra granja?

—No hay ninguna razón, salvo que posee la tierra que la rodea. Cuando miraba el mapa, veía que vuestra granja era una mancha en su reino, un rincón de tierra que no controlaba. Era una imperfección. Lo ponía furioso.

—Pronto será suya.

Mia pensó en ello.

—Me guste o no, es difícil no respetar a un hombre que siempre consigue lo que quiere.

Imaginé a Håkan regodeándose con su mapa, pero no me correspondía a mí librar esa batalla.

\* \* \*

Mia llevaba una hora hablando. Tanto ella como Anders se preguntaban qué más podía yo querer. Les pedí que esperaran mientras hacía una llamada. Salí del apartamento y, de pie en la fría pasarela de hormigón, llamé a mi padre. Él señaló en tono brusco que mi madre no iba a creer nada de lo que le contáramos él o yo.

—Mia tiene que venir a Londres. Es necesario que Tilde lo oiga de sus labios.

Después de nuestra conversación, llamé a Mark y le pregunté si podía usar el dinero que quedaba para comprarles a Mia y Anders un billete de avión a Londres. Durante nuestra conversación, el tono de Mark había cambiado. Yo había experimentado muchos sentimientos positivos de su parte, pero nunca admiración. Accedió a comprar los billetes. Le dije que lo amaba y que lo vería pronto.

Dentro del apartamento, presenté mi plan:

—Me gustaría que vinierais a Londres. Os pagaríamos los vuelos y el hotel. Aun así, sé que os estoy pidiendo mucho. Mia, necesito que hables con mi madre. Necesito que mi madre te vea. No basta con que yo repita esta información, ella no creerá ni una palabra de lo que yo diga, ni una palabra que diga mi padre, no me ha hablado desde el verano, se niega a hablar conmigo o a escucharme, tienes que contárselo tú.

Estuvieron comentándolo. Aunque no oí la conversación, imaginé que Anders ponía pegas, preocupado por el estrés, porque Mia estaba embarazada de seis meses. Regresaron y Mia dijo:

—Tilde lo hubiera hecho por mí.

En el vuelo a Londres, Mia vio la biblia de mi madre y su colección de historias de troles en mi bolsa. Cuando estiró el brazo, di por hecho que la biblia había captado su atención. En cambio, cogió el libro de historias de troles y examinó la ilustración.

—Es de Tilde, ¿no?

—¿Cómo lo sabes?

—Quería prestármelo. Decía que había una historia en particular que quería que leyera. Tu madre fue maravillosa conmigo, pero nunca entendí por qué creía que podía interesarme leer más historias de troles. Ya he oído bastantes para toda una vida. Le prometí que pasaría a recoger el libro, pero nunca lo hice.

Me sorprendió que mi madre hubiera hecho hincapié en una historia en particular, y sentí curiosidad por saber a cuál se estaba refiriendo. Nunca había destacado una en concreto. Hojeé el libro, valorando los cuentos uno por uno. En medio del volumen me encontré con un cuento titulado «La princesa trol». Al leer las primeras líneas, me di cuenta de que no lo conocía. No podía oír la voz de mi madre, a pesar de mi convencimiento de que me había leído todo el libro en voz alta varias veces. Mirando el resto de la colección, comprobé que era el único cuento que se había saltado. Según el apéndice —una parte del libro que tampoco había explorado nunca, de hecho desconocía su existencia—, esta leyenda de troles era una de las más antiguas. Podían encontrarse numerosas versiones en Alemania, Italia y Francia, en volúmenes de cuentos de hadas de Italo Calvino, Charles Perrault y los hermanos Grimm. La variante sueca era de origen desconocido. Me puse a leerla por primera vez.

## LA PRINCESA TROL

Érase una vez un gran rey que gobernaba su reino con justicia. A su lado tenía una reina más hermosa que ninguna otra mujer y una hija más encantadora que ninguna otra niña del reino. El rey vivió feliz hasta que su esposa cayó gravemente enferma. En su lecho de muerte, la reina le hizo prometer que sólo volvería a casarse con una mujer tan hermosa como ella. Cuando la reina murió, el rey empezó el duelo, convencido de que nunca volvería a casarse. Los cortesanos insistieron en que su reino necesitaba una reina y en que debía buscar una nueva esposa. El rey, fiel a su promesa, no encontraba a ninguna mujer tan bella como su esposa.

Un día, el rey estaba mirando por la ventana de su castillo. Vio a su hija jugando en el huerto real. Se había hecho mayor. Había crecido y se había vuelto tan hermosa como su madre. El rey se levantó de un salto y declaró que sería su siguiente mujer. Los cortesanos, aterrorizados, le imploraron que lo reconsiderara. Un sabio adivino predijo que semejante matrimonio llevaría la ruina al reino. La hija le rogó a su padre que volviera a pensarlo, pero él no cedió. Se fijó la fecha de la boda. La hija fue encerrada en la torre para que no pudiera huir.

La noche antes de la boda, uno de los cortesanos, temiendo que el reino estuviera a punto de sufrir una maldición por un acto tan malvado, ayudó a la hija a escapar al bosque encantado. La mañana de la boda, el rey descubrió que su hija no estaba. Ejecutó al cortesano. Luego envió a su ejército al bosque a buscarla. Sin duda encontrarían a la hija. Ella rogó ayuda al bosque encantado. Una seta respondió a su llamada. Si la princesa prometía cuidar del bosque, la seta la ayudaría. Había una condición: nunca más tendría contacto con los humanos y se consagraría a la naturaleza. La princesa aceptó y la seta le sopló sus esporas mágicas a la cara y la convirtió en un feo trol. Cuando los soldados del rey encontraron al trol acechando detrás de una roca, retrocedieron y continuaron su búsqueda en otro sitio.

La princesa trol pasó muchos años cuidando el bosque y se hizo amiga de las aves y los lobos y los osos. Entretanto, el reino de su padre cayó en la ruina. El rey se volvió loco tratando de encontrar a su hija perdida. Al final, con el castillo derrumbándose y las arcas del reino vacías, el rey, viejo y enloquecido, ya no tenía más sirvientes a los que dar órdenes ni ciudadanos que gobernar. Salió al bosque para encontrar a su hija él mismo. Pasó meses arrastrándose por el musgo, mascando corteza, hasta que finalmente se derrumbó. Estaba al borde de la muerte.

Las aves llevaron a la princesa trol noticia del estado de su padre. Ella fue a verlo, pero no se atrevió a acercarse demasiado. El rey se fijó en unos ojos amarillos entre los árboles y pidió al trol que lo enterrara para que su cuerpo no fuera devorado por los cuervos y para que, al menos en la muerte, pudiera conocer la paz otra vez. El corazón de la princesa trol era puro. Recordaba haber amado a su padre y pensaba que debía concederle ese último deseo. Sin embargo, en cuanto asintió con una inclinación de cabeza, rompió su promesa y se transformó otra vez en una princesa encantadora, más hermosa que nunca.

La visión de su hija rejuveneció al rey enfermo, que se puso en pie tambaleándose y empezó a perseguirla. La princesa pidió ayuda a gritos. Los lobos y los cuervos y los osos respondieron a su llamada y despedazaron al rey; cada uno se llevó un trozo de su cuerpo a los extremos más apartados del bosque para darse un festín. Después, la princesa se despidió de sus amigos del bosque y regresó al castillo. Se restableció el orden. La princesa se casó con un apuesto príncipe. Los osos y los lobos asistieron a la boda. El tejado del castillo se llenó de aves. En el bosque encantado, las hojas se pusieron doradas en señal de celebración.

Se restableció la grandeza del reino y la nueva reina gobernó con justicia y vivió feliz para siempre.

Me disculpé y me levanté del asiento para ir a la zona de azafatas de la parte trasera del avión. En Suecia había mantenido la compostura, negándome a pensar demasiado en las emociones derivadas de mis descubrimientos, concentrándome en el procedimiento de recopilar datos y en el objetivo de presentárselos a mi madre en el hospital. Sin embargo, al leer esa historia no pude evitar ver a mi madre sentada en mi cama, con los dedos en ese cuento antes de pasar las páginas, negándose a leerlo, temiendo ser incapaz de ocultar sus sentimientos, temiendo que yo pudiera plantear una pregunta o captar un atisbo de la tristeza que ella había ocultado gran parte de su vida, no sólo a nosotros, sino también a sí misma. Debería haber leído esos cuentos yo mismo mucho tiempo atrás, y me pregunté si mi madre no lo había deseado en secreto. Ella podría haber tirado el libro, pero siempre lo conservó a mano, y volvía a esa colección una y otra vez, comunicando su gran importancia al tiempo que se negaba a revelar la razón. Pensé en nuestra manera de compartir la felicidad, convencidos de que así el momento ardería por más tiempo y con mayor intensidad, pero la tristeza también se puede compartir y quizá al hacerlo logramos que arda menos tiempo y con una intensidad menor. Si eso era cierto, por fin tenía algo que ofrecer.

* * *

Mark nos recogió en el aeropuerto. Le expliqué que iba a dejar mi trabajo. Con el nuevo año iba a buscar otra profesión. Si la idea hubiera sido descabellada, Mark habría expresado sus reservas, pero aceptó el anuncio sin protestar y me dijo que llevaba tiempo pensando lo mismo.

—¿Qué quieres hacer? —preguntó.

—Tendré que descubrirlo.

Mi padre estaba esperando en el hospital. Recibió a Mia con un abrazo. Vi la desesperación en su rostro. También la noté en su cuerpo cuando me abrazó: la pérdida de peso, la tensión. Aunque mi padre quería ir al grano, propuse que comiéramos juntos. No quería que nadie se sintiera apurado. Y tenía una última cuestión que plantear a Mia.

Encontramos un café de toda la vida cerca del hospital. Nos sirvieron la comida con un plato de rebanadas de pan blanco con la mantequilla ya untada y un té tan fuerte que Anders se echó a reír cuando lo sirvieron. Aparte de este oportuno momento de desenfado, nadie habló demasiado. En mis reflexiones pesaba mucho la idea de que mi madre hubiera concedido un papel tan particular al peligro en su manera de concebir todo lo que había sucedido. No se trataba sólo de infelicidad. Había percibido a una joven metida en un lío. Había habido un villano. Rompí el silencio para preguntar otra vez a Mia si alguna vez había corrido algún peligro. Ella negó con la cabeza. No obstante, había algo que no me había contado. Sospeché que la razón por la que no me lo había contado era que no se lo había contado a Anders.

* * *

Decidí correr el riesgo y le pasé a Mia la colección de cuentos de troles, señalando el que mi madre había querido que leyera. Empezó a leer, un poco desconcertada. Tenía que haber estado muy unida a mi madre, porque lloró al terminarlo. Le prometí que nunca volvería a planteárselo y repetí mi pregunta una última vez.

—¿Alguna vez estuviste en peligro?

Mia asintió. Anders la miró. Eso era una noticia también para él.

—¿Qué pasó? —pregunté.

—El alcalde era asqueroso. Todo el mundo lo sabía. Había hecho comentarios sobre mi cuerpo, mis piernas, mis pechos. Iba al baño y dejaba la puerta abierta y se quedaba allí deseando que yo pasara. Se lo conté a Håkan. Se lo conté a Elise. Ella reconoció que el alcalde era un viejo verde. Pero también apoyaba a Håkan y estaba dispuesto a hacer cualquier cosa que éste le pidiera. Así que Håkan me dijo que me vistiera de forma menos provocativa en su presencia.

Recordé la primera vez que mi madre había visto a Mia y dije:

—En la barbacoa de verano, en mayo, te desnudaste y te pusiste a nadar delante de todos los invitados.

—Fue mi forma de decirle a Håkan que me pondría lo que quisiera y que no iba a taparme porque el alcalde fuera un cabrón repugnante o porque él me lo dijera. Era un buen método, ¿no? Pero el alcalde era demasiado estúpido para comprenderlo. Creyó que coqueteaba con él. En verano, estaba leyendo en mi escritorio una noche, y cuando levanté la cabeza vi al alcalde junto a mi puerta. Håkan había celebrado una partida de cartas con algunos amigos y estaba llevando a su casa a uno que había bebido demasiado. Håkan nunca se emborrachaba. Nunca. Pero animaba a otra gente a emborracharse. Además, Elise no estaba. La cuestión es que el alcalde y yo estábamos solos en la casa. Nunca había tenido miedo de ese hombre antes, sólo me parecía patético, pero esa noche me asusté. Él estaba apoyado en el marco de la puerta. Me obligué a sonreír y le dije que prepararía café. No estaba segura de si iba a dejarme salir de la habitación porque no se movió, así que lo tomé de la mano, simulando ser juguetona, y lo saqué de allí. Sabía que en cierta medida él creía que lo deseaba y que sólo se volvería peligroso cuando le dejara claro que no era así. Le dije que en lugar de café podíamos tomar una copa y le pareció bien. En cuanto puso un pie en la escalera, di media vuelta y eché a correr. La puerta de mi dormitorio no tenía cerradura, pero la del cuarto de baño sí. Cerré de golpe y pasé el pestillo. Le grité que no me encontraba bien y que iba a darme un baño, que podía servirse café o lo que quisiera. No dijo nada. Sin embargo, oí acercarse sus pisadas, lo oí quedarse en el rellano. Me pregunté si iba a tirar la puerta abajo; la puerta no era robusta y no tenía más cierre que un simple pestillo. Vi que giraba el pomo, noté que empujaba la puerta. Esperé, empuñando unas tijeras. Debió de quedarse allí cinco minutos. Luego se alejó. Pero yo no salí del cuarto de baño. Me quedé encerrada hasta que Håkan llegó a casa.

El alcalde era el cuarto nombre en la lista de sospechosos de mi madre.

Anders tomó la mano de Mia y preguntó en tono suave:

—¿Por qué no me lo habías contado?

—Porque habrías intentado matarlo.

Yo añadí:

—Mia, cuando hables con mi madre, ¿puedes empezar con esto?

Había que pasar por dos puertas de seguridad para acceder a la sala de mi madre. El pesado golpetazo metálico al abrir y cerrar las puertas manifestaba la gravedad de su estado. Mi padre había convencido a los doctores para que retrasaran el uso del suero hasta mi regreso. Se acordó que Mia entraría sola, porque no queríamos que mi madre se sintiera en una emboscada. A Mia le pareció bien y mostró una gran fortaleza, aparentemente sin inmutarse por lo que la rodeaba o por los pacientes que paseaban por los pasillos. Era una joven extraordinaria. Anders le dio un beso. Una enfermera acompañó a Mia a la sala de visitas.

Me quité el reloj para dejar de contar los minutos. Estaba sentado al lado de Mark, que a su vez estaba junto a mi padre, sentado al lado de Anders, los cuatro uno al lado de otro, sin que ninguno pudiera leer un periódico o mirar el móvil. Todos éramos incapaces de pasar el tiempo de una forma que no fuera mirando al suelo o a las paredes. De vez en cuando, la enfermera nos ponía al día. Echaba un vistazo por la ventanita de la puerta y venía a explicarnos que Mia y mi madre estaban sentadas muy juntas, tomadas de la mano, enfrascadas en la conversación. No se habían movido de esa posición. Cuando la enfermera regresó por quinta vez, se dirigió a nosotros como si conformáramos una única familia:

—Vuestra madre quiere hablar.